W9-BNX-922

TEN FAVORITE FRENCH STORIES

TEN FAVORITE FRENCH STORIES

EDITED WITH NOTES
AND VOCABULARY

BY

JOSEPH S. GALLAND, PH.D.
Professor of Romance Languages
in Northwestern University

NEW YORK
F. S. CROFTS & CO.
MCMXXXV

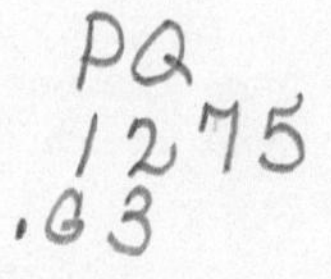

MANUFACTURED IN THE UNITED STATES OF AMERICA

PREFACE

The purpose of this collection is to bring together conveniently in one volume the best-known short stories and tales of the famous French story-tellers, Maupassant, Daudet, Zola, and Mérimée. Each of the ten stories has a definite literary value, and since all have been tried and tested by several generations of French classes, it is obvious that they possess the necessary plot interest to arouse and hold the attention of the students in second semester and second year classes.

The stories have been carefully reprinted from the best original French editions available. They are complete in all cases with the sole exception of *Tamango*, where a minor omission was deemed necessary for class use. In some few cases the original punctuation was slightly modified and occasionally a long paragraph was divided into smaller units.

A definite effort was made to arrange the stories in the order of their vocabulary difficulty. It is for this reason that the stories of Maupassant are placed at the beginning and those of Mérimée at the end of the volume.

The *Table of Irregular Verbs* was prepared for the convenience of teachers who may wish to review or stress verb study in their classes. The *Notes* contain the necessary explanation of the linguistic difficulties and historical allusions occurring in the text material, and in addition, most of the Author's Notes which Mérimée prepared for his *Carmen*.

Finally, the editor wishes to acknowledge his indebtedness and appreciation to the compilers of earlier collections of French stories. These have been freely consulted in the preparation of the *Notes* and *Vocabulary*. He wishes also to express his gratitude to his colleague, Miss Betty Lloyd, for her assistance in the preparation of the manuscript, and to his former colleague, Professor Eliot G. Fay of Knox College, for his kindness in verifying the accuracy of the editorial section of the volume.

J. S. G.

CONTENTS

TEN FAVORITE FRENCH STORIES

GUY DE MAUPASSANT

GUY DE MAUPASSANT was born at the Château de Miromesnil, in Normandy, in the year 1850. After completing his education at a *lycée* in Rouen he took part in the Franco-Prussian war, and then became a clerk at the government offices in Paris. From 1871 to 1880 he studied the art of writing plays, poems, and stories under the direction of the famous writer, Gustave Flaubert. The publication of his first important story, *Boule de suif*, in 1880, immediately made him famous. From that time until 1890, he wrote six novels and some three hundred short-stories. He died in 1893 after a prolonged period of mental derangement that affected the quality of his later works. In ten short years, however, he had succeeded in winning for himself a permanent reputation as one of the greatest story-tellers that ever lived.

LA PARURE

C'était une de ces jolies et charmantes filles, nées, comme par une erreur du destin, dans une famille d'employés. Elle n'avait pas de dot,* pas d'espérances,* aucun moyen d'être connue, comprise, aimée, épousée par un homme riche et distingué; et elle se laissa marier avec* un petit commis du Ministère de l'instruction publique.* 5

Elle fut simple,* ne pouvant être parée, mais malheureuse comme une déclassée;* car les femmes n'ont point de caste ni de race, leur beauté, leur grâce et leur charme leur servant de naissance et de famille.* Leur finesse native, leur instinct d'élégance, leur souplesse d'esprit, sont leur seule hiérarchie, et font des filles du peuple 10 les égales* des plus grandes dames.

Elle souffrait sans cesse, se sentant née pour toutes les délicatesses et tous les luxes. Elle souffrait de la pauvreté de son logement, de la misère des murs, de l'usure des sièges, de la laideur des étoffes. Toutes ces choses, dont une autre femme de sa caste ne se serait 15 même pas aperçue, la torturaient et l'indignaient. La vue de la petite Bretonne* qui faisait son humble ménage éveillait en elle des regrets désolés et des rêves éperdus. Elle songeait aux anti-

chambres muettes, capitonnées avec des tentures orientales, éclairées par de hautes torchères de bronze, et aux deux grands valets en culotte courte qui dorment dans les larges fauteuils, assoupis par la chaleur lourde du calorifère. Elle songeait aux grands
5 salons vêtus de soie ancienne, aux meubles fins portant des bibelots inestimables, et aux petits salons coquets parfumés, faits pour la causerie de cinq heures avec les amis les plus intimes, les hommes connus et recherchés dont toutes les femmes envient et désirent l'attention.

10 Quand elle s'asseyait, pour dîner, devant la table ronde couverte d'une nappe de trois jours,* en face de son mari qui découvrait la soupière en déclarant d'un air enchanté: «Ah! le bon pot-au-feu!* je ne sais rien de meilleur* que cela . . . » elle songeait aux dîners fins, aux argenteries reluisantes, aux tapisseries peuplant les
15 murailles de personnages anciens et d'oiseaux étranges au milieu d'une forêt de féerie; elle songeait aux plats exquis servis en des vaisselles merveilleuses, aux galanteries chuchotées et écoutées avec un sourire de sphinx, tout en mangeant* la chair rose d'une truite ou des ailes de gelinotte.

20 Elle n'avait pas de toilettes, pas de bijoux, rien. Et elle n'aimait que cela; elle se sentait faite pour cela. Elle eût tant désiré* plaire, être enviée, être séduisante et recherchée.

Elle avait une amie riche, une camarade de couvent qu'elle ne voulait plus aller voir, tant elle souffrait en revenant. Et elle
25 pleurait pendant des jours entiers, de chagrin, de regret, de désespoir et de détresse.

Or, un soir, son mari rentra, l'air glorieux, et tenant à la main* une large enveloppe.

—Tiens, dit-il, voici quelque chose pour toi.

30 Elle déchira vivement le papier et en tira une carte imprimée qui portait ces mots:

«Le Ministre de l'instruction publique et Mme Georges Ramponneau prient M. et Mme Loisel de leur faire l'honneur de venir passer la soirée à l'hôtel du Ministère,* le lundi 18 janvier.»

35 Au lieu d'être ravie, comme l'espérait son mari, elle jeta avec dépit l'invitation sur la table, murmurant:

—Que veux-tu que je fasse de cela?*

—Mais, ma chérie, je pensais que tu serais contente. Tu ne sors jamais, et c'est une occasion, cela, une belle!* J'ai eu une peine infinie à l'obtenir. Tout le monde en veut; c'est très recherché et on n'en donne pas beaucoup aux employés. Tu verras là tout le monde officiel.

Elle le regardait d'un œil irrité, et elle déclara avec impatience:

—Que veux-tu que je me mette sur le dos* pour aller là?

Il n'y avait pas songé;* il balbutia:

—Mais la robe avec laquelle tu vas au théâtre. Elle me semble très bien, à moi* . . .

Il se tut, stupéfait, éperdu, en voyant que sa femme pleurait. Deux grosses larmes descendaient lentement des coins des yeux vers les coins de la bouche; il bégaya:

—Qu'as-tu?* qu'as-tu?

Mais, par un effort violent, elle avait dompté sa peine et elle répondit d'une voix calme en essuyant ses joues humides:

—Rien. Seulement je n'ai pas de toilette et par conséquent je ne peux aller* à cette fête. Donne ta carte à quelque collègue dont la femme sera mieux nippée que moi.

Il était désolé. Il reprit:

—Voyons, Mathilde. Combien cela coûterait-il, une toilette convenable, qui pourrait te servir encore en d'autres occasions, quelque chose de très simple?

Elle réfléchit quelques secondes, établissant ses comptes et songeant aussi à la somme qu'elle pouvait demander sans s'attirer un refus immédiat et une exclamation effarée du commis économe.

Enfin, elle répondit en hésitant:

—Je ne sais pas au juste, mais il me semble qu'avec quatre cents francs je pourrais arriver.

Il avait un peu pâli, car il réservait juste cette somme pour acheter un fusil et s'offrir des parties de chasse, l'été suivant, dans la plaine de Nanterre, avec quelques amis qui allaient tirer des alouettes, par là, le dimanche.

Il dit cependant:

—Soit. Je te donne quatre cents francs. Mais tâche d'avoir une belle robe.

Le jour de la fête approchait, et Mme Loisel semblait triste, inquiète, anxieuse. Sa toilette était prête cependant. Son mari lui dit un soir:

—Qu'as-tu? Voyons, tu es toute drôle depuis trois jours.*

Et elle répondit:

—Cela m'ennuie de n'avoir pas un bijou, pas une pierre, rien à mettre sur moi. J'aurai l'air misère comme tout.* J'aimerais presque mieux ne pas aller à cette soirée.

Il reprit:

—Tu mettras des fleurs naturelles. C'est très chic en cette saison-ci. Pour dix francs tu auras deux ou trois roses magnifiques.

Elle n'était point convaincue.

—Non . . . il n'y a rien de plus humiliant que d'avoir l'air pauvre au milieu de femmes riches.

Mais son mari s'écria:

—Que tu es bête!* Va trouver ton amie Mme Forestier et demande-lui de te prêter des bijoux. Tu es bien assez liée avec elle pour faire cela.

Elle poussa un cri de joie:

—C'est vrai. Je n'y avais point pensé.

Le lendemain, elle se rendit* chez son amie et lui conta sa détresse.

Mme Forestier alla vers son armoire à glace, prit un large coffret, l'apporta, l'ouvrit, et dit à Mme Loisel:

—Choisis, ma chère.

Elle vit d'abord des bracelets, puis un collier de perles, puis une croix vénitienne, or et pierreries, d'un admirable travail. Elle essayait les parures devant la glace, hésitait, ne pouvait se décider à les quitter, à les rendre. Elle demandait toujours:*

—Tu n'as plus rien autre?*

—Mais si.* Cherche. Je ne sais pas ce qui peut te plaire.

Tout à coup elle découvrit, dans une boîte de satin noir, une superbe rivière de diamants; et son cœur se mit à battre d'un désir immodéré. Ses mains tremblaient en la prenant. Elle l'attacha autour de sa gorge, sur sa robe montante, et demeura en extase devant elle-même.

Puis, elle demanda, hésitante, pleine d'angoisse:

—Peux-tu me prêter cela, rien que cela?

—Mais oui, certainement.

Elle sauta au cou de son amie, l'embrassa avec emportement, puis s'enfuit avec son trésor.

Le jour de la fête arriva. Mme Loisel eut un succès. Elle était plus jolie que toutes,* élégante, gracieuse, souriante et folle de joie. Tous les hommes la regardaient, demandaient son nom, cherchaient à être présentés. Tous les attachés du cabinet voulaient valser avec elle. Le Ministre la remarqua. 5

Elle dansait avec ivresse, avec emportement, grisée par le plaisir, ne pensant plus à rien, dans le triomphe de sa beauté, dans la gloire de son succès, dans une sorte de nuage de bonheur fait de tous ces hommages, de toutes ces admirations, de tous ces désirs éveillés, de cette victoire si complète et si douce au cœur des femmes. 10

Elle partit vers quatre heures du matin. Son mari, depuis minuit, dormait dans un petit salon désert avec trois autres messieurs dont les femmes s'amusaient beaucoup.

Il lui jeta sur les épaules les vêtements qu'il avait apportés pour la sortie, modestes vêtements de la vie ordinaire, dont la pauvreté 15 jurait avec l'élégance de la toilette de bal. Elle le sentit et voulut s'enfuir, pour ne pas être remarquée par les autres femmes qui s'enveloppaient de riches fourrures.

Loisel la retenait:

—Attends donc. Tu vas attraper froid dehors. Je vais appeler 20 un fiacre.

Mais elle ne l'écoutait point et descendait rapidement l'escalier. Lorsqu'ils furent dans la rue, ils ne trouvèrent pas de voiture; et ils se mirent à chercher, criant après les cochers qu'ils voyaient passer de loin. 25

Ils descendaient vers la Seine, désespérés, grelottants. Enfin ils trouvèrent sur le quai un de ces vieux coupés noctambules qu'on ne voit dans Paris que la nuit venue, comme s'ils eussent été* honteux de leur misère pendant le jour.

Il les ramena jusqu'à leur porte, rue des Martyrs, et ils remontè- 30 rent tristement chez eux. C'était fini, pour elle. Et il songeait, lui, qu'il lui faudrait être au Ministère à dix heures.

Elle ôta les vêtements dont elle s'était enveloppé les épaules,* devant la glace, afin de se voir encore une fois dans sa gloire. Mais soudain elle poussa un cri. Elle n'avait plus sa rivière autour du 35 cou!

Son mari, à moitié dévêtu déjà, demanda:

—Qu'est-ce que tu as?

Elle se tourna vers lui, affolée:

—J'ai . . . j'ai . . . je n'ai plus la rivière de Mme Forestier.

Il se dressa, éperdu:

—Quoi! . . . comment! . . . Ce n'est pas possible!

Et ils cherchèrent dans les plis de la robe, dans les plis du manteau, dans les poches, partout. Ils ne la trouvèrent point.

Il demandait:

—Tu es sûre que tu l'avais encore en quittant le bal?

—Oui, je l'ai touchée dans le vestibule du Ministère.

—Mais, si tu l'avais perdue dans la rue, nous l'aurions entendue tomber. Elle doit être dans le fiacre.

—Oui. C'est probable. As-tu pris le numéro?

—Non. Et toi, tu ne l'as pas regardé?

—Non.

Ils se contemplaient atterrés. Enfin Loisel se rhabilla.

—Je vais, dit-il, refaire tout le trajet que nous avons fait à pied, pour voir si je ne la retrouverai pas.*

Et il sortit. Elle demeura en toilette de soirée, sans force pour se coucher, abattue sur une chaise, sans feu, sans pensée.

Son mari rentra vers sept heures. Il n'avait rien trouvé.

Il se rendit à la Préfecture de police, aux journaux, pour faire promettre une récompense, aux compagnies de petites voitures, partout enfin où un soupçon d'espoir le poussait.

Elle attendit tout le jour, dans le même état d'effarement devant cet affreux désastre.

Loisel revint le soir, avec la figure creusée, pâlie; il n'avait rien découvert.

—Il faut, dit-il, écrire à ton amie que tu as brisé la fermeture de sa rivière et que tu la fais réparer.* Cela nous donnera le temps de nous retourner.

Elle écrivit sous sa dictée.

Au bout d'une semaine, ils avaient perdu toute espérance.

Et Loisel, vieilli de cinq ans,* déclara:

—Il faut aviser à remplacer ce bijou.

Ils prirent, le lendemain, la boîte qui l'avait renfermé, et se rendirent chez le joaillier, dont le nom se trouvait dedans. Il consulta ses livres:

—Ce n'est pas moi, madame, qui ai vendu cette rivière; j'ai dû seulement fournir l'écrin.

Alors ils allèrent de bijoutier en bijoutier, cherchant une parure pareille à l'autre, consultant leurs souvenirs, malades tous deux de chagrin et d'angoisse.

Ils trouvèrent, dans une boutique du Palais-Royal, un chapelet de diamants qui leur parut entièrement semblable à celui qu'ils cherchaient. Il valait quarante mille francs. On le leur laisserait à trente-six mille. 5

Ils prièrent donc le joaillier de ne pas le vendre avant trois jours. Et ils firent condition qu'on le reprendrait, pour trente-quatre mille francs, si le premier était retrouvé avant la fin de février.

Loisel possédait dix-huit mille francs que lui avait laissés son père. Il emprunterait le reste. 10

Il emprunta, demandant mille francs à l'un, cinq cents à l'autre, cinq louis par-ci, trois louis par-là. Il fit des billets, prit des engagements ruineux, eut affaire aux usuriers, à toutes les races de prêteurs. Il compromit toute la fin de son existence, risqua sa signature sans savoir même s'il pourrait y faire honneur, et, épouvanté par les angoisses de l'avenir, par la noire misère* qui allait s'abattre sur lui, par la perspective de toutes les privations physiques et de toutes les tortures morales, il alla chercher la rivière nouvelle, en déposant sur le comptoir du marchand trente-six mille francs. 15 20

Quand Mme Loisel reporta la parure à Mme Forestier, celle-ci lui dit, d'un air froissé:

—Tu aurais dû me la rendre plus tôt, car je pouvais en avoir besoin.

Elle n'ouvrit pas l'écrin, ce que redoutait* son amie. Si elle s'était aperçue de la substitution, qu'aurait-elle pensé? qu'aurait-elle dit? Ne l'aurait-elle pas prise pour une voleuse? 25

Mme Loisel connut la vie horrible des nécessiteux. Elle prit son parti, d'ailleurs, tout d'un coup, héroïquement. Il fallait payer cette dette effroyable. Elle payerait. On renvoya la bonne; on changea de logement; on loua sous les toits une mansarde. 30

Elle connut les gros travaux du ménage, les odieuses besognes de la cuisine. Elle lava la vaisselle, usant ses ongles roses sur les poteries grasses et le fond des casseroles. Elle savonna le linge sale, les chemises et les torchons, qu'elle faisait sécher sur une corde; elle descendit à la rue, chaque matin, les ordures, et monta l'eau, s'arrêtant à chaque étage pour souffler. Et, vêtue comme une femme du peuple, elle alla chez le fruitier, chez l'épicier, chez le 35 boucher, le panier au bras, marchandant, injuriée, défendant sou à sou son misérable argent.

Il fallait chaque mois payer des billets, en renouveler d'autres, obtenir du temps.

Le mari travaillait, le soir à mettre au net les comptes d'un commerçant, et la nuit, souvent, il faisait de la copie à cinq sous la page.*

Et cette vie dura dix ans.

Au bout de dix ans, ils avaient tout restitué, tout, avec le taux de l'usure, et l'accumulation des intérêts superposés.

Madame Loisel semblait vieille, maintenant. Elle était devenue la femme forte, et dure, et rude, des ménages pauvres. Mal peignée, avec les jupes de travers et les mains rouges, elle parlait haut, lavait à grande eau* les planchers. Mais parfois, lorsque son mari était au bureau, elle s'asseyait auprès de la fenêtre, et elle songeait à cette soirée d'autrefois, à ce bal, où elle avait été si belle et si fêtée.

Que serait-il arrivé si elle n'avait point perdu cette parure? Qui sait? qui sait? Comme la vie est singulière, changeante! Comme il faut peu de chose pour vous perdre ou vous sauver!

Or, un dimanche, comme elle était allée faire un tour aux Champs-Élysées pour se délasser des besognes de la semaine, elle aperçut tout à coup une femme qui promenait un enfant. C'était Mme Forestier, toujours jeune, toujours belle, toujours séduisante.

Mme Loisel se sentit émue. Allait-elle lui parler? Oui, certes. Et maintenant qu'elle avait payé, elle lui dirait tout. Pourquoi pas?

Elle s'approcha.

—Bonjour, Jeanne.

L'autre ne la reconnaissait point, s'étonnant d'être appelée ainsi familièrement par cette bourgeoise. Elle balbutia:

—Mais . . . madame! . . . Je ne sais . . . Vous devez vous tromper.

—Non. Je suis Mathilde Loisel.

Son amie poussa un cri:

—Oh! . . . ma pauvre Mathilde, comme tu es changée! . . .

—Oui, j'ai eu des jours bien durs, depuis que je ne t'ai vue*; et bien des misères . . . et cela à cause de toi! . . .

—De moi . . . Comment ça?

—Tu te rappelles bien cette rivière de diamants que tu m'as prêtée pour aller à la fête du Ministère.

—Oui. Eh bien?

—Eh bien, je l'ai perdue.

—Comment! puisque tu me l'as rapportée.

—Je t'en ai rapporté une autre toute pareille. Et voilà dix ans que nous la payons.* Tu comprends que ça n'était pas aisé pour nous, qui n'avions rien. . . . Enfin c'est fini,* et je suis rudement contente.

Mme Forestier s'était arrêtée.

—Tu dis que tu as acheté une rivière de diamants pour remplacer la mienne?

—Oui. Tu ne t'en étais pas aperçue, hein? Elles étaient bien pareilles.

Et elle souriait d'une joie orgueilleuse et naïve.

Mme Forestier, fort émue, lui prit les deux mains.*

—Oh! ma pauvre Mathilde! Mais la mienne était fausse. Elle valait au plus cinq cents francs! . . .

Guy de Maupassant

L'INFIRME

Cette aventure m'est arrivée vers 1882. Je venais de m'installer dans le coin d'un wagon vide, et j'avais refermé la portière, avec l'espérance de rester seul,* quand elle se rouvrit* brusquement, et j'entendis une voix qui disait:

—Prenez garde, monsieur, nous nous trouvons* juste au croisement des lignes; le marchepied est très haut.

Une autre voix répondit:

—Ne crains rien, Laurent, je vais prendre les poignées.

Puis une tête apparut coiffée d'un chapeau rond, et deux mains, s'accrochant aux lanières de cuir et de drap suspendues des deux côtés de la portière, hissèrent lentement un gros corps, dont les pieds firent sur le marchepied un bruit de canne frappant le sol.

Or, quand l'homme eut fait entrer son torse* dans le compartiment, je vis apparaître, dans l'étoffe flasque du pantalon, le bout peint en noir d'une jambe de bois, qu'un autre pilon pareil suivit bientôt.

Une tête se montra derrière ce voyageur et demanda:

—Vous êtes bien, monsieur?

—Oui, mon garçon.

—Alors, voilà vos paquets et vos béquilles.

Et un domestique, qui avait l'air d'un vieux soldat,* monta à son tour, portant en ses bras un tas de choses, enveloppées en des papiers noirs et jaunes, ficelées soigneusement, et les déposa, l'une après l'autre, dans le filet au-dessus de la tête de son maître. Puis il dit:

—Voilà, monsieur, c'est tout. Il y en a cinq: les bonbons, la poupée, le tambour, le fusil et le pâté de foies gras.

—C'est bien, mon garçon.

—Bon voyage, monsieur.

—Merci, Laurent; bonne santé!

L'homme s'en alla en repoussant la porte, et je regardai mon voisin.

Il pouvait avoir trente-cinq ans, bien que ses cheveux fussent presque blancs;* il était décoré,* moustachu, fort gros, atteint de cette obésité poussive des hommes actifs et forts qu'une infirmité tient immobiles.

Il s'essuya le front, souffla et, me regardant bien en face:

—La fumée vous gêne-t-elle, monsieur? 5

—Non, monsieur.

Cet œil, cette voix, ce visage, je les connaissais. Mais d'où, de quand?* Certes, j'avais rencontré ce garçon-là, je lui avais parlé, je lui avais serré la main. Cela datait de loin, de très loin, c'était perdu dans cette brume où l'esprit semble chercher à tâtons les 10 souvenirs et les poursuit, comme des fantômes fuyants, sans les saisir.

Lui aussi, maintenant, me dévisageait avec la ténacité et la fixité d'un homme qui se rappelle un peu, mais pas tout à fait.

Nos yeux, gênés de ce contact obstiné des regards, se détournè- 15 rent; puis, au bout de quelques secondes, attirés de nouveau par la volonté obscure et tenace de la mémoire en travail, ils se rencontrèrent encore, et je dis:

—Mon Dieu, monsieur, au lieu de nous observer à la dérobée pendant une heure, ne vaudrait-il pas mieux chercher ensemble 20 où nous nous sommes connus?

Le voisin répondit avec bonne grâce:

—Vous avez tout à fait raison, monsieur.

Je me nommai:

—Je m'appelle Henry Bonclair, magistrat. 25

Il hésita quelques secondes; puis, avec ce vague de l'œil et de la voix qui accompagne les grandes tensions d'esprit:

—Ah! parfaitement, je vous ai rencontré chez les Poincel,* autrefois, avant la guerre,* voilà douze ans de cela!*

—Oui, monsieur . . . Ah! . . . ah! . . . vous êtes le lieutenant 30 Revalière?*

—Oui . . . Je fus même le capitaine Revalière jusqu'au jour où* j'ai perdu mes pieds . . . tous les deux d'un seul coup, sur le passage d'un boulet.*

Et nous nous regardâmes de nouveau, maintenant que nous nous 35 connaissions.

Je me rappelais parfaitement avoir vu ce beau garçon mince qui conduisait les cotillons avec une furie agile et gracieuse et qu'on avait surnommé, je crois, «la Trombe.» Mais derrière cette image, nettement évoquée, flottait encore quelque chose d'insaisissable, une histoire que j'avais sue et oubliée, une de ces histoires auxquelles on prête une attention bienveillante et courte, et qui ne laissent dans l'esprit qu'une marque presque imperceptible.

5 Il y avait de l'amour là dedans.* J'en retrouvais la sensation particulière au fond de ma mémoire, mais rien de plus, sensation comparable au fumet que sème pour le nez d'un chien le pied d'un gibier sur le sol.

Peu à peu, cependant, les ombres s'éclaircirent et une figure de 10 jeune fille surgit devant mes yeux. Puis son nom éclata dans ma tête comme un pétard qui s'allume: Mlle de Mandal.* Je me rappelais tout, maintenant. C'était, en effet, une histoire d'amour, mais banale. Cette jeune fille aimait ce jeune homme, lorsque je l'avais rencontré, et on parlait de leur prochain mariage. Il parais-15 sait lui-même très épris, très heureux.

Je levai les yeux* vers le filet où tous les paquets apportés par le domestique de mon voisin tremblotaient aux secousses du train, et la voix du serviteur me revint comme s'il finissait à peine* de parler.

Il avait dit:

20 —Voilà, monsieur, c'est tout. Il y en a cinq: les bonbons, la poupée, le tambour, le fusil et le pâté de foies gras.

Alors, en une seconde, un roman se composa et se déroula dans ma tête. Il ressemblait d'ailleurs à tous ceux que j'avais lus où, tantôt le jeune homme, tantôt la jeune fille, épouse son fiancé ou 25 sa fiancée après la catastrophe, soit corporelle, soit financière. Donc, cet officier mutilé pendant la guerre avait retrouvé, après la campagne, la jeune fille qui s'était promise à lui; et, tenant son engagement, elle s'était donnée.

Je jugeais cela beau, mais simple, comme on juge simples tous 30 les dévouements et tous les dénouements des livres et du théâtre. Il semble toujours, quand on lit, ou quand on écoute, à ces écoles de magnanimité,* qu'on se serait sacrifié soi-même avec un plaisir enthousiaste, avec un élan magnifique. Mais on est de fort mauvaise humeur,* le lendemain, quand un ami misérable vient vous 35 emprunter quelque argent.

Puis, soudain,* une autre supposition, moins poétique et plus réaliste, se substitua à la première. Peut-être s'était-il marié* avant la guerre, avant l'épouvantable accident de ce boulet lui coupant les jambes, et avait-elle dû, désolée et résignée, recevoir, soigner, consoler, soutenir ce mari, parti fort et beau, revenu avec les pieds fauchés, affreux débris voué à l'immobilité, aux colères impuissantes et à l'obésité fatale.

Était-il heureux ou torturé? Une envie, légère d'abord, puis grandissante, puis irrésistible, me saisit de connaître son histoire, d'en savoir au moins les points principaux, qui me permettraient de deviner ce qu'il ne pourrait pas ou ne voudrait pas me dire.

Je lui parlais, tout en songeant. Nous avions échangé quelques paroles banales; et moi, les yeux levés vers le filet, je pensais: «Il a donc trois enfants: les bonbons sont pour sa femme, la poupée pour sa petite fille, le tambour et le fusil pour ses fils, ce pâté de foies gras pour lui.»

Soudain, je lui demandai:

—Vous êtes père,* monsieur?

Il répondit:

—Non, monsieur.

Je me sentis soudain confus comme si j'avais commis une grosse inconvenance et je repris:

—Je vous demande pardon. Je l'avais pensé* en entendant votre domestique parler de jouets. On entend sans écouter, et on conclut malgré soi.

Il sourit, puis murmura:

—Non, je ne suis même pas marié. J'en suis resté aux préliminaires.*

J'eus l'air de me souvenir tout à coup.

—Ah! c'est vrai, vous étiez fiancé, quand je vous ai connu, fiancé avec Mlle de Mandal, je crois.

—Oui, monsieur, votre mémoire est excellente.

J'eus une audace excessive, et j'ajoutai:

—Oui, je crois me rappeler aussi avoir entendu dire que Mlle de Mandal avait épousé monsieur . . . monsieur . . .

Il prononça tranquillement ce nom:

—M. de Fleurel.

—Oui, c'est cela! Oui . . . je me rappelle même, à ce propos, avoir entendu parler de votre blessure.

Je le regardais bien en face, et il rougit.

Sa figure pleine, bouffie, que l'afflux constant de sang rendait déjà pourpre, se teinta davantage* encore.

Il répondit avec vivacité, avec l'ardeur soudaine d'un homme qui plaide une cause perdue d'avance, perdue dans son esprit et dans son cœur, mais qu'il veut gagner devant l'opinion.*

—On a tort, monsieur, de prononcer à côté du mien le nom de Mme de Fleurel. Quand je suis revenu de la guerre, sans mes pieds, 5 hélas! je n'aurais jamais accepté, jamais, qu'elle devînt* ma femme. Est-ce que c'était possible? Quand on se marie, monsieur, ce n'est pas pour faire parade de générosité: c'est pour vivre, tous les jours, toutes les heures, toutes les minutes, toutes les secondes, à côté d'un homme; et, si cet homme est difforme, comme moi, on se con- 10 damne, en l'épousant, à une souffrance qui durera jusqu'à la mort! Oh! je comprends, j'admire tous les sacrifices, tous les dévouements, quand ils ont une limite, mais je n'admets pas le renoncement d'une femme à toute une vie qu'elle espère heureuse,* à toutes les joies, à tous les rêves, pour satisfaire l'admiration de la galerie. Quand 15 j'entends sur le plancher de ma chambre le battement de mes pilons et celui de mes béquilles, ce bruit de moulin* que je fais à chaque pas, j'ai des exaspérations à* étrangler mon serviteur. Croyez-vous qu'on puisse accepter d'une femme de tolérer* ce qu'on ne supporte pas soi-même? Et puis, vous imaginez-vous que c'est joli, 20 mes bouts de jambes?* . . .

Il se tut. Que lui dire?* Je trouvais qu'il avait raison. Pouvais-je la blâmer, la mépriser, même lui donner tort, à elle?* Non. Cependant? Le dénouement conforme à la règle, à la moyenne, à la vérité, à la vraisemblance, ne satisfaisait pas mon appétit poétique. 25 Ces moignons héroïques appelaient* un beau sacrifice qui me manquait,* et j'en éprouvais une déception.

Je lui demandai tout à coup:

—Mme de Fleurel a des enfants?

—Oui, une fille et deux garçons. C'est pour eux que je porte 30 ces jouets. Son mari et elle ont été très bons pour moi.

Le train montait la rampe de Saint-Germain. Il passa les tunnels, entra en gare, s'arrêta.

J'allais offrir mon bras pour aider la descente de l'officier mutilé quand deux mains se tendirent vers lui, par la portière ouverte:

35 —Bonjour! mon cher Revalière.

—Ah! bonjour, Fleurel.

Derrière l'homme, la femme souriait, radieuse, encore jolie, envoyant des «bonjour!» de ses doigts gantés. Une petite fille, à côté d'elle, sautillait de joie, et deux garçonnets regardaient avec des yeux avides le tambour et le fusil passant du filet du wagon entre les mains de leur père.

Quand l'infirme fut sur le quai, tous les enfants l'embrassèrent. Puis on se mit en route, et la fillette, par amitié, tenait dans sa petite main la traverse vernie d'une béquille, comme elle aurait pu tenir,* en marchant à son côté, le pouce de son grand ami. 5

Guy de Maupassant

LA FICELLE

Sur toutes les routes autour de Goderville, les paysans et leurs femmes s'en venaient vers le bourg, car c'était jour de marché. Les mâles* allaient, à pas tranquilles, tout le corps en avant à chaque mouvement de leurs longues jambes torses, déformées par 5 les rudes travaux, par la pesée sur la charrue qui fait en même temps monter l'épaule gauche et dévier la taille, par le fauchage des blés qui fait écarter les genoux* pour prendre un aplomb solide, par toutes les besognes lentes et pénibles de la campagne. Leur blouse bleue, empesée, brillante, comme vernie, ornée au col et 10 aux poignets d'un petit dessin de fil blanc, gonflée autour de leur torse osseux, semblait un ballon prêt à s'envoler, d'où sortaient une tête, deux bras et deux pieds.

Les uns tiraient au bout d'une corde une vache, un veau. Et leurs femmes, derrière l'animal, lui fouettaient les reins d'une 15 branche encore garnie de feuilles, pour hâter sa marche. Elles portaient au bras de larges paniers d'où sortaient des têtes de poulets par-ci, des têtes de canards par-là. Et elles marchaient d'un pas plus court et plus vif que leurs hommes,* la taille sèche, droite et drapée dans un petit châle étriqué, épinglé sur leur poitrine plate, 20 la tête enveloppée d'un linge blanc collé sur les cheveux et surmontée d'un bonnet.

Puis, un char à bancs passait, au trot saccadé d'un bidet, secouant étrangement deux hommes assis côte à côte et une femme dans le fond du véhicule, dont elle tenait le bord pour atténuer 25 les durs cahots.

Sur la place de Goderville, c'était* une foule, une cohue d'humains et de bêtes mélangés. Les cornes des bœufs, les hauts chapeaux à longs poils des paysans riches et les coiffes des paysannes émergeaient à la surface de l'assemblée. Et les voix criardes, aiguës,* 30 glapissantes, formaient une clameur continue et sauvage que dominait* parfois un grand éclat poussé par la robuste poitrine d'un campagnard en gaieté, ou le long meuglement d'une vache attachée au mur d'une maison.

Tout cela sentait l'étable, le lait et le fumier, le foin et la sueur, dégageait cette saveur aigre, affreuse, humaine et bestiale, particulière aux gens des champs.

Maître Hauchecorne, de Bréauté, venait d'arriver à Goderville, et il se dirigeait vers la place, quand il aperçut par terre un petit bout de ficelle. Maître Hauchecorne, économe en vrai Normand, pensa que tout était bon à ramasser qui peut servir; et il se baissa péniblement, car il souffrait de rhumatismes. Il prit, par terre, le morceau de corde mince, et il se disposait à le rouler avec soin, quand il remarqua, sur le seuil de sa porte, maître Malandain, le bourrelier, qui le regardait. Ils avaient eu des affaires ensemble* au sujet d'un licol,* autrefois, et ils étaient restés fâchés, étant rancuniers tous deux. Maître Hauchecorne fut pris d'une sorte de honte d'être vu ainsi, par son ennemi, cherchant dans la crotte un bout de ficelle. Il cacha brusquement sa trouvaille sous sa blouse, puis dans la poche de sa culotte; puis il fit semblant de chercher encore par terre quelque chose qu'il ne trouvait point, et il s'en alla vers le marché, la tête en avant, courbé en deux par ses douleurs.

Il se perdit aussitôt dans la foule criarde et lente, agitée par les interminables marchandages. Les paysans tâtaient les vaches, s'en allaient, revenaient, perplexes, toujours dans la crainte d'être mis dedans, n'osant jamais se décider, épiant l'œil du vendeur, cherchant sans fin à découvrir la ruse de l'homme et le défaut de la bête.

Les femmes, ayant posé à leurs pieds leurs grands paniers, en avaient tiré leurs volailles qui gisaient* par terre, liées par les pattes, l'œil effaré, la crête écarlate.

Elles écoutaient les propositions, maintenaient leurs prix, l'air sec,* le visage impassible, ou bien tout à coup, se décidant au rabais proposé, criaient au client qui s'éloignait lentement:

—C'est dit,* maît'* Anthime. J'vous l'donne.*

Puis, peu à peu, la place se dépeupla, et l'*Angélus* sonnant midi, ceux qui demeuraient trop loin se répandirent dans les auberges.

Chez Jourdain, la grande salle était pleine de mangeurs, comme la vaste cour était pleine de véhicules de toute race, charrettes, cabriolets, chars à bancs, tilburys, carrioles innommables, jaunes de crotte, déformées, rapiécées, levant au ciel, comme deux bras, leurs brancards, ou bien le nez par terre et le derrière en l'air.

Tout contre les dîneurs attablés,* l'immense cheminée, pleine de flamme claire, jetait une chaleur vive dans le dos de la rangée de droite. Trois broches tournaient, chargées de poulets, de pigeons et de gigots; et une délectable odeur de viande rôtie et de jus ruisselant sur la peau rissolée, s'envolait de l'âtre, allumait les gaietés, mouillait les bouches.*

Toute l'aristocratie de la charrue mangeait là, chez maît' Jourdain, aubergiste et maquignon, un malin qui avait des écus.

Les plats passaient, se vidaient comme les brocs de cidre jaune. Chacun racontait ses affaires, ses achats et ses ventes. On prenait des nouvelles des récoltes. Le temps était bon pour les verts, mais un peu mucre pour les blés.

Tout à coup, le tambour roula,* dans la cour, devant la maison. Tout le monde aussitôt fut debout, sauf quelques indifférents, et on courut à la porte, aux fenêtres, la bouche encore pleine et la serviette à la main.

Après qu'il eut terminé son roulement, le crieur public lança d'une voix saccadée, scandant ses phrases à contretemps.*

—Il est fait assavoir* aux habitants de Goderville, et en général à toutes—les personnes présentes au marché, qu'il a été perdu ce matin, sur la route de Beuzeville, entre—neuf heures et dix heures, un portefeuille en cuir noir, contenant cinq cents francs et des papiers d'affaires. On est prié de le rapporter—à la mairie, incontinent, ou chez maître Fortuné Houlbrèque, de Manneville. Il y aura vingt francs de récompense.*

Puis l'homme s'en alla. On entendit encore une fois au loin les battements sourds de l'instrument et la voix affaiblie du crieur.

Alors on se mit à parler de cet événement, en énumérant les chances qu'avait maître Houlbrèque de retrouver ou de ne pas retrouver son portefeuille.

Et le repas s'acheva.

On finissait le café, quand le brigadier de gendarmerie parut sur le seuil.

Il demanda:

—Maître Hauchecorne, de Bréauté, est-il ici?

Maître Hauchecorne, assis à l'autre bout de la table, répondit:

—Me v'là.*

Et le brigadier reprit:

—Maître Hauchecorne, voulez-vous avoir la complaisance de m'accompagner à la mairie. M. le maire voudrait vous parler.

Le paysan, surpris, inquiet, avala d'un coup son petit verre, se leva et, plus courbé encore que le matin, car les premiers pas après chaque repos étaient particulièrement difficiles, il se mit en route en répétant:

—Me v'là, me v'là.

Et il suivit le brigadier.

Le maire l'attendait, assis dans un fauteuil. C'était le notaire de l'endroit, homme gros, grave, à phrases pompeuses.*

—Maître Hauchecorne, dit-il, on vous a vu ce matin ramasser, sur la route de Beuzeville, le portefeuille perdu par maître Houlbrèque, de Manneville.

Le campagnard, interdit, regardait le maire, apeuré déjà par ce soupçon qui pesait sur lui, sans qu'il comprît pourquoi.

—Mé, mé, j'ai ramassé çu portafeuille!*

—Oui, vous-même.

—Parole d'honneur, je n'en ai seulement point eu connaissance.

—On vous a vu.

—On m'a vu, mé? Qui ça qui m'a vu?*

—M. Malandain, le bourrelier.

Alors le vieux se rappela, comprit et, rougissant de colère:

—Ah! i m'a vu, çu manant! I m'a vu ramasser c'te ficelle-là, tenez, m'sieu le maire.*

Et, fouillant au fond de sa poche, il en retira le petit bout de corde.

Mais le maire, incrédule, remuait la tête.

—Vous ne me ferez pas accroire,* maître Hauchecorne, que M. Malandain, qui est un homme digne de foi, a pris ce fil pour un portefeuille.

Le paysan, furieux, leva la main, cracha de côté pour attester son honneur, répétant:

—C'est pourtant la vérité du bon Dieu,* la sainte vérité, m'sieu le maire. Là, sur mon âme et mon salut, je l'répète.

Le maire reprit:

—Après avoir ramassé* l'objet, vous avez même encore cherché longtemps dans la boue, si* quelque pièce de monnaie ne s'en était pas échappée.

Le bonhomme suffoquait d'indignation et de peur.

—Si on peut dire! * . . . si on peut dire . . . des menteries comme ça pour dénaturer un honnête homme! Si on peut dire! . . .

Il eut beau protester, on ne le crut pas.

Il fut confronté avec M. Malandain, qui répéta et soutint son affirmation. Ils s'injurièrent une heure durant. On fouilla, sur sa demande, maître Hauchecorne. On ne trouva rien sur lui.

Enfin, le maire, fort perplexe, le renvoya en le prévenant qu'il allait aviser le parquet et demander des ordres.

La nouvelle s'était répandue. A sa sortie de la mairie,* le vieux fut entouré, interrogé avec une curiosité sérieuse ou goguenarde, mais où n'entrait aucune indignation. Et il se mit à raconter l'histoire de la ficelle. On ne le crut pas. On riait.

Il allait, arrêté par tous, arrêtant ses connaissances, recommençant sans fin son récit et ses protestations, montrant ses poches retournées, pour prouver qu'il n'avait rien.

On lui disait:

—Vieux malin, va!*

Et il se fâchait, s'exaspérant, enfiévré, désolé de n'être pas cru, ne sachant que faire, et contant toujours son histoire.

La nuit vint. Il fallait partir. Il se mit en route avec trois voisins à qui il montra la place où il avait ramassé le bout de corde; et tout le long du chemin il parla de son aventure.

Le soir, il fit une tournée dans le village de Bréauté, afin de la dire à tout le monde. Il ne rencontra que des incrédules.

Il en fut malade toute la nuit.

Le lendemain, vers une heure de l'après-midi, Marius Paumelle, valet de ferme de maître Breton, cultivateur à Ymauville, rendait le portefeuille et son contenu à maître Houlbrèque, de Manneville.

Cet homme prétendait avoir, en effet, trouvé l'objet sur la route; mais, ne sachant pas lire,* il l'avait rapporté à la maison et donné à son patron.

La nouvelle se répandit aux environs. Maître Hauchecorne en fut informé. Il se mit aussitôt en tournée et commença à narrer son histoire complétée du dénouement. Il triomphait.

—C'qui m'faisait deuil,* disait-il, c'est point* tant la chose, comprenez-vous; mais c'est la menterie. Y a rien* qui vous nuit comme d'être en réprobation pour une menterie.

Tout le jour il parlait de son aventure, il la contait sur les routes aux gens qui passaient, au cabaret aux gens qui buvaient, à la sortie de l'église le dimanche suivant. Il arrêtait des inconnus pour la leur dire. Maintenant, il était tranquille, et pourtant quelque chose le gênait sans qu'il sût* au juste ce que c'était. On avait l'air de plaisanter en l'écoutant. On ne paraissait pas convaincu. Il lui semblait sentir* des propos derrière son dos.

Le mardi de l'autre semaine, il se rendit au marché de Goderville, uniquement poussé par le besoin de conter son cas.

Malandain, debout sur sa porte, se mit à rire en le voyant passer. Pourquoi?

Il aborda un fermier de Criquetot, qui ne le laissa pas achever et, lui jetant une tape dans le creux de son ventre,* lui cria par la figure:* «Gros malin, va!» Puis lui tourna les talons.*

Maître Hauchecorne demeura interdit et de plus en plus inquiet. Pourquoi l'avait-on appelé «gros malin»?

Quand il fut assis à table, dans l'auberge de Jourdain, il se remit à expliquer l'affaire.

Un maquignon de Montivilliers lui cria:

—Allons, allons, vieille pratique, je la connais, ta ficelle! * Hauchecorne balbutia:

—Puisqu'on l'a retrouvé, çu portafeuille!

Mais l'autre reprit:

—Tais-té, mon pé,* y en a un qui trouve et y en a un qui r'porte.* Ni vu ni connu, je t'embrouille.*

Le paysan resta suffoqué. Il comprenait enfin. On l'accusait d'avoir fait reporter le portefeuille par un compère, par un complice.

Il voulut protester. Toute la table se mit à rire.

Il ne put achever son dîner et s'en alla, au milieu des moqueries.

Il rentra chez lui, honteux et indigné, étranglé par la colère, par la confusion, d'autant plus atterré qu'il était capable, avec sa finauderie de Normand, de faire ce dont on l'accusait, et même de s'en vanter comme d'un bon tour. Son innocence lui apparaissait confusément comme impossible à prouver, sa malice étant connue. Et il se sentait frappé au cœur par l'injustice du soupçon.

Alors il recommença à conter l'aventure, en allongeant chaque jour son récit, ajoutant chaque fois des raisons nouvelles, des protestations plus énergiques, des serments plus solennels qu'il imaginait, qu'il préparait dans ses heures de solitude, l'esprit uniquement occupé de l'histoire de la ficelle. On le croyait d'autant moins que sa défense était plus compliquée et son argumentation plus subtile.

—Ça, c'est des raisons d'menteux,* disait-on derrière son dos.

Il le sentait, se rongeait les sangs,* s'épuisait en efforts inutiles.
5 Il dépérissait à vue d'œil.

Les plaisants maintenant lui faisaient conter «la Ficelle» pour s'amuser, comme on fait conter sa bataille au soldat* qui a fait campagne. Son esprit, atteint à fond, s'affaiblissait.

Vers la fin de décembre, il s'alita.

10 Il mourut dans les premiers jours de janvier, et, dans le délire de l'agonie, il attestait son innocence, répétant:

—Une 'tite ficelle . . . une 'tite ficelle . . . t'nez, la voilà, m'sieu* le maire.

Guy de Maupassant

ALPHONSE DAUDET

Alphonse Daudet was born in 1840 at Nîmes, in that southern part of France which was to be the setting of many of his tales. A crisis in his father's fortunes forced him, while still a young boy, to earn his living as tutor in a little provincial school. He broke away from there in 1857 and went to Paris, where his brother cared for him until he got a position as secretary to an influential man. The publication of a volume of charming verse soon brought him recognition; and his *Lettres de mon moulin*, a collection of short-stories based on what he knew of life in southern France, delighted his Parisian readers. His military service in the Franco-Prussian war interrupted his literary work but on the other hand it furnished him with impressions that he developed in his graphic *Contes du lundi*. Although some of his later novels follow the traditions of the Naturalistic School, he is best known for the touching *Letters from my mill* and for the mirth-provoking *Tartarin de Tarascon*. He died in 1897.

LES VIEUX

—Une lettre, père Azan?

—Oui, monsieur . . . ça vient de Paris.

Il était tout fier que ça vînt* de Paris, ce brave père Azan . . . Pas moi. Quelque chose me disait que cette Parisienne de la rue Jean-Jacques,* tombant sur ma table à l'improviste et de si grand matin, allait me faire perdre toute ma journée. Je ne me trompais pas, voyez plutôt:

Il faut que tu me rendes un service, mon ami. Tu vas fermer ton moulin pour un jour et t'en aller tout de suite à Eyguières . . . Eyguières est un gros bourg à trois ou quatre lieues de chez toi,—une promenade. En arrivant, tu demanderas le couvent des Orphelines. La première maison après le couvent est une maison basse à volets gris* avec un jardinet derrière. Tu entreras sans frapper,—la porte est toujours ouverte,—et, en entrant, tu crieras bien fort: «Bonjour, braves gens! Je suis l'ami de Maurice . . .» Alors, tu verras deux* *petits vieux, oh! mais vieux, vieux, archivieux, te tendre les bras du fond de leurs grands fauteuils, et tu les embrasseras de ma part, avec tout ton cœur, comme s'ils étaient à toi. Puis vous causerez; ils te parleront de moi, rien que de moi; ils te raconteront milles folies que tu écouteras sans rire . . . Tu ne riras pas, hein?* . . . Ce sont mes grands-parents, deux êtres dont je suis toute la vie* et qui ne m'ont pas vu depuis dix ans . . . Dix ans, c'est long! Mais que veux-tu!* moi, Paris me tient; eux, c'est le grand âge* . . . Ils sont si vieux,* s'ils venaient me voir, ils se casseraient en route . . . Heureusement, tu es là-bas, mon cher meunier, et, en t'embrassant, les pauvres gens croiront m'embrasser un peu moi-même . . . Je leur ai si souvent parlé de nous et de cette bonne amitié dont . . .*

Le diable soit de l'amitié!* Justement ce matin-là il faisait un temps admirable, mais qui ne valait rien* pour courir les routes: trop de mistral et trop de soleil, une vraie journée de Provence. Quand cette maudite lettre arriva, j'avais déjà choisi mon *cagnard* (abri) entre deux roches, et je rêvais de rester là tout le jour, comme un lézard, à boire* de la lumière, en écoutant chanter les pins . . . Enfin, que voulez-vous faire?* Je fermai le moulin en maugréant; je mis la clef sous la chatière. Mon bâton, ma pipe, et me voilà parti.*

J'arrivai à Eyguières vers deux heures. Le village était désert, tout le monde aux champs. Dans les ormes du cours, blancs de poussière, les cigales chantaient comme en pleine Crau. Il y avait bien sur la place de la mairie un âne qui prenait le soleil, un vol de pigeons sur la fontaine de l'église, mais personne* pour m'indiquer l'orphelinat. Par bonheur une vieille fée m'apparut* tout à coup, accroupie et filant dans l'encoignure de sa porte; je lui dis ce que je cherchais; et comme cette fée était très puissante, elle n'eut qu'à lever sa quenouille: aussitôt le couvent des Orphelines se dressa devant moi comme par magie . . . C'était une grande maison maussade et noire, toute fière de montrer au-dessus de son portail en ogive une vieille croix de grès rouge avec un peu de latin autour. A côté de cette maison, j'en aperçus une autre plus petite. Des volets gris, le jardin derrière . . . Je la reconnus tout de suite, et j'entrai sans frapper.

Je reverrai toute ma vie ce long corridor frais et calme, la muraille peinte en rose, le jardinet qui tremblait au fond à travers un store de couleur claire, et sur tous les panneaux des fleurs et des violons fanés. Il me semblait que j'arrivais chez quelque vieux bailli du temps de Sedaine* . . . Au bout du couloir, sur la gauche, par une porte entr'ouverte on entendait le tic tac d'une grosse horloge et une voix d'enfant, mais d'enfant à l'école, qui lisait en s'arrêtant à chaque syllabe: A . . . LORS . . . SAINT . . . I . . . RÉ . . . NÉE . . . S'É . . . CRI . . . A . . . JE . . . SUIS . . . LE . . . FRO . . . MENT . . . DU . . . SEI . . . GNEUR . . . IL . . . FAUT . . . QUE . . . JE . . . SOIS . . . MOU . . . LU . . . PAR . . . LA . . . DENT . . . DE . . . CES . . . A . . . NI . . . MAUX . . . Je m'approchai doucement de cette porte et je regardai . . .

Dans le calme et le demi-jour d'une petite chambre, un bon vieux à pommettes roses,* ridé jusqu'au bout des doigts, dormait au fond d'un fauteuil, la bouche ouverte, les mains sur ses genoux. A ses pieds, une fillette habillée de bleu,—grande pèlerine et petit béguin, le costume des orphelines,—lisait la Vie de saint Irénée dans un livre plus gros qu'elle . . . Cette lecture miraculeuse avait opéré sur toute la maison. Le vieux dormait dans son fauteuil, les mouches au plafond, les canaris dans leur cage, là-bas sur la fenêtre. La grosse horloge ronflait, tic tac, tic tac. Il n'y avait d'éveillé* dans toute la chambre qu'une grande bande de lumière qui tombait droite et blanche entre les volets clos, pleine d'étincelles vivantes et de valses microscopiques . . . Au milieu de l'assoupissement général, l'enfant continuait sa lecture d'un air grave: AUS . . . SI . . . TOT . . . DEUX . . . LIONS . . . SE . . . PRÉ . . . CI . . . PI . . . TÈ . . . RENT . . . SUR . . . LUI . . . ET . . . LE . . . DÉ . . . VO . . . RÈ . . . RENT . . . C'est à ce moment que j'entrai . . . Les lions de saint Irénée se précipitant dans la chambre n'y auraient pas produit plus de stupeur que moi. Un vrai coup de théâtre! La petite pousse un cri, le gros livre tombe, les canaris, les mouches se réveillent, la pendule sonne, le vieux se dresse en sursaut, tout effaré, et moi-même, un peu troublé, je m'arrête sur le seuil en criant bien fort:

—Bonjour, braves gens! je suis l'ami de Maurice.

Oh! alors, si vous l'aviez vu, le pauvre vieux, si vous l'aviez vu venir vers moi les bras tendus, m'embrasser, me serrer les mains, courir égaré dans la chambre, en faisant:*

—Mon Dieu! mon Dieu! . . .

Toutes les rides de son visage riaient. Il était rouge. Il bégayait:

—Ah! monsieur . . . ah! monsieur . . .

Puis il allait vers le fond en appelant:

—Mamette!

5 Une porte qui s'ouvre, un trot de souris dans le couloir . . . c'était Mamette. Rien de joli comme cette petite vieille avec son bonnet à coques, sa robe carmélite, et son mouchoir brodé qu'elle tenait à la main pour me faire honneur, à l'ancienne mode . . . Chose attendrissante! ils se ressemblaient. Avec un tour et des 10 coques jaunes, il aurait pu s'appeler Mamette, lui aussi. Seulement la vraie Mamette avait dû beaucoup pleurer dans sa vie, et elle était encore plus ridée que l'autre. Comme l'autre aussi, elle avait près d'elle une enfant de l'orphelinat, petite garde en pèlerine bleue, qui ne la quittait jamais; et de voir ces vieillards protégés par 15 ces orphelines, c'était ce qu'on peut imaginer de plus touchant.*

En entrant, Mamette avait commencé par me faire une grande révérence, mais d'un mot* le vieux lui coupa sa révérence en deux:

—C'est l'ami de Maurice . . .

Aussitôt la voilà qui tremble, qui pleure, qui perd son mouchoir, 20 qui devient rouge, toute rouge, encore plus rouge que lui . . . Ces vieux! ça* n'a qu'une goutte de sang dans les veines, et à la moindre émotion elle* leur saute au visage . . .

—Vite, vite, une chaise . . . dit la vieille à sa petite.

—Ouvre les volets . . . crie le vieux à la sienne.

25 Et, me prenant chacun par une main, ils m'emmenèrent en trottinant jusqu'à la fenêtre, qu'on a ouverte toute grande* pour mieux me voir. On approche les fauteuils, je m'installe entre les deux sur un pliant, les petites bleues* derrière nous, et l'interrogatoire commence:

30 —Comment va-t-il? Qu'est-ce qu'il fait? Pourquoi ne vient-il pas? Est-ce qu'il est content? . . .

Et patati! et patata! Comme cela pendant des heures.

Moi, je répondais de mon mieux à toutes leurs questions, donnant sur mon ami les détails que je savais, inventant effrontément ceux 35 que je ne savais pas, me gardant surtout d'avouer que je n'avais jamais remarqué si ses fenêtres fermaient bien ou de quelle couleur était le papier de sa chambre.

—Le papier de sa chambre! . . . Il est bleu, madame, bleu clair, avec des guirlandes . . .

—Vraiment? faisait* la pauvre vieille attendrie; et elle ajoutait en se tournant vers son mari: C'est un si brave enfant!*

—Oh! oui, c'est un brave enfant! reprenait l'autre avec enthousiasme.

Et, tout le temps que je parlais, c'étaient* entre eux des hochements de tête, de petits rires fins, des clignements d'yeux, des airs entendus, ou bien encore le vieux qui se rapprochait pour me dire: 5

—Parlez plus fort . . . Elle a l'oreille un peu dure.

Et elle de son côté:

—Un peu plus haut, je vous prie! . . . Il n'entend pas très bien . . . 10

Alors j'élevais la voix; et tous deux me remerciaient d'un sourire; et dans ces sourires fanés qui se penchaient vers moi, cherchant jusqu'au fond de mes yeux l'image de leur Maurice, moi, j'étais tout ému de la retrouver cette image, vague, voilée, presque insaisissable, comme si je voyais mon ami me sourire, très loin, dans un brouillard. 15

. . . .

Tout à coup le vieux se dresse sur son fauteuil:

—Mais j'y pense,* Mamette . . . il n'a peut-être pas déjeuné!

Et Mamette, effarée, les bras au ciel: 20

—Pas déjeuné! . . . Grand Dieu!

Je croyais qu'il s'agissait encore de Maurice, et j'allais répondre que ce brave enfant n'attendait jamais plus tard que midi pour se mettre à table. Mais non, c'était bien de moi qu'on parlait; et il faut voir* quel branle-bas quand j'avouai que j'étais encore à jeun: 25

—Vite le couvert, petites bleues! La table au milieu de la chambre, la nappe du dimanche, les assiettes à fleurs.* Et ne rions pas tant, s'il vous plaît! et dépêchons-nous . . .

Je crois bien* qu'elles se dépêchaient. A peine le temps de casser trois assiettes, le déjeuner se trouva servi. 30

—Un bon petit déjeuner! me disait Mamette en me conduisant à table; seulement vous serez tout seul . . . Nous autres,* nous avons déjà mangé ce matin.

Ces pauvres vieux! à quelque heure qu'on les prenne,* ils ont toujours mangé le matin. 35

Le bon petit déjeuner de Mamette, c'était deux doigts de lait,* des dattes et une *barquette*, quelque chose comme un échaudé; de quoi la nourrir elle et ses canaris* au moins pendant huit jours . . . Et dire qu'à moi seul* je vins à bout de toutes ces provisions! . . . Aussi quelle indignation autour de la table! Comme les petites bleues chuchotaient en se poussant du coude, et là-bas, au fond de leur cage, comme les canaris avaient l'air de se dire: «Oh! ce monsieur qui mange toute la *barquette!*»

Je la mangeai toute, en effet, et presque sans m'en apercevoir, occupé que j'étais* à regarder autour de moi dans cette chambre claire et paisible où flottait comme une odeur de choses anciennes . . . Il y avait surtout deux petits lits dont je ne pouvais pas détacher mes yeux. Ces lits, presque deux berceaux, je me les figurais le matin, au petit jour, quand ils sont encore enfouis sous leurs grands rideaux à franges. Trois heures sonnent. C'est l'heure où* tous les vieux se réveillent:

—Tu dors, Mamette?

—Non, mon ami.

—N'est-ce pas que Maurice est un brave enfant?

—Oh! oui, c'est un brave enfant.

Et j'imaginais comme cela toute une causerie, rien que pour avoir vu ces deux petits lits de vieux, dressés l'un à côté de l'autre . . .

Pendant ce temps, un drame terrible se passait à l'autre bout de la chambre, devant l'armoire. Il s'agissait d'atteindre là-haut, sur le dernier rayon, certain bocal de cerises à l'eau-de-vie qui attendait Maurice depuis dix ans et dont on voulait me faire l'ouverture.* Malgré les supplications de Mamette, le vieux avait tenu à aller chercher ses cerises lui-même; et, monté* sur une chaise au grand effroi de sa femme, il essayait d'arriver là-haut . . . Vous voyez le tableau d'ici: le vieux qui tremble et qui se hisse, les petites bleues cramponnées à sa chaise, Mamette derrière lui haletante, les bras tendus, et sur tout cela un léger parfum de bergamote qui s'exhale de l'armoire ouverte et des grands piles de linge roux . . . C'était charmant.

Enfin, après bien des efforts, on parvint à le tirer de l'armoire, ce fameux bocal, et avec lui* une vieille timbale d'argent toute bosselée, la timbale de Maurice quand il était petit. On me la remplit de cerises jusqu'au bord; Maurice les aimait tant, les cerises! Et tout en me servant, le vieux me disait à l'oreille d'un air de gourmandise:

—Vous êtes bien heureux, vous, de pouvoir en manger! . . . C'est ma femme qui les a faites . . . Vous allez goûter quelque chose de bon.

Hélas! sa femme les avait faites, mais elle avait oublié de les sucrer. Que voulez-vous!* on devient distrait en vieillissant. Elles étaient atroces, vos cerises, ma pauvre Mamette . . . Mais cela ne m'empêcha pas de les manger jusqu'au bout, sans sourciller.

. . . .

Le repas terminé, je me levai pour prendre congé de mes hôtes. Ils auraient bien voulu me garder encore un peu pour causer du brave enfant, mais le jour baissait, le moulin était loin, il fallait partir.

Le vieux s'était levé en même temps que* moi.

—Mamette, mon habit! . . . Je veux le conduire jusqu'à la place.

Bien sûr qu'au fond d'elle-même Mamette trouvait qu'il faisait déjà un peu frais pour me conduire jusqu'à la place; mais elle n'en laissa rien paraître. Seulement, pendant qu'elle l'aidait à passer les manches* de son habit, un bel habit tabac d'Espagne* à boutons de nacre, j'entendais la chère créature qui lui disait doucement:

—Tu ne rentreras pas trop tard, n'est-ce pas?

Et lui, d'un petit air malin:

—Hé! Hé! . . . je ne sais pas . . . peut-être . . .

Là-dessus, ils se regardaient en riant, et les petites bleues riaient de les voir rire, et dans leur coin les canaris riaient aussi à leur manière . . . Entre nous,* je crois que l'odeur des cerises les avait tous un peu grisés.

. . . La nuit tombait, quand nous sortîmes, le grand-père et moi. La petite bleue nous suivait de loin pour le ramener; mais lui ne la voyait pas, et il était tout fier de marcher à mon bras,* comme un homme. Mamette, rayonnante, voyait cela du pas de sa porte, et elle avait* en nous regardant de jolis hochements de tête qui semblaient dire: «Tout de même, mon pauvre homme! . . . il marche encore.»

Alphonse Daudet

LA PARTIE DE BILLARD

Comme on se bat depuis deux jours* et qu'ils* ont passé la nuit sac au dos sous une pluie torrentielle, les soldats sont exténués. Pourtant voilà trois mortelles heures qu'on les laisse* se morfondre, l'arme au pied, dans les flaques des grandes routes, dans la
5 boue des champs détrempés.

Alourdis par la fatigue, les nuits passées, les uniformes pleins d'eau, ils se serrent les uns contre les autres pour se réchauffer, pour se soutenir. Il y en a qui dorment tout debout,* appuyés au sac d'un voisin, et la lassitude, les privations se voient* mieux sur
10 ces visages détendus, abandonnés dans le sommeil. La pluie, la boue, pas de feu,* pas de soupe, un ciel bas et noir, l'ennemi qu'on sent tout autour. C'est lugubre . . .

Qu'est-ce qu'on fait là? Qu'est-ce qui se passe?

Les canons, la gueule tournée vers le bois, ont l'air de guetter
15 quelque chose. Les mitrailleuses embusquées regardent fixement l'horizon. Tout semble prêt pour une attaque. Pourquoi n'attaque-t-on pas? Qu'est-ce qu'on attend? . . .

On attend des ordres, et le quartier général n'en envoie pas.

Il n'est pas loin cependant le quartier général. C'est ce beau
20 château Louis XIII dont les briques rouges, lavées par la pluie, luisent à mi-côte entre les massifs. Vraie demeure princière, bien digne de porter le fanion d'un maréchal de France. Derrière un grand fossé et une rampe de pierre qui les séparent de la route, les pelouses montent tout droit jusqu'au perron, unies et vertes,
25 bordées de vases fleuris. De l'autre côté, du côté intime de la maison, les charmilles font des trouées lumineuses, la pièce d'eau où nagent des cygnes s'étale comme un miroir, et sous le toit en pagode d'une immense volière, lançant des cris aigus dans le feuillage, des paons, des faisans dorés battent des ailes et font la roue. Quoique
30 les maîtres soient partis,* on ne sent pas là l'abandon, le grand lâchez-tout de la guerre. L'oriflamme du chef de l'armée a préservé jusqu'aux moindres fleurettes des pelouses, et c'est quelque chose de saisissant de trouver, si près du champ de bataille, ce

calme opulent qui vient de l'ordre des choses, de l'alignement correct des massifs, de la profondeur silencieuse des avenues.

La pluie, qui tasse là-bas de si vilaine boue* sur les chemins et creuse des ornières si profondes, n'est plus ici qu'une ondée élégante, aristocratique, avivant la rougeur des briques, le vert des pelouses, lustrant les feuilles des orangers, les plumes blanches des cygnes. Tout reluit, tout est paisible. Vraiment, sans* le drapeau qui flotte à la crête du toit, sans les deux soldats en faction devant la grille, jamais on ne se croirait au quartier général. Les chevaux reposent dans les écuries. Çà et là on rencontre des brosseurs, des ordonnances en petite tenue flânant aux abords des cuisines, ou quelque jardinier en pantalon rouge promenant tranquillement son râteau* dans le sable des grandes cours.

La salle à manger, dont les fenêtres donnent sur le perron, laisse voir* une table à moitié desservie, des bouteilles débouchées, des verres ternis et vides, blafards sur la nappe froissée, toute une fin de repas, les convives partis.* Dans la pièce à côté, on entend des éclats de voix, des rires, des billes qui roulent, des verres qui se choquent. Le maréchal est en train de faire sa partie, et voilà pourquoi* l'armée attend des ordres. Quand le maréchal a commencé sa partie, le ciel peut bien crouler, rien au monde ne saurait* l'empêcher de la finir.

Le billard!

C'est sa faiblesse à ce grand homme* de guerre. Il est là, sérieux comme à la bataille, en grande tenue, la poitrine couverte de plaques, l'œil brillant, les pommettes enflammées, dans l'animation du repas, du jeu, des grogs. Ses aides de camp l'entourent, empressés, respectueux, se pâmant d'admiration à chacun de ses coups. Quand le maréchal fait un point, tous se précipitent vers la marque; quand le maréchal a soif, tous veulent lui préparer son grog. C'est un froissement d'épaulettes et de panaches, un cliquetis de croix et d'aiguillettes, et de voir tous ces jolis sourires, ces fines révérences de courtisans, tant de broderies et d'uniformes neufs, dans cette haute salle à boiseries de chêne, ouverte sur des parcs, sur des cours d'honneur, cela rappelle les automnes de Compiègne et repose un peu des capotes souillées qui se morfondent là-bas au long des routes et font des groupes si sombres sous la pluie.

Le partenaire du maréchal est un petit capitaine d'état-major, sanglé, frisé, ganté de clair,* qui est de première force au billard* et capable de rouler tous les maréchaux de la terre, mais il sait se tenir à une distance respectueuse de son chef, et s'applique à ne pas gagner, à ne pas perdre non plus trop facilement. C'est ce qu'on appelle un officier d'avenir . . .

5 Attention,* jeune homme, tenons-nous bien. Le maréchal en a quinze, et vous dix. Il s'agit de mener la partie jusqu'au bout comme cela, et vous aurez plus fait pour votre avancement que si vous étiez dehors avec les autres, sous ces torrents d'eau qui noient l'horizon, à salir votre bel uniforme, à ternir* l'or de vos aiguillettes, 10 attendant des ordres qui ne viennent pas.

C'est une partie vraiment intéressante. Les billes courent, se frôlent, croisent leurs couleurs.* Les bandes rendent bien,* le tapis s'échauffe . . . Soudain la flamme d'un coup de canon passe dans le ciel. Un bruit sourd fait trembler les vitres. Tout le monde 15 tressaille; on se regarde avec inquiétude. Seul le maréchal n'a rien vu, rien entendu: penché sur le billard, il est en train de combiner un magnifique effet de recul; c'est son fort, à lui, les effets de recul! . . .

Mais voilà un nouvel éclair, puis un autre. Les coups de canon 20 se succèdent, se précipitent. Les aides de camp courent aux fenêtres. Est-ce que les Prussiens attaqueraient?*

«Eh bien, qu'ils attaquent!* dit le maréchal en mettant du blanc . . . A vous de jouer,* capitaine.»

L'état-major frémit d'admiration. Turenne endormi sur un 25 affût* n'est rien auprès de ce maréchal, si calme devant son billard au moment de l'action . . . Pendant ce temps le vacarme redouble. Aux secousses du canon se mêlent les déchirements des mitrailleuses, les roulements des feux de peloton. Une buée rouge, noire sur les bords, monte au bout des pelouses. Tout le fond du parc est em- 30 brasé. Les paons, les faisans effarés clament dans la volière; les chevaux arabes, sentant la poudre, se cabrent au fond des écuries. Le quartier général commence à s'émouvoir. Dépêches sur dépêches. Les estafettes arrivent à bride abattue. On demande le maréchal.

35 Le maréchal est inabordable. Quand je vous disais* que rien ne pourrait l'empêcher d'achever sa partie.

«A vous de jouer, capitaine.»

Mais le capitaine a des distractions. Ce que c'est pourtant que d'être jeune!* Le voilà qui perd la tête,* oublie son jeu et fait coup sur coup deux séries, qui lui donnent presque partie gagnée.* Cette fois le maréchal devient furieux. La surprise, l'indignation éclatent sur son mâle visage. Juste à ce moment, un cheval lancé ventre à terre s'abat dans la cour. Un aide de camp couvert de boue force la consigne, franchit le perron d'un saut: «Maréchal! maréchal! . . .» Il faut voir* comme il est reçu . . . Tout bouffant de colère et rouge comme un coq, le maréchal paraît à la fenêtre, sa queue de billard à la main:

«Qu'est-ce qu'il y a? . . . Qu'est-ce que c'est? . . . Il n'y a donc pas de factionnaire par ici?»

—Mais, maréchal . . .

—C'est bon . . . Tout à l'heure . . . Qu'on attende mes ordres, nom de . . . D . . . !*»

Et la fenêtre se referme avec violence.

Qu'on attende ses ordres!

C'est bien ce qu'ils font, les pauvres gens. Le vent leur chasse la pluie et la mitraille en pleine figure. Des bataillons entiers sont écrasés, pendant que d'autres restent inutiles, l'arme au bras, sans pouvoir se rendre compte de leur inaction. Rien à faire.* On attend des ordres . . . Par exemple, comme on n'a pas besoin d'ordres pour mourir, les hommes tombent par centaines derrière les buissons, dans les fossés, en face du grand château silencieux. Même tombés, la mitraille les déchire encore, et par leurs blessures ouvertes coule sans bruit le sang généreux de la France . . . Là-haut, dans la salle de billard, cela chauffe* aussi terriblement: le maréchal a repris son avance; mais le petit capitaine se défend comme un lion . . .

Dix-sept! dix-huit! dix-neuf! . . .

A peine a-t-on le temps de marquer les points. Le bruit de la bataille se rapproche. Le maréchal ne joue plus que pour un.* Déjà des obus arrivent dans le parc. En voilà un qui éclate au-dessus de la pièce d'eau. Le miroir s'éraille; un cygne nage, épeuré, dans un tourbillon de plumes sanglantes. C'est le dernier coup . . .

Maintenant, un grand silence. Rien que la pluie qui tombe sur les charmilles, un roulement confus au bas du coteau, et, par les chemins détrempés, quelque chose comme le piétinement d'un troupeau qui se hâte . . . L'armée est en pleine déroute. Le maréchal a gagné sa partie.

Alphonse Daudet

L'ÉLIXIR DU RÉVÉREND PÈRE GAUCHER

—Buvez ceci, mon voisin; vous m'en direz des nouvelles.*

Et, goutte à goutte, avec le soin minutieux d'un lapidaire comptant des perles, le curé de Graveson me versa deux doigts* d'une liqueur verte, dorée, chaude, étincelante, exquise . . . J'en eus l'estomac tout ensoleillé.*

—C'est l'élixir du Père Gaucher, la joie et la santé de notre Provence, me fit le brave homme d'un air triomphant; on le fabrique au couvent des Prémontrés, à deux lieues de votre moulin* . . . N'est-ce pas que cela vaut bien toutes les chartreuses du monde? . . . Et si vous saviez comme elle est amusante, l'histoire de cet élixir! Écoutez plutôt . . .

Alors, tout naïvement, sans y entendre malice,* dans cette salle à manger de presbytère, si candide et si calme avec son Chemin de la croix* en petits tableaux et ses jolis rideaux clairs empesés comme des surplis, l'abbé me commença une historiette légèrement sceptique et irrévérencieuse, à la façon d'un conte d'Érasme ou de d'Assoucy.

. . . .

—Il y a vingt ans, les Prémontrés, ou plutôt les Pères blancs, comme les appellent nos Provençaux, étaient tombés dans une grande misère. Si vous aviez vu leur maison de ce temps-là, elle vous aurait fait peine.

Le grand mur, la tour Pacôme s'en allaient en morceaux.* Tout autour du cloître rempli d'herbes, les colonnettes se fendaient, les saints de pierre croulaient dans leurs niches. Pas un vitrail debout,* pas une porte qui tînt.* Dans les préaux, dans les chapelles, le vent du Rhône soufflait comme en Camargue, éteignant les cierges, cassant le plomb des vitrages, chassant l'eau des bénitiers. Mais le plus triste de tout, c'était le clocher du couvent, silencieux comme un pigeonnier vide, et les Pères, faute d'argent pour s'acheter une cloche, obligés de sonner matines avec des cliquettes de bois d'amandier! . . .

Pauvres Pères blancs! Je les vois encore, à la procession de la Fête-Dieu, défilant tristement dans leurs capes rapiécées, pâles, maigres, nourris de *citres* et de pastèques, et derrière eux monseigneur l'abbé, qui venait la tête basse, tout honteux de montrer au soleil sa crosse dédorée et sa mitre de laine blanche mangée des vers. Les dames de la confrérie en pleuraient de pitié dans les rangs, et les gros porte-bannière ricanaient entre eux tout bas en se montrant les pauvres moines:

—Les étourneaux vont maigres quand ils vont en troupe.*

Le fait est que les infortunés Pères blancs en étaient arrivés eux-mêmes à se demander* s'ils ne feraient pas mieux* de prendre leur vol à travers le monde et de chercher pâture chacun de son côté.

Or, un jour que* cette grave question se débattait dans le chapitre, on vint annoncer au prieur que le frère Gaucher demandait à être entendu au conseil . . . Vous saurez pour votre gouverne que ce frère Gaucher était le bouvier du couvent; c'est-à-dire qu'il passait ses journées à rouler d'arcade en arcade dans le cloître, en poussant devant lui deux vaches étiques qui cherchaient l'herbe aux fentes des pavés. Nourri jusqu'à douze ans par une vieille folle du pays des Baux, qu'on appelait tante Bégon, recueilli depuis chez les moines, le malheureux bouvier n'avait jamais pu rien apprendre qu'à conduire ses bêtes et à réciter son *Pater noster;* encore le disait-il en provençal, car il avait la cervelle dure et l'esprit fin comme une dague de plomb.* Fervent chrétien du reste, quoique un peu visionnaire, à l'aise sous le cilice et se donnant la discipline avec une conviction robuste, et des bras!* . . .

Quand on le vit entrer dans la salle du chapitre, simple et balourd, saluant l'assemblée la jambe en arrière, prieur, chanoines, argentier, tout le monde se mit à rire. C'était toujours l'effet que produisait, quand elle arrivait quelque part, cette bonne face grisonnante avec sa barbe de chèvre et ses yeux un peu fous; aussi le frère Gaucher ne s'en émut pas.

—Mes Révérends, fit-il* d'un ton bonasse en tortillant son chapelet de noyaux d'olives, on a bien raison de dire que ce sont les tonneaux vides qui chantent le mieux. Figurez-vous qu'à force de creuser ma pauvre tête déjà si creuse, je crois que j'ai trouvé le moyen de nous tirer tous de peine.

«Voici comment. Vous savez bien tante Bégon,* cette brave femme qui me gardait quand j'étais petit. (Dieu ait son âme,* la vieille coquine! elle chantait de bien vilaines chansons après boire.*) Je vous dirai donc, mes Révérends Pères, que tante Bégon, de son vivant, se connaissait aux herbes de montagnes autant et mieux qu'un vieux merle de Corse. Voire, elle avait composé, sur la fin de ses jours, un élixir incomparable en mélangeant cinq ou six espèces de simples que nous allions cueillir ensemble dans les Alpilles. Il y a belles années de cela;* mais je pense qu'avec l'aide de saint Augustin et la permission de notre Père abbé, je pourrais —en cherchant bien—retrouver la composition de ce mystérieux élixir. Nous n'aurions plus alors qu'à le mettre en bouteilles, et à le vendre un peu cher, ce qui permettrait à la communauté de s'enrichir doucettement, comme ont fait nos frères de la Trappe et de la Grande . . .

Il n'eut pas le temps de finir. Le prieur s'était levé pour lui sauter au cou. Les chanoines lui prenaient les mains. L'argentier, encore plus ému que tous les autres, lui baisait avec respect le bord tout effrangé de sa cucule . . . Puis chacun revint à sa chaire pour délibérer; et, séance tenante, le chapitre décida qu'on confierait les vaches au frère Thrasybule, pour que le frère Gaucher pût se donner tout entier à la confection de son élixir.

. . . .

Comment le bon frère parvint-il à retrouver la recette de tante Bégon? au prix de quels efforts? au prix de quelles veilles? L'histoire ne le dit pas. Seulement, ce qui est sûr, c'est qu'au bout de six mois, l'élixir des Pères blancs était déjà très populaire. Dans tout le Comtat, dans tout le pays d'Arles, pas un *mas*, pas une grange qui n'eût* au fond de sa *dépense*, entre les bouteilles de vin cuit et les jarres d'olives à la picholine, un petit flacon de terre brune cacheté aux armes de Provence, avec un moine en extase sur une étiquette d'argent. Grâce à la vogue de son élixir, la maison des Prémontrés s'enrichit très rapidement. On releva la tour Pacôme. Le prieur eut une mitre neuve, l'église de jolis vitraux ouvragés; et, dans la fine dentelle du clocher, toute une compagnie de cloches et de clochettes vint s'abattre, un beau matin de Pâques, tintant et carillonnant à la grande volée.

Quant au frère Gaucher, ce pauvre frère lai dont les rusticités égayaient tant le chapitre, il n'en fut plus question* dans le couvent. On ne connut plus désormais que le Révérend Père Gaucher, homme de tête et de grand savoir, qui vivait complètement isolé des occupations si menues et si multiples du cloître, et s'enfermait tout le jour dans sa distillerie, pendant que trente moines battaient la montagne pour lui chercher des herbes odorantes . . . Cette distillerie, où personne, pas même le prieur, n'avait le droit de pénétrer, était une ancienne chapelle abandonnée, tout au bout du jardin des chanoines. La simplicité des bons Pères en avait fait quelque chose de mystérieux et de formidable; et si, par aventure, un moinillon hardi et curieux, s'accrochant aux vignes grimpantes, arrivait jusqu'à la rosace du portail, il en dégringolait bien vite, effaré d'avoir vu le Père Gaucher, avec sa barbe de nécroman, penché sur ses fourneaux, le pèse-liqueur à la main; puis, tout autour, des cornues de grès rose, des alambics gigantesques, des serpentins de cristal, tout un encombrement bizarre qui flamboyait ensorcelé dans la lueur rouge des vitraux . . .

Au jour tombant, quand sonnait le dernier Angélus, la porte de ce lieu de mystère s'ouvrait discrètement, et le Révérend se rendait à l'église pour l'office du soir. Il fallait voir* quel accueil quand il traversait le monastère! Les frères faisaient la haie sur son passage. On disait:

—Chut! . . . il a le secret! . . .

L'argentier le suivait et lui parlait la tête basse . . . Au milieu de ces adulations, le Père s'en allait en s'épongeant le front, son tricorne aux larges bords posé en arrière comme une auréole, regardant autour de lui d'un air de complaisance les grandes cours plantées d'orangers, les toits bleus où tournaient des girouettes neuves, et, dans le cloître éclatant de blancheur,—entre les colonnettes élégantes et fleuries,—les chanoines habillés de frais qui défilaient deux par deux avec des mines reposées.

—C'est à moi qu'ils doivent tout cela! se disait le Révérend en lui-même;* et chaque fois cette pensée lui faisait monter des bouffées d'orgueil.

Le pauvre homme en fut bien puni. Vous allez voir . . .

. . . .

Figurez-vous qu'un soir, pendant l'office, il arriva à l'église dans une agitation extraordinaire: rouge, essoufflé, le capuchon de travers, et si troublé qu'en prenant de l'eau bénite il y trempa ses manches jusqu'au coude. On crut d'abord que c'était l'émotion d'arriver en retard; mais quand on le vit faire de grandes révérences à l'orgue et aux tribunes au lieu de saluer le maître-autel, traverser l'église en coup de vent,* errer dans le chœur pendant cinq minutes pour chercher sa stalle, puis, une fois assis, s'incliner de droite et 5 de gauche en souriant d'un air béat, un murmure d'étonnement courut dans les trois nefs. On chuchotait de bréviaire à bréviaire:

—Qu'a donc* notre Père Gaucher? . . . Qu'a donc notre Père Gaucher?

Par deux fois le prieur, impatienté, fit tomber sa crosse sur les 10 dalles pour commander le silence . . . Là-bas, au fond du chœur, les psaumes allaient toujours;* mais les répons manquaient d'entrain . . .

Tout à coup, au beau milieu de l'*Ave verum*, voilà mon Père Gaucher qui se renverse dans sa stalle et entonne d'une voix éclatante:

15 Dans Paris, il y a un Père Blanc,
Patatin, patatan, tarabin, taraban . . .

Consternation générale. Tout le monde se lève. On crie:

—Emportez-le . . . il est possédé!

Les chanoines se signent. La crosse de monseigneur se dé-20 mène . . . Mais le Père Gaucher ne voit rien, n'écoute rien; et deux moines vigoureux sont obligés de l'entraîner par la petite porte du chœur, se débattant comme un exorcisé et continuant de plus belle ses *patatin* et ses *taraban*.

. . . .

Le lendemain, au petit jour, le malheureux était à genoux dans 25 l'oratoire du prieur, et faisait sa *coulpe* avec un ruisseau de larmes:

—C'est l'élixir, Monseigneur, c'est l'élixir qui m'a surpris, disait-il en se frappant la poitrine.

Et de le voir si marri, si repentant, le bon prieur en était tout ému lui-même.

30 —Allons, allons, Père Gaucher, calmez-vous, tout cela séchera* comme la rosée au soleil . . . Après tout, le scandale n'a pas été aussi grand que vous pensez. Il y a bien eu la chanson qui était un peu . . . hum! hum! . . . Enfin il faut espérer que les novices ne l'auront pas entendue . . . A présent, voyons, dites-moi bien 35 comment la chose vous est arrivée . . . C'est en essayant l'élixir, n'est-ce pas? Vous aurez eu la main trop lourde* . . . Oui, oui,

je comprends . . . C'est comme le frère Schwartz, l'inventeur de la poudre: vous avez été victime de votre invention . . . Et dites-moi, mon brave ami, est-il bien nécessaire que vous l'essayiez sur vous-même, ce terrible élixir?

—Malheureusement, oui, Monseigneur . . . l'éprouvette me donne bien la force et le degré de l'alcool; mais pour le fini, le velouté, je ne me fie guère qu'à ma langue . . .

—Ah! très bien . . . Mais écoutez encore un peu que je vous dise* . . . Quand vous goûtez ainsi l'élixir par nécessité, est-ce que cela vous semble bon? Y prenez-vous du plaisir? . . .

—Hélas! oui, Monseigneur, fit le malheureux Père en devenant tout rouge . . . Voilà deux soirs que je lui trouve* un bouquet, un arome! . . . C'est pour sûr le démon qui m'a joué ce vilain tour . . . Aussi je suis bien décidé désormais à ne plus me servir que de l'éprouvette. Tant pis si la liqueur n'est pas assez fine, si elle ne fait pas assez la perle* . . .

—Gardez-vous-en bien, interrompit le prieur avec vivacité. Il ne faut pas s'exposer à mécontenter la clientèle . . . Tout ce que vous avez à faire maintenant que vous voilà prévenu,* c'est de vous tenir sur vos gardes . . . Voyons, qu'est-ce qu'il vous faut pour vous rendre compte?* . . . Quinze ou vingt gouttes, n'est-ce pas? . . . mettons vingt gouttes* . . . Le diable sera bien fin s'il vous attrape avec vingt gouttes . . . D'ailleurs, pour prévenir tout accident,* je vous dispense dorénavant de venir à l'église. Vous direz l'office du soir dans la distillerie . . . Et maintenant, allez en paix, mon Révérend, et surtout . . . comptez bien vos gouttes.

Hélas! le pauvre Révérend eut beau compter ses gouttes . . . le démon le tenait, et ne le lâcha plus.

C'est la distillerie qui entendit de singuliers offices!

. . . .

Le jour,* encore, tout allait bien. Le Père était assez calme: il préparait ses réchauds, ses alambics, triait soigneusement ses herbes, toutes herbes de Provence, fines, grises, dentelées, brûlées de parfums et de soleil* . . . Mais, le soir, quand les simples étaient infusés et que l'élixir tiédissait dans de grandes bassines de cuivre rouge, le martyre du pauvre homme commençait.

— . . . Dix-sept . . . dix-huit . . . dix-neuf . . . vingt! . . .

Les gouttes tombaient du chalumeau dans le gobelet de vermeil. Ces vingt-là, le Père les avalait d'un trait, presque sans plaisir. Il n'y avait que la vingt et unième* qui lui faisait envie. Oh! cette vingt et unième goutte! . . . Alors, pour échapper à la tentation, il allait s'agenouiller tout au bout du laboratoire et s'abîmait dans ses patenôtres. Mais de la liqueur encore chaude il montait* une petite fumée toute chargée d'aromates, qui venait rôder* autour de lui et, bon gré, mal gré, le ramenait vers les bassines . . . La liqueur était d'un beau vert doré . . . Penché dessus,* les narines ouvertes, le père la remuait tout doucement avec son chalumeau, et dans les petites paillettes étincelantes que roulait le flot d'émeraude, il lui semblait voir les yeux de tante Bégon qui riaient et pétillaient en le regardant . . .

—Allons! encore une goutte!

Et de goutte en goutte, l'infortuné finissait par avoir son gobelet plein jusqu'au bord. Alors, à bout de forces, il se laissait tomber dans un grand fauteuil, et, le corps abandonné,* la paupière à demi close, il dégustait son péché par petits coups, en se disant tout bas avec un remords délicieux:

—Ah! je me damne . . . je me damne . . .

Le plus terrible, c'est qu'au fond de cet élixir diabolique, il retrouvait, par je ne sais quel sortilège,* toutes les vilaines chansons de tante Bégon: *Ce sont trois petites commères, qui parlent de faire un banquet* . . . ou: *Bergerette de maître André s'en va-t-au bois* seulette* . . . et toujours la fameuse* des Pères blancs: *Patatin patatan.*

Pensez quelle confusion le lendemain, quand ses voisins de cellule lui faisaient* d'un air malin:

—Eh! eh! Père Gaucher, vous aviez des cigales en tête,* hier soir en vous couchant.

Alors c'étaient des larmes, des désespoirs, et le jeûne, et le cilice, et la discipline. Mais rien ne pouvait* contre le démon de l'élixir; et tous les soirs, à la même heure, la possession recommençait.

. . . .

Pendant ce temps, les commandes pleuvaient* à l'abbaye que c'était une bénédiction. Il en venait* de Nîmes, d'Aix, d'Avignon, de Marseille . . . De jour en jour le couvent prenait un petit air de* manufacture. Il y avait des frères emballeurs, des frères étiqueteurs, d'autres pour les écritures, d'autres pour le camionnage; le service de Dieu y perdait bien par-ci par-là quelques coups de cloches; mais les pauvres gens du pays n'y perdaient rien, je vous en réponds* . . .

Et donc, un beau dimanche matin, pendant que l'argentier lisait en plein chapitre son inventaire de fin d'année* et que les bons chanoines l'écoutaient les yeux brillants et le sourire aux lèvres, voilà le Père Gaucher qui se précipite au milieu de la conférence en criant:

—C'est fini . . . Je n'en fais plus . . . Rendez-moi mes vaches.

—Qu'est-ce qu'il y a donc, Père Gaucher? demanda le prieur, qui se doutait bien un peu de ce qu'il y avait.

—Ce qu'il y a,* Monseigneur? . . . Il y a que* je suis en train de me préparer une belle éternité de flammes et de coups de fourche . . . Il y a que je bois, que je bois comme un misérable . . .

—Mais je vous avais dit de compter vos gouttes.

—Ah! bien oui, compter mes gouttes! c'est par gobelets qu'il faudrait compter maintenant . . . Oui, mes Révérends, j'en suis là.* Trois fioles par soirée . . . Vous comprenez bien que cela ne peut pas durer . . . Aussi, faites faire l'élixir par qui vous voudrez* . . . Que le feu de Dieu me brûle si je m'en mêle encore!

C'est le chapitre qui ne riait plus.

—Mais, malheureux, vous nous ruinez! criait l'argentier en agitant son grand-livre.

—Préférez-vous que je me damne?

Pour lors, le Prieur se leva.

—Mes Révérends, dit-il en étendant sa belle main blanche où luisait l'anneau pastoral, il y a moyen de tout arranger . . . C'est le soir, n'est-ce pas, mon cher fils, que le démon vous tente? . . .

—Oui, monsieur le prieur, régulièrement tous les soirs . . . Aussi, maintenant, quand je vois arriver la nuit, j'en ai, sauf votre respect, les sueurs qui me prennent,* comme l'âne de Capitou, quand il voyait venir le bât.

—Eh bien! rassurez-vous . . . Dorénavant, tous les soirs, à l'office, nous réciterons à votre intention l'oraison de saint Augustin, à laquelle l'indulgence plénière est attachée . . . Avec cela, quoi qu'il arrive, vous êtes à couvert . . . C'est l'absolution pendant le péché.

—Oh bien! alors, merci, monsieur le prieur!

Et, sans en demander davantage,* le Père Gaucher retourna à ses alambics, aussi léger qu'une alouette.

Effectivement, à partir de ce moment-là, tous les soirs à la fin des complies, l'officiant ne manquait jamais de dire:

5 —Prions pour notre pauvre Père Gaucher, qui sacrifie son âme aux intérêts dc la communauté . . . *Oremus Domine* . . .

Et pendant que sur toutes ces capuches blanches, prosternées dans l'ombre des nefs, l'oraison courait en frémissant comme une petite bise sur la neige, là-bas, tout au bout du couvent, derrière le 10 vitrage enflammé de la distillerie, on entendait le Père Gaucher qui chantait à tue-tête:

> Dans Paris il y a un Père blanc,
> Patatin, patatan, taraban, tarabin;
> Dans Paris il y a un Père blanc
> 15 Qui fait danser des moinettes,
> Trin, trin, trin, dans un jardin;
> Qui fait danser des . . .
>
> . . . .

. . . Ici le bon curé s'arrêta plein d'épouvante:

—Miséricorde! si* mes paroissiens m'entendaient!

Alphonse Daudet

ÉMILE ZOLA

ÉMILE ZOLA was born in 1840, the son of an Italian engineer who had come to settle in Paris. Failing to obtain his bachelor's degree, he abandoned his intention to study law and became a clerk in a publishing house. For several years he tried his hand at writing verses, stories, and articles for the newspapers, but always with indifferent success. However, the publication, in 1871, of the first volume of his *Rougon-Macquart* series of novels established him in the literary world as leader of the Naturalistic School. The tremendous literary and financial success which he enjoyed from then on enabled him to exert a far-reaching influence in behalf of the humanitarian movements of his day. He played a heroic part in the defense and later on in the vindication of Captain Dreyfus, an unfortunate Jew, who had been accused of revealing state secrets to the Germans. In 1908, six years after his accidental death, Zola's remains were carried to the Pantheon.

LE GRAND MICHU

I

Une après-midi, à la récréation de quatre heures, le grand Michu me prit à part, dans un coin de la cour. Il avait un air grave qui me frappa d'une certaine crainte; car le grand Michu était un gaillard, aux poings énormes,* que, pour rien au monde, je n'aurais voulu avoir pour ennemi. 5

—Écoute, me dit-il de sa voix grasse de paysan à peine dégrossi, écoute, veux-tu en être?*

Je répondis carrément: «Oui!» flatté d'être de quelque chose avec* le grand Michu. Alors, il m'expliqua qu'il s'agissait d'un complot. Les confidences qu'il me fit, me causèrent une sensation 10 délicieuse, que je n'ai jamais peut-être éprouvée depuis. Enfin, j'entrais dans les folles aventures de la vie, j'allais avoir un secret à garder, une bataille à livrer. Et, certes, l'effroi inavoué que je ressentais à l'idée de me compromettre de la sorte, comptait pour une bonne moitié dans les joies cuisantes de mon nouveau rôle de complice.

Aussi, pendant que le grand Michu parlait, étais-je en admiration devant lui.* Il m'initia d'un ton un peu rude, comme un conscrit 5 dans l'énergie duquel on a une médiocre confiance. Cependant, le frémissement d'aise, l'air d'extase enthousiaste que je devais avoir en l'écoutant, finirent par lui donner une meilleure opinion de moi.

Comme la cloche sonnait le second coup, en allant tous deux 10 prendre nos rangs* pour rentrer à l'étude:

—C'est entendu, n'est-ce pas? me dit-il à voix basse. Tu es des nôtres . . . Tu n'auras pas peur, au moins;* tu ne trahiras pas?

—Oh! non, tu verras . . . C'est juré.

Il me regarda de ses yeux gris, bien en face, avec une vraie di- 15 gnité d'homme mûr, et me dit encore:

—Autrement, tu sais, je ne te battrai pas, mais je dirai partout que tu es un traître, et personne ne te parlera plus.

Je me souviens encore du singulier effet que me produisit cette menace. Elle me donna un courage énorme. «Bast! me disais-je, 20 ils peuvent bien me donner deux mille vers; du diable* si je trahis Michu!» J'attendis avec une impatience fébrile l'heure du dîner. La révolte devait éclater au réfectoire.

II

Le grand Michu était du Var. Son père, un paysan qui possédait quelques bouts de terre, avait fait le coup de feu en 51,* lors de 25 l'insurrection provoquée par le coup d'État. Laissé pour mort dans la plaine d'Uchâne, il avait réussi à se cacher. Quand il reparut, on ne l'inquiéta pas. Seulement, les autorités du pays, les notables, les gros et les petits rentiers ne l'appelèrent plus que ce brigand de Michu.

30 Ce brigand, cet honnête homme illettré, envoya son fils au col- lège d'A . . . Sans doute il le voulait savant* pour le triomphe de la cause qu'il n'avait pu défendre, lui, que les armes à la main. Nous savions vaguement cette histoire, au collège, ce qui nous faisait regarder notre camarade comme un personnage très re- 35 doutable.

Le grand Michu était, d'ailleurs, beaucoup plus âgé que nous. Il avait près de dix-huit ans, bien qu'il ne se trouvât encore qu'en quatrième.* Mais on n'osait le plaisanter. C'était un de ces esprits droits, qui apprennent difficilement, qui ne devinent rien; seulement, quand il savait une chose, il la savait à fond et pour toujours. Fort, comme taillé à coups de hache,* il régnait en maître pendant les récréations. Avec cela, d'une douceur extrême. Je ne l'ai jamais vu qu'une fois en colère; il voulait étrangler un pion qui nous enseignait que tous les républicains étaient des voleurs et des assassins. On faillit mettre le grand Michu à la porte.

Ce n'est que plus tard, lorsque j'ai revu mon ancien camarade dans mes souvenirs, que j'ai pu comprendre son attitude douce et forte. De bonne heure, son père avait dû en faire un homme.*

III

Le grand Michu se plaisait au collège, ce qui n'était pas le moindre de nos étonnements. Il n'y éprouvait qu'un supplice dont il n'osait parler: la faim. Le grand Michu avait toujours faim.

Je ne me souviens pas d'avoir vu un pareil appétit. Lui qui était très fier, il allait parfois jusqu'à jouer des comédies humiliantes* pour nous escroquer un morceau de pain, un déjeuner ou un goûter. Élevé en plein air, au pied de la chaîne des Maures, il souffrait encore plus cruellement que nous de la maigre cuisine du collège.

C'était là* un de nos grands sujets de conversation, dans la cour, le long du mur qui nous abritait de son filet d'ombre. Nous autres, nous étions des délicats. Je me rappelle surtout une certaine morue à la sauce rousse et certains haricots à la sauce blanche qui étaient devenus le sujet d'une malédiction générale. Les jours où ces plats apparaissaient, nous ne tarissions pas. Le grand Michu, par respect humain, criait avec nous, bien qu'il eût avalé volontiers les six portions de sa table.

Le grand Michu ne se plaignait guère que de la quantité des vivres. Le hasard, comme pour l'exaspérer, l'avait placé au bout de la table, à côté du pion, un jeune gringalet qui nous laissait fumer en promenade. La règle était que les maîtres d'étude avaient droit à deux portions. Aussi, quand on servait des saucisses, fallait-il voir* le grand Michu lorgner les deux bouts de saucisses qui s'allongeaient* côte à côte sur l'assiette du petit pion.

—Je suis deux fois plus gros que lui, me dit-il un jour, et c'est lui qui a deux fois plus à manger que moi. Il ne laisse rien, va; il n'en a pas de trop!*

IV

Or, les meneurs avaient résolu que nous devions à la fin nous révolter contre la morue à la sauce rousse et les haricots à la sauce blanche.

Naturellement, les conspirateurs offrirent au grand Michu d'être leur chef. Le plan de ces messieurs était d'une simplicité héroïque: il suffirait, pensaient-ils, de mettre leur appétit en grève,* de refuser toute nourriture, jusqu'à ce que le proviseur déclarât solennellement que l'ordinaire serait amélioré. L'approbation que le grand Michu donna à ce plan, est un des plus beaux traits d'abnégation et de courage que je connaisse. Il accepta d'être le chef du mouvement, avec le tranquille héroïsme de ces anciens Romains qui se sacrifiaient pour la chose publique.

Songez donc! lui se souciait bien de voir disparaître la morue et les haricots; il ne souhaitait qu'une chose, en avoir davantage, à discrétion! Et, pour comble, on lui demandait de jeûner! Il m'a avoué depuis que jamais cette vertu républicaine que son père lui avait enseignée, la solidarité, le dévouement de l'individu aux intérêts de la communauté, n'avait été mise en lui à une plus rude épreuve.

Le soir, au réfectoire,—c'était le jour de la morue à la sauce rousse,—la grève commença avec un ensemble vraiment beau. Le pain seul était permis. Les plats arrivent, nous n'y touchons pas, nous mangeons notre pain sec. Et cela gravement, sans causer à voix basse, comme nous en avions l'habitude. Il n'y avait que les petits qui riaient.

Le grand Michu fut superbe. Il alla, ce premier soir, jusqu'à ne pas même manger de pain.* Il avait mis les deux coudes sur la table, il regardait dédaigneusement le petit pion qui dévorait.

Cependant, le surveillant fit appeler le proviseur, qui entra dans le réfectoire comme une tempête. Il nous apostropha rudement, nous demandant ce que nous pouvions reprocher à ce dîner, auquel il goûta et qu'il déclara exquis.

Alors le grand Michu se leva.

—Monsieur, dit-il, c'est la morue qui est pourrie, nous ne parvenons pas à la digérer.

—Ah! bien, cria le gringalet de pion,* sans laisser au proviseur le temps de répondre, les autres soirs, vous avez pourtant mangé presque tout le plat à vous seul.

Le grand Michu rougit extrêmement. Ce soir-là, on nous envoya simplement coucher,* en nous disant que, le lendemain, nous aurions sans doute réfléchi. 5

V

Le lendemain et le surlendemain, le grand Michu fut terrible. Les paroles du maître d'étude l'avaient frappé au cœur.* Il nous soutint, il nous dit que nous serions des lâches si nous cédions. Maintenant, il mettait tout son orgueil à montrer que, lorsqu'il le voulait, il ne mangeait pas. 10

Ce fut un vrai martyr. Nous autres, nous cachions tous dans nos pupitres du chocolat, des pots de confiture, jusqu'à de la charcuterie, qui nous aidèrent à ne pas manger tout à fait sec le pain dont nous emplissions nos poches. Lui, qui n'avait pas un parent dans la ville, et qui se refusait d'ailleurs de pareilles douceurs, s'en tint strictement aux quelques croûtes qu'il put trouver. 15

Le surlendemain, le proviseur ayant déclaré que, puisque les élèves s'entêtaient à ne pas toucher aux plats, il allait cesser de faire distribuer du pain, la révolte éclata, au déjeuner. C'était le jour des haricots à la sauce blanche. 20

Le grand Michu, dont une faim atroce devait troubler la tête,* se leva brusquement. Il prit l'assiette du pion, qui mangeait à belles dents, pour nous narguer et nous donner envie, la jeta au milieu de la salle, puis entonna la *Marseillaise* d'une voix forte. Ce fut comme un grand souffle qui nous souleva tous. Les assiettes, les verres, les bouteilles, dansèrent une jolie danse. Et les pions, enjambant les débris, se hâtèrent de nous abandonner le réfectoire. Le gringalet, dans sa fuite, reçut sur les épaules un plat de haricots, dont la sauce lui fit une large collerette blanche. 25 30

Cependant, il s'agissait de fortifier la place. Le grand Michu fut nommé général. Il fit porter, entasser les tables devant les portes. Je me souviens que nous avions tous pris nos couteaux à la main. Et la *Marseillaise* tonnait toujours.* La révolte tournait à la révolution. Heureusement, on nous laissa à nous-mêmes pendant trois grandes heures. Il paraît qu'on était allé chercher la garde. Ces trois heures de tapage suffirent pour nous calmer. 35

Il y avait au fond du réfectoire deux larges fenêtres qui donnaient sur la cour. Les plus timides, épouvantés de la longue impunité dans laquelle on nous laissait, ouvrirent doucement une des fenêtres et disparurent. Ils furent peu à peu suivis par les autres élèves. Bientôt le grand Michu n'eut plus qu'une dizaine d'insurgés autour de lui. Il leur dit alors d'une voix rude:

—Allez retrouver les autres, il suffit qu'il y ait un coupable.

Puis s'adressant à moi qui hésitais, il ajouta:

—Je te rends ta parole, entends-tu!

Lorsque la garde eut enfoncé une des portes, elle trouva le grand Michu tout seul, assis tranquillement sur le bout d'une table, au milieu de la vaisselle cassée. Le soir même, il fut renvoyé à son père. Quant à nous, nous profitâmes peu de cette révolte. On évita bien pendant quelques semaines de nous servir de la morue et des haricots. Puis, ils reparurent; seulement la morue était à la sauce blanche, et les haricots, à la sauce rousse.

VI

Longtemps après, j'ai revu le grand Michu. Il n'avait pu continuer ses études. Il cultivait à son tour les quelques bouts de terre que son père lui avait laissés en mourant.

—J'aurais fait, m'a-t-il dit, un mauvais avocat ou un mauvais médecin, car j'avais la tête bien dure. Il vaut mieux que je sois un paysan. C'est mon affaire . . . N'importe, vous m'avez joliment lâché. Et moi qui justement adorais la morue et les haricots!*

Émile Zola

L'ATTAQUE DU MOULIN

I

Le moulin du père Merlier, par cette belle soirée d'été, était en grande fête.* Dans la cour, on avait mis trois tables, placées bout à bout, et qui attendaient les convives. Tout le pays savait qu'on devait fiancer, ce jour-là, la fille Merlier, Françoise, avec Dominique, un garçon qu'on accusait de fainéantise, mais que les 5 femmes, à trois lieues à la ronde, regardaient avec des yeux luisants, tant il avait bon air.*

Ce moulin du père Merlier était une vraie gaieté. Il se trouvait* juste au milieu de Rocreuse, à l'endroit où la grand'route fait un coude. Le village n'a qu'une rue, deux files de masures, une file à 10 chaque bord de la route; mais là, au coude, des prés s'élargissent, de grands arbres, qui suivent le cours de la Morelle, couvrent le fond de la vallée d'ombrages* magnifiques. Il n'y a pas, dans toute la Lorraine, un coin de nature plus adorable. A droite et à gauche, des bois épais, des futaies séculaires montent des pentes douces, 15 emplissent l'horizon d'une mer de verdure; tandis que, vers le midi, la plaine s'étend, d'une fertilité merveilleuse, déroulant à l'infini des pièces de terre coupées de haies vives.

Mais ce qui fait surtout le charme de Rocreuse, c'est la fraîcheur de ce trou de verdure, aux journées les plus chaudes de juillet et 20 d'août. La Morelle descend des bois de Gagny, et il semble qu'elle prenne le froid des feuillages sous lesquels elle coule pendant des lieues; elle apporte les bruits murmurants, l'ombre glacée et recueillie des forêts. Et elle n'est point la seule fraîcheur: toutes sortes d'eaux courantes chantent sous les bois; à chaque pas, des sources 25 jaillissent; on sent, lorsqu'on suit les étroits sentiers, comme des lacs souterrains qui percent sous la mousse et profitent des moindres fentes au pied des arbres, entre les roches, pour s'épancher en fontaines cristallines. Les voix chuchotantes de ces ruisseaux s'élèvent si nombreuses et si hautes, qu'elles couvrent le chant des bouvreuils. 30 On se croirait dans quelque parc enchanté, avec des cascades tombant de toutes parts.

En bas, les prairies sont trempées. Des marronniers gigantesques font des ombres noires. Au bord des prés, de longs rideaux de peupliers alignent leurs tentures bruissantes.* Il y a deux avenues d'énormes platanes qui montent, à travers champs, vers l'ancien 5 château de Gagny, aujourd'hui en ruines. Dans cette terre continuellement arrosée, les herbes grandissent démesurément. C'est comme un fond de parterre* entre les deux coteaux boisés, mais de parterre naturel, dont les prairies sont les pelouses, et dont les arbres géants dessinent les colossales corbeilles. Quand le soleil, à 10 midi, tombe d'aplomb, les ombres bleuissent, les herbes allumées dorment dans la chaleur, tandis qu'un frisson glacé passe sous les feuillages.

Et c'était là que le moulin du père Merlier égayait de son tic-tac un coin de verdures folles. La bâtisse, faite de plâtre et de planches, 15 semblait vieille comme le monde. Elle trempait à moitié dans la Morelle,* qui arrondit à cet endroit un clair bassin.* Une écluse était ménagée, la chute tombait de quelques mètres sur la roue du moulin, qui craquait en tournant, avec la toux asthmatique d'une fidèle servante vieillie dans la maison.

20 Quand on conseillait au père Merlier de la changer, il hochait la tête en disant qu'une jeune roue serait plus paresseuse et ne connaîtrait pas si bien le travail; et il raccommodait l'ancienne avec tout ce qui lui tombait sous la main, des douves de tonneau, des ferrures rouillées, du zinc, du plomb. La roue en* paraissait plus 25 gaie, avec son profil devenu étrange,* toute empanachée d'herbes et de mousses. Lorsque l'eau la battait de son flot d'argent, elle se couvrait de perles, on voyait passer son étrange carcasse sous une parure éclatante de colliers de nacre.

La partie du moulin qui trempait ainsi dans la Morelle, avait 30 l'air d'une arche barbare, échouée là. Une bonne moitié du logis était bâtie sur des pieux. L'eau entrait sous le plancher, il y avait des trous, bien connus dans le pays pour les anguilles et les écrevisses énormes qu'on y prenait. En dessous de la chute, le bassin était limpide comme un miroir, et lorsque la roue ne le troublait 35 pas de son écume, on apercevait des bandes de gros poissons qui nageaient avec des lenteurs d'escadre.*

Un escalier rompu descendait à la rivière, près d'un pieu où était amarrée une barque. Une galerie de bois passait au-dessus de la roue. Des fenêtres s'ouvraient,* percées irrégulièrement. C'était un pêle-mêle d'encoignures, de petites murailles, de constructions ajoutées après coup, de poutres et de toitures qui donnaient au moulin un aspect d'ancienne citadelle démantelée. Mais des lierres avaient poussé, toutes sortes de plantes grimpantes bouchaient les crevasses trop grandes et mettaient un manteau vert à la vieille 5 demeure. Les demoiselles qui passaient, dessinaient sur leurs albums le moulin du père Merlier.

Du côté de la route, la maison était plus solide. Un portail en pierre s'ouvrait sur la grande cour, que bordaient à droite et à gauche des hangars et des écuries. Près d'un puits, un orme im- 10 mense couvrait de son ombre la moitié de la cour. Au fond, la maison alignait les quatre fenêtres de son premier étage, surmonté d'un colombier. La seule coquetterie du père Merlier était de faire badigeonner cette façade tous les dix ans. Elle venait justement d'être blanchie, et elle éblouissait le village, lorsque le soleil l'allu- 15 mait, au milieu du jour.

Depuis vingt ans, le père Merlier était maire de Rocreuse. On l'estimait pour la fortune qu'il avait su* faire. On lui donnait quelque chose comme quatre-vingt mille francs,* amassés sou à sou. Quand il avait épousé Madeleine Guillard, qui lui apportait 20 en dot le moulin, il ne possédait guère que ses deux bras. Mais Madeleine ne s'était jamais repentie de son choix, tant il avait su mener gaillardement les affaires du ménage.

Aujourd'hui, la femme était défunte, il restait veuf avec sa fille Françoise. Sans doute, il aurait pu se reposer, laisser la roue du 25 moulin dormir dans la mousse; mais il se serait trop ennuyé, et la maison lui aurait semblé morte. Il travaillait toujours,* pour le plaisir. Le père Merlier était alors un grand vieillard, à longue figure silencieuse, qui ne riait jamais, mais qui était tout de même très gai en dedans. On l'avait choisi pour maire, à cause de son 30 argent, et aussi pour le bel air qu'il savait prendre, lorsqu'il faisait un mariage.

Françoise Merlier venait d'avoir dix-huit ans.* Elle ne passait pas pour une des belles filles du pays, parce qu'elle était chétive. Jusqu'à quinze ans,* elle avait même été laide. On ne pouvait pas 35 comprendre, à Rocreuse, comment la fille du père et de la mère Merlier, tous deux si bien plantés, poussait mal et d'un air de regret.* Mais à quinze ans, tout en restant délicate, elle prit une petite figure,* la plus jolie du monde. Elle avait des cheveux noirs, des yeux noirs, et elle était toute rose avec ça; une bouche qui riait toujours, des trous dans les joues, un front clair où il y avait comme une couronne de soleil. Quoique chétive pour le pays, elle n'était pas maigre, loin de là;* on voulait dire simplement qu'elle n'aurait pas pu lever un sac de blé; mais elle devenait toute potelée avec l'âge, elle devait finir par être ronde et friande comme une caille. Seulement, les longs silences de son père l'avaient rendue raisonnable très jeune. Si elle riait toujours, c'était pour faire plaisir aux autres. Au fond, elle était sérieuse.

Naturellement, tout le pays la courtisait, plus encore pour ses écus que pour sa gentillesse. Et elle avait fini par faire un choix, qui venait de scandaliser la contrée. De l'autre côté de la Morelle, vivait un grand garçon, que l'on nommait Dominique Penquer. Il n'était pas de Rocreuse. Dix ans auparavant, il était arrivé de Belgique, pour hériter d'un oncle, qui possédait un petit bien, sur la lisière même de la forêt de Gagny, juste en face du moulin, à quelques portées de fusil. Il venait pour vendre ce bien, disait-il, et retourner chez lui. Mais le pays le charma, paraît-il, car il n'en bougea plus. On le vit cultiver son bout de champ, récolter quelques légumes dont il vivait. Il pêchait, il chassait; plusieurs fois, les gardes faillirent le prendre et lui dresser* des procès-verbaux. Cette existence libre, dont les paysans ne s'expliquaient pas bien les ressources, avait fini par lui donner un mauvais renom. On le traitait vaguement de braconnier. En tous cas, il était paresseux, car on le trouvait souvent endormi dans l'herbe, à des heures où il aurait dû travailler.*

La masure qu'il habitait, sous les derniers arbres de la forêt, ne semblait pas non plus la demeure d'un honnête garçon. Il aurait eu un commerce avec les loups des ruines de Gagny, que cela n'aurait point surpris les vieilles femmes.* Pourtant, les jeunes filles, parfois, se hasardaient à le défendre, car il était superbe, cet homme louche, souple et grand comme un peuplier, très blanc de peau, avec une barbe et des cheveux blonds qui semblaient de l'or au soleil. Or, un beau matin, Françoise avait déclaré au père Merlier qu'elle aimait Dominique et que jamais elle ne consentirait à épouser un autre garçon.

On pense* quel coup de massue le père Merlier reçut, ce jour-là! Il ne dit rien, selon son habitude. Il avait son visage réfléchi;* seulement, sa gaieté intérieure ne luisait plus dans ses yeux. On se bouda* pendant une semaine. Françoise, elle aussi, était toute grave. Ce qui tourmentait le père Merlier, c'était de savoir comment ce gredin de braconnier avait bien pu ensorceler sa fille. Jamais Dominique n'était venu au moulin. Le meunier guetta et il aperçut le galant, de l'autre côté de la Morelle, couché dans l'herbe 5 et feignant de dormir. Françoise, de sa chambre, pouvait le voir. La chose était claire, ils avaient dû s'aimer,* en se faisant les doux yeux par-dessus la roue du moulin.

Cependant, huit autres jours s'écoulèrent. Françoise devenait de plus en plus grave. Le père Merlier ne disait toujours rien. 10 Puis, un soir, silencieusement, il amena lui-même Dominique. Françoise, justement, mettait la table. Elle ne parut pas étonnée, elle se contenta d'ajouter un couvert; seulement, les petits trous de ses joues venaient de se creuser de nouveau, et son rire avait reparu. 15

Le matin, le père Merlier était allé trouver Dominique dans sa masure, sur la lisière du bois. Là, les deux hommes avaient causé pendant trois heures, les portes et les fenêtres fermées. Jamais personne n'a su* ce qu'ils avaient pu se dire. Ce qu'il y a de certain,* c'est que le père Merlier en sortant traitait déjà Dominique 20 comme son fils. Sans doute, le vieillard avait trouvé le garçon qu'il était allé chercher, un brave garçon, dans ce paresseux qui se couchait sur l'herbe pour se faire aimer des filles.*

Tout Rocreuse clabauda. Les femmes, sur les portes, ne tarissaient pas au sujet de la folie du père Merlier, qui introduisait 25 ainsi chez lui un garnement. Il laissa dire. Peut-être s'était-il souvenu de son propre mariage. Lui non plus ne possédait pas* un sou vaillant, lorsqu'il avait épousé Madeleine et son moulin; cela pourtant ne l'avait point empêché de faire un bon mari. D'ailleurs, Dominique coupa court aux cancans, en se mettant si rudement à 30 la besogne, que le pays en fut émerveillé. Justement le garçon du moulin était tombé au sort, et jamais Dominique ne voulut qu'on en engageât un autre. Il porta les sacs, conduisit la charette, se battit avec la vieille roue, quand elle se faisait prier pour tourner, tout cela d'un tel cœur, qu'on venait le voir par plaisir. Le père 35 Merlier avait son rire silencieux.* Il était très fier d'avoir deviné ce garçon. Il n'y a rien comme l'amour pour donner du courage aux jeunes gens.

Au milieu de toute cette grosse besogne, Françoise et Dominique s'adoraient. Ils ne se parlaient guère, mais ils se regardaient avec une douceur souriante. Jusque-là, le père Merlier n'avait pas dit un seul mot au sujet du mariage; et tous deux respectaient ce silence, attendant la volonté du vieillard. Enfin, un jour, vers le milieu de juillet, il avait fait mettre trois tables dans la cour, sous le grand orme, en invitant ses amis de Rocreuse à venir le soir boire un coup avec lui. Quand la cour fut pleine et que* tout le monde eut le verre en main, le père Merlier leva le sien très haut, en disant:

—C'est pour avoir le plaisir de vous annoncer que Françoise épousera ce gaillard-là dans un mois, le jour de la Saint-Louis.

Alors, on trinqua bruyamment. Tout le monde riait. Mais le père Merlier haussant la voix, dit encore:

—Dominique, embrasse ta promise. Ça se doit.*

Et ils s'embrassèrent, très rouges pendant que l'assistance riait plus fort. Ce fut une vraie fête. On vida un petit tonneau. Puis, quand il n'y eut là que les amis intimes, on causa d'une façon calme. La nuit était tombée, une nuit étoilée et très claire. Dominique et Françoise, assis sur un banc, l'un près de l'autre, ne disaient rien. Un vieux paysan parlait de la guerre que l'empereur* avait déclarée à la Prusse. Tous les gars du village étaient déjà partis. La veille, des troupes avaient encore passé. On allait se cogner dur.*

—Bah! dit le père Merlier avec l'égoïsme d'un homme heureux, Dominique est étranger, il ne partira pas . . . Et si les Prussiens venaient, il serait là pour défendre sa femme.

Cette idée que les Prussiens pouvaient venir parut une bonne plaisanterie. On allait leur flanquer une raclée soignée, et ce serait vite fini.

—Je les ai déjà vus, je les ai déjà vus, répéta d'une voix sourde le vieux paysan.

Il y eut un silence. Puis, on trinqua une fois encore. Françoise et Dominique n'avaient rien entendu; ils s'étaient pris doucement la main, derrière le banc, sans qu'on pût les voir, et cela leur semblait si bon, qu'ils restaient là, les yeux perdus* au fond des ténèbres.

Quelle nuit tiède et superbe! Le village s'endormait aux deux bords de la route blanche, dans une tranquillité d'enfant. On n'entendait plus, de loin en loin, que le chant de quelque coq éveillé trop tôt. Des grands bois voisins, descendaient de longues haleines qui passaient sur les toitures comme des caresses. Les prairies, avec leurs ombrages noirs, prenaient une majesté mystérieuse et recueillie, tandis que toutes les sources, toutes les eaux courantes qui jaillissaient dans l'ombre, semblaient être la respiration fraîche et rythmée de la campagne endormie.

Par instants, la vieille roue du moulin, ensommeillée, paraissait rêver comme ces vieux chiens de garde qui aboient en ronflant; elle avait des craquements, elle causait toute seule, bercée par la chute de la Morelle, dont la nappe rendait le son musical et continu d'un tuyau d'orgues. Jamais une paix plus large n'était descendue sur un coin plus heureux de nature.

II

Un mois plus tard, jour pour jour, juste la veille de la Saint-Louis, Rocreuse était dans l'épouvante. Les Prussiens avaient battu l'empereur et s'avançaient à marches forcées vers le village. Depuis une semaine, des gens qui passaient sur la route annonçaient les Prussiens: «Ils sont à Lormière, ils sont à Novelles»; et, à entendre dire* qu'ils se rapprochaient si vite, Rocreuse, chaque matin, croyait les voir descendre par les bois de Gagny. Ils ne venaient point cependant, cela effrayait davantage. Bien sûr* qu'ils tomberaient sur le village pendant la nuit et qu'ils égorgeraient tout le monde.

La nuit précédente, un peu avant le jour, il y avait eu une alerte. Les habitants s'étaient réveillés, en entendant un grand bruit d'hommes sur la route. Les femmes déjà se jetaient à genoux et faisaient des signes de croix, lorsqu'on avait reconnu des pantalons rouges,* en entr'ouvrant prudemment les fenêtres. C'était un détachement français. Le capitaine avait tout de suite demandé le maire du pays, et il était resté au moulin, après avoir causé avec le père Merlier.

Le soleil se levait gaiement, ce jour-là. Il ferait chaud, à midi. Sur les bois, une clarté blonde flottait, tandis que dans les fonds, au-dessus des prairies, montaient des vapeurs blanches. Le village, propre et joli, s'éveillait dans la fraîcheur, et la campagne, avec sa rivière et ses fontaines, avait des grâces mouillées de bouquet.

Mais cette belle journée ne faisait rire personne. On venait de voir le capitaine tourner autour du moulin, regarder les maisons voisines, passer de l'autre côté de la Morelle, et de là, étudier le pays avec une lorgnette; le père Merlier, qui l'accompagnait, semblait donner des explications. Puis, le capitaine avait posté des soldats derrière des murs, derrière des arbres, dans des trous. Le gros du détachement campait dans la cour du moulin. On allait donc se battre? Et quand le père Merlier revint, on l'interrogea. Il fit un long signe de tête, sans parler. Oui, on allait se battre.

Françoise et Dominique étaient là, dans la cour, qui le regardaient. Il finit par ôter sa pipe de la bouche, et dit cette simple phrase:

—Ah! mes pauvres petits, ce n'est pas demain que je vous marierai!

Dominique, les lèvres serrées, avec un pli de colère au front, se haussait parfois, restait les yeux fixés sur les bois de Gagny, comme s'il eût voulu voir arriver les Prussiens. Françoise, très pâle, sérieuse, allait et venait,* fournissant aux soldats ce dont ils avaient besoin.* Ils faisaient la soupe dans un coin de la cour, et plaisantaient, en attendant de manger.

Cependant, le capitaine paraissait ravi. Il avait visité les chambres et la grande salle du moulin donnant sur la rivière. Maintenant, assis près du puits, il causait avec le père Merlier.

—Vous avez là une vraie forteresse, disait-il. Nous tiendrons bien jusqu'à ce soir . . . Les bandits sont en retard. Ils devraient être ici.

Le meunier restait grave. Il voyait son moulin flamber comme une torche. Mais il ne se plaignait pas, jugeant cela inutile. Il ouvrit seulement la bouche pour dire:

—Vous devriez faire cacher la barque derrière la roue. Il y a là un trou où elle tient* . . . Peut-être qu'elle pourra servir.

Le capitaine donna un ordre. Ce capitaine était un bel homme d'une quarantaine d'années, grand et de figure aimable. La vue de Françoise et de Dominique semblait le réjouir. Il s'occupait d'eux, comme s'il avait oublié la lutte prochaine. Il suivait Françoise des yeux, et son air disait clairement qu'il la trouvait charmante. Puis, se tournant vers Dominique:

—Vous n'êtes donc pas à l'armée, mon garçon? lui demanda-t-il brusquement.

—Je suis étranger, répondit le jeune homme.

Le capitaine parut goûter médiocrement cette raison. Il cligna les yeux et sourit. Françoise était plus agréable à fréquenter que le canon. Alors, en le voyant sourire, Dominique ajouta:

—Je suis étranger, mais je loge* une balle dans une pomme, à cinq cents mètres . . . Tenez, mon fusil de chasse est là, derrière vous.

—Il pourra vous servir, répliqua simplement le capitaine.

Françoise s'était approchée, un peu tremblante. Et, sans se soucier du monde qui était là, Dominique prit et serra dans les siennes les deux mains qu'elle lui tendait, comme pour se mettre sous sa protection. Le capitaine avait souri de nouveau, mais il n'ajouta pas une parole. Il demeurait assis, son épée entre les jambes, les yeux perdus, paraissant rêver.

Il était déjà dix heures. La chaleur devenait très forte. Un lourd silence se faisait. Dans la cour, à l'ombre des hangars, les soldats s'étaient mis à manger la soupe. Aucun bruit ne venait du village, dont les habitants avaient tous barricadé leurs maisons, portes et fenêtres. Un chien, resté seul sur la route, hurlait. Des bois et des prairies voisines, pâmés par la chaleur, sortait une voix lointaine, prolongée, faite de tous les souffles épars. Un coucou chanta. Puis, le silence s'élargit encore.

Et, dans cet air endormi, brusquement, un coup de feu éclata. Le capitaine se leva vivement, les soldats lâchèrent leurs assiettes de soupe, encore à moitié pleines. En quelques secondes, tous furent à leur poste de combat; de bas en haut, le moulin se trouvait occupé. Cependant, le capitaine, qui s'était porté sur la route,* n'avait rien vu; à droite, à gauche, la route s'étendait, vide et toute blanche. Un deuxième coup de feu se fit entendre, et toujours rien, pas une ombre. Mais, en se retournant, il aperçut du côté de Gagny, entre deux arbres, un léger flocon de fumée qui s'envolait, pareil à un fil de la Vierge. Le bois restait profond et doux.

—Les gredins se sont jetés dans la forêt, murmura-t-il. Ils nous savent ici.*

Alors, la fusillade continua, de plus en plus nourrie, entre les soldats français, postés autour du moulin, et les Prussiens, cachés derrière les arbres. Les balles sifflaient au-dessus de la Morelle, sans causer de pertes ni d'un côté ni de l'autre. Les coups étaient irréguliers, partaient de chaque buisson; et l'on n'apercevait toujours que les petites fumées, balancées mollement par le vent.

Cela dura près de deux heures. L'officier chantonnait d'un air indifférent. Françoise et Dominique, qui étaient restés dans la cour, se haussaient et regardaient par-dessus une muraille basse.

Ils s'intéressaient surtout à un petit soldat, posté au bord de la Morelle, derrière la carcasse d'un vieux bateau; il était à plat ventre, guettait, lâchait son coup de feu, puis se laissait glisser dans un fossé, un peu en arrière, pour recharger son fusil; et ses mouvements étaient si drôles, si rusés, si souples, qu'on se laissait aller à sourirc* en le voyant. Il dut apercevoir quelque tête de Prussien, car il se leva vivement et épaula; mais, avant qu'il eût tiré, il jeta un cri, tourna sur lui-même* et roula dans le fossé où ses jambes eurent un instant le roidissement convulsif des pattes d'un poulet qu'on égorge. Le petit soldat venait de recevoir une balle en pleine poitrine. C'était le premier mort. Instinctivement, Françoise avait saisi la main de Dominique et la lui serrait, dans une crispation nerveuse.

—Ne restez pas là, dit le capitaine. Les balles viennent jusqu'ici.

En effet, un petit coup sec s'était fait entendre dans le vieil orme, et un bout de branche tombait en se balançant.* Mais les deux jeunes gens ne bougèrent pas, cloués par l'anxiété du spectacle. A la lisière du bois, un Prussien était brusquement sorti de derrière un arbre comme d'une coulisse, battant l'air de ses bras et tombant à la renverse. Et rien ne bougea plus, les deux morts semblaient dormir au grand soleil, on ne voyait toujours personne dans la campagne alourdie. Le pétillement de la fusillade lui-même cessa. Seule, la Morelle chuchotait avec son bruit clair.

Le père Merlier regarda le capitaine d'un air de surprise, comme pour lui demander si c'était fini.

—Voilà le grand coup,* murmura celui-ci. Méfiez-vous. Ne restez pas là.

Il n'avait pas achevé qu'une* décharge effroyable eut lieu. Le grand orme fut comme fauché, une volée de feuilles tournoya. Les Prussiens avaient heureusement tiré trop haut. Dominique entraîna, emporta presque Françoise, tandis que le père Merlier les suivait, en criant:

—Mettez-vous dans le petit caveau, les murs sont solides.

Mais ils ne l'écoutèrent pas, ils entrèrent dans la grande salle, où une dizaine de soldats attendaient en silence, les volets fermés, guettant par des fentes. Le capitaine était resté seul dans la cour, accroupi derrière la petite muraille, pendant que des décharges furieuses continuaient. Au dehors, les soldats qu'il avait postés, ne cédaient le terrain que pied à pied. Pourtant, ils rentraient un à un en rampant, quand l'ennemi les avait délogés de leurs cachettes. Leur consigne était de gagner du temps, de ne point se montrer, pour que les Prussiens ne pussent savoir quelles forces ils avaient devant eux. Une heure encore s'écoula. Et, comme un sergent arrivait, disant qu'il n'y avait plus dehors que deux ou trois hommes, 5 l'officier tira sa montre, en murmurant:

—Deux heures et demie . . . Allons, il faut tenir quatre heures.

Il fit fermer le grand portail de la cour, et tout fut préparé pour une résistance énergique. Comme les Prussiens se trouvaient de l'autre côté de la Morelle, un assaut immédiat n'était pas à 10 craindre.* Il y avait bien un pont à deux kilomètres, mais ils ignoraient sans doute son existence, et il était peu croyable qu'ils tenteraient de passer à gué la rivière. L'officier fit donc simplement surveiller la route. Tout l'effort allait porter du côté de la campagne.

La fusillade de nouveau avait cessé. Le moulin semblait mort 15 sous le grand soleil. Pas un volet n'était ouvert, aucun bruit ne sortait de l'intérieur. Peu à peu, cependant, des Prussiens se montraient à la lisière du bois de Gagny. Ils allongeaient la tête, s'enhardissaient. Dans le moulin, plusieurs soldats épaulaient déjà; mais le capitaine cria: 20

—Non, non, attendez . . . Laissez-les s'approcher.

Ils y mirent beaucoup de prudence,* regardant le moulin d'un air méfiant. Cette vieille demeure, silencieuse et morne, avec ses rideaux de lierre, les inquiétait. Pourtant, ils avançaient. Quand ils furent une cinquantaine dans la prairie, en face, l'officier dit un 25 seul mot:

—Allez! *

Un déchirement se fit entendre, des coups isolés suivirent. Françoise, agitée d'un tremblement, avait porté malgré elle les mains à ses oreilles. Dominique, derrière les soldats, regardait; et, quand 30 la fumée se fut un peu dissipée, il aperçut trois Prussiens étendus sur le dos, au milieu du pré. Les autres s'étaient jetés derrière les saules et les peupliers. Et le siège commença.

Pendant plus d'une heure, le moulin fut criblé de balles. Elles en fouettaient les vieux murs comme une grêle. Lorsqu'elles frap- 35 paient sur de la pierre, on les entendait s'écraser et retomber à l'eau. Dans le bois, elles s'enfonçaient avec un bruit sourd. Parfois, un craquement annonçait que la roue venait d'être touchée. Les soldats, à l'intérieur, ménageaient leurs coups, ne tiraient que lorsqu'ils pouvaient viser. De temps à autre, le capitaine consultait sa montre. Et, comme une balle fendait un volet et allait se loger dans le plafond:

—Quatre heures, murmura-t-il. Nous ne tiendrons jamais.

Peu à peu, en effet, cette fusillade terrible ébranlait le vieux moulin. Un volet tomba à l'eau, troué comme une dentelle, et il fallut le remplacer par un matelas. Le père Merlicr, à chaque instant, s'exposait pour constater les avaries de sa pauvre roue, dont les craquements lui allaient au cœur.* Elle était bien finie, cette fois; jamais il ne pourrait la raccommoder. Dominique avait supplié Françoise de se retirer, mais elle voulait rester avec lui; elle s'était assise derrière une grande armoire de chêne, qui la protégeait. Une balle pourtant arriva dans l'armoire, dont les flancs rendirent un son grave. Alors, Dominique se plaça devant Françoise. Il n'avait pas encore tiré, il tenait son fusil à la main, ne pouvant approcher des fenêtres dont les soldats tenaient toute la largeur. A chaque décharge, le plancher tressaillait.

—Attention! attention! cria tout d'un coup le capitaine.

Il venait de voir sortir du bois toute une masse sombre. Aussitôt s'ouvrit un formidable feu de peloton. Ce fut comme une trombe qui passa sur le moulin. Un autre volet partit, et par l'ouverture béante de la fenêtre, les balles entrèrent. Deux soldats roulèrent sur le carreau. L'un ne remua plus; on le poussa contre le mur, parce qu'il encombrait. L'autre se tordit en demandant qu'on l'achevât; mais on ne l'écoutait point, les balles entraient toujours, chacun se garait et tâchait de trouver une meurtrière pour riposter. Un troisième soldat fut blessé; celui-là ne dit pas une parole, il se laissa couler au bord d'une table, avec des yeux fixes et hagards.

En face de ces morts, Françoise, prise d'horreur, avait repoussé machinalement sa chaise, pour s'asseoir à terre, contre le mur; elle se croyait là plus petite et moins en danger. Cependant, on était allé prendre tous les matelas de la maison, on avait rebouché à moitié la fenêtre. La salle s'emplissait de débris, d'armes rompues, de meubles éventrés.

—Cinq heures, dit le capitaine. Tenez bon . . . Ils vont chercher à passer l'eau.

A ce moment, Françoise poussa un cri. Une balle, qui avait ricoché, venait de lui effleurer le front. Quelques gouttes de sang parurent. Dominique la regarda; puis, s'approchant de la fenêtre, il lâcha son premier coup de feu, et il ne s'arrêta plus. Il chargeait, tirait, sans s'occuper de ce qui se passait près de lui; de temps à autre seulement, il jetait un coup d'œil sur Françoise. D'ailleurs, il ne se pressait pas, visait avec soin.

Les Prussiens, longeant les peupliers, tentaient le passage de la 5 Morelle, comme le capitaine l'avait prévu; mais, dès qu'un d'entre eux se hasardait, il tombait frappé à la tête par une balle de Dominique. Le capitaine, qui suivait ce jeu, était émerveillé. Il complimenta le jeune homme, en lui disant qu'il serait heureux d'avoir beaucoup de tireurs de sa force. Dominique ne l'entendait pas. 10 Une balle lui entama l'épaule, une autre lui contusionna le bras. Et il tirait toujours.

Il y eut deux nouveaux morts. Les matelas, déchiquetés, ne bouchaient plus les fenêtres. Une dernière décharge semblait devoir emporter le moulin.* La position n'était plus tenable. Cependant, 15 l'officier répétait:

—Tenez bon . . . Encore une demi-heure.

Maintenant, il comptait les minutes. Il avait promis à ses chefs d'arrêter l'ennemi là jusqu'au soir, et il n'aurait pas reculé d'une semelle avant l'heure qu'il avait fixée pour la retraite. Il gardait 20 son air aimable, souriait à Françoise, afin de la rassurer. Lui-même venait de ramasser le fusil d'un soldat mort et faisait le coup de feu.

Il n'y avait plus que quatre soldats dans la salle. Les Prussiens se montraient en masse sur l'autre bord de la Morelle, et il était 25 évident qu'ils allaient passer la rivière d'un moment à l'autre. Quelques minutes s'écoulèrent encore. Le capitaine s'entêtait, ne voulait pas donner l'ordre de la retraite, lorsqu'un sergent accourut, en disant:

—Ils sont sur la route, ils vont nous prendre par derrière. 30

Les Prussiens devaient avoir trouvé* le pont. Le capitaine tira sa montre.

—Encore cinq minutes, dit-il. Ils ne seront pas ici avant cinq minutes.

Puis, à six heures précises, il consentit enfin à faire sortir ses 35 hommes par une petite porte qui donnait sur une ruelle. De là, ils se jetèrent dans un fossé, ils gagnèrent la forêt de Sauval. Le capitaine avait, avant de partir, salué très poliment le père Merlier, en s'excusant. Et il avait même ajouté:

—Amusez-les* . . . Nous reviendrons.

Cependant, Dominique était resté seul dans la salle. Il tirait toujours, n'entendant rien, ne comprenant rien. Il n'éprouvait que le besoin de défendre Françoise. Les soldats étaient partis, sans 5 qu'il s'en doutât le moins du monde. Il visait et tuait son homme à chaque coup. Brusquement, il y eut un grand bruit. Les Prussiens, par derrière, venaient d'envahir la cour. Il lâcha un dernier coup, et ils tombèrent sur lui, comme son fusil fumait encore.

Quatre hommes le tenaient. D'autres vociféraient autour de 10 lui, dans une langue effroyable. Ils faillirent l'égorger tout de suite. Françoise s'était jetée en avant, suppliante. Mais un officier entra et se fit remettre le prisonnier.* Après quelques phrases qu'il échangea en allemand avec les soldats, il se tourna vers Dominique et lui dit rudement, en très bon français:

15 —Vous serez fusillé dans deux heures.

III

C'était une règle posée par l'état-major allemand: tout Français n'appartenant pas à l'armée régulière et pris les armes à la main, devait être fusillé. Les compagnies franches* elles-mêmes n'étaient pas reconnues comme belligérantes. En faisant ainsi de terribles 20 exemples sur les paysans qui défendaient leurs foyers, les Allemands voulaient empêcher la levée en masse, qu'ils redoutaient.

L'officier, un homme grand et sec, d'une cinquantaine d'années, fit subir à Dominique un bref interrogatoire. Bien qu'il parlât le français très purement, il avait une raideur toute prussienne.

25 —Vous êtes de ce pays?

—Non, je suis Belge.

—Pourquoi avez-vous pris les armes? . . . Tout ceci ne doit pas vous regarder.*

Dominique ne répondit pas. A ce moment, l'officier aperçut 30 Françoise debout et très pâle, qui écoutait; sur son front blanc, sa légère blessure mettait une barre rouge. Il regarda les jeunes gens l'un après l'autre, parut comprendre, et se contenta d'ajouter:

—Vous ne niez pas avoir tiré?

—J'ai tiré tant que j'ai pu, répondit tranquillement Dominique. 35 Cet aveu était inutile, car il était noir de poudre, couvert de sueur, taché de quelques gouttes de sang qui avait coulé de l'éraflure de son épaule.

—C'est bien, répéta l'officier. Vous serez fusillé dans deux heures.

Françoise ne cria pas. Elle joignit les mains et les éleva dans un geste de muet désespoir. L'officier remarqua ce geste. Deux soldats avaient emmené Dominique dans une pièce voisine, où ils devaient le garder à vue. La jeune fille était tombée sur une chaise, les jambes brisées;* elle ne pouvait pleurer, elle étouffait. Cependant, l'officier l'examinait toujours. Il finit par lui adresser la parole:

—Ce garçon est votre frère? demanda-t-il.

Elle dit non de la tête. Il resta raide, sans un sourire. Puis, au bout d'un silence:

—Il habite le pays depuis longtemps?

Elle dit oui, d'un nouveau signe.

—Alors il doit très bien connaître les bois voisins?

Cette fois, elle parla.

—Oui, monsieur, dit-elle en le regardant avec quelque surprise.

Il n'ajouta rien et tourna sur ses talons, en demandant qu'on lui amenât le maire du village. Mais Françoise s'était levée, une légère rougeur au visage, croyant avoir saisi le but de ses questions et reprise d'espoir.* Ce fut elle-même qui courut pour trouver son père.

Le père Merlier, dès que les coups de feu avaient cessé, était vivement descendu par la galerie de bois, pour visiter sa roue. Il adorait sa fille, il avait une solide amitié pour Dominique, son futur gendre; mais sa roue tenait aussi une large place dans son cœur. Puisque les deux petits, comme il les appelait, étaient sortis sains et saufs de la bagarre, il songeait à son autre tendresse, qui avait singulièrement souffert, celle-là. Et, penché sur la grande carcasse de bois, il en étudiait les blessures d'un air navré. Cinq palettes étaient en miettes, la charpente centrale était criblée. Il fourrait les doigts dans les trous des balles, pour en mesurer la profondeur; il réfléchissait à la façon dont il pourrait réparer toutes ces avaries. Françoise le trouva qui bouchait déjà des fentes avec des débris et de la mousse.

—Père, dit-elle, ils vous demandent.

Et elle pleura enfin, en lui contant ce qu'elle venait d'entendre. Le père Merlier hocha la tête. On ne fusillait pas les gens comme ça. Il fallait voir.* Et il rentra dans le moulin, de son air silencieux et paisible. Quand l'officier lui eut demandé des vivres pour ses hommes, il répondit que les gens de Rocreuse n'étaient pas habitués

à être brutalisés, et qu'on n'obtiendrait rien d'eux si l'on employait la violence. Il se chargeait de tout,* mais à la condition qu'on le laissât agir seul. L'officier parut se fâcher d'abord de ce ton tranquille; puis, il céda, devant les paroles brèves et nettes du vieillard.
5 Même il le rappela, pour lui demander:

—Ces bois-là, en face, comment les nommez-vous?

—Les bois de Sauval.

—Et quelle est leur étendue?

Le meunier le regarda fixement.

10 —Je ne sais pas, répondit-il.

Et il s'éloigna.

Une heure plus tard, la contribution de guerre en vivres et en argent, réclamée par l'officier, était dans la cour du moulin. La nuit venait, Françoise suivait avec anxiété les mouvements des
15 soldats. Elle ne s'éloignait pas de la pièce dans laquelle était enfermé Dominique. Vers sept heures, elle eut une émotion poignante; elle vit l'officier entrer chez le prisonnier, et, pendant un quart d'heure, elle entendit leurs voix qui s'élevaient.

Un instant, l'officier reparut sur le seuil pour donner un ordre
20 en allemand, qu'elle ne comprit pas; mais, lorsque douze hommes furent venus se ranger dans la cour, le fusil au bras, un tremblement la saisit, elle se sentit mourir. C'en était donc fait;* l'exécution allait avoir lieu. Les douze hommes restèrent là dix minutes, la voix de Dominique continuait à s'élever sur un ton de refus violent.
25 Enfin, l'officier sortit, en fermant brutalement la porte et en disant:

—C'est bien, réfléchissez . . . Je vous donne jusqu'à demain matin.

Et, d'un geste, il fit rompre les rangs aux douze hommes. Françoise restait hébétée. Le père Merlier, qui avait continué de fumer
30 sa pipe, en regardant le peloton d'un air simplement curieux, vint la prendre par le bras, avec une douceur paternelle. Il l'emmena dans sa chambre.

—Tiens-toi tranquille, lui dit-il, tâche de dormir . . . Demain, il fera jour,* et nous verrons.

35 En se retirant, il l'enferma par prudence. Il avait pour principe* que les femmes ne sont bonnes à rien, et qu'elles gâtent tout, lorsqu'elles s'occupent d'une affaire sérieuse. Cependant, Françoise ne se coucha pas. Elle demeura longtemps assise sur son lit, écoutant les rumeurs de la maison. Les soldats allemands, campés dans

la cour, chantaient et riaient; ils durent manger et boire jusqu'à onze heures, car le tapage ne cessa pas un instant. Dans le moulin même, des pas lourds résonnaient de temps à autre, sans doute des sentinelles qu'on relevait.

Mais, ce qui l'intéressait surtout, c'étaient les bruits qu'elle pouvait saisir dans la pièce qui se trouvait sous sa chambre. Plusieurs fois elle se coucha par terre, elle appliqua son oreille contre le plancher. Cette pièce était justement celle où l'on avait enfermé Dominique. Il devait marcher* du mur à la fenêtre, car elle entendit longtemps la cadence régulière de sa promenade; puis, il se fit un grand silence,* il s'était sans doute assis. D'ailleurs, les rumeurs cessaient, tout s'endormait. Quand la maison lui parut s'assoupir, elle ouvrit sa fenêtre le plus doucement possible, elle s'accouda.

Au dehors, la nuit avait une sérénité tiède. Le mince croissant de la lune, qui se couchait derrière les bois de Sauval, éclairait la campagne d'une lueur de veilleuse. L'ombre allongée des grands arbres barrait de noir les prairies, tandis que l'herbe, aux endroits découverts, prenait une douceur de velours verdâtre.

Mais Françoise ne s'arrêtait guère au charme mystérieux de la nuit. Elle étudiait la campagne, cherchant les sentinelles que les Allemands avaient dû poster* de côté. Elle voyait parfaitement leurs ombres s'échelonner le long de la Morelle. Une seule se trouvait devant le moulin, de l'autre côté de la rivière, près d'un saule dont les branches trempaient dans l'eau. Françoise la distinguait parfaitement. C'était un grand garçon qui se tenait immobile, la face tournée vers le ciel, de l'air rêveur d'un berger.

Alors, quand elle eut ainsi inspecté les lieux avec soin, elle revint s'asseoir sur son lit. Elle y resta une heure, profondément absorbée. Puis elle écouta de nouveau: la maison n'avait plus un souffle.* Elle retourna à la fenêtre, jeta un coup d'œil; mais sans doute une des cornes de la lune qui apparaissait encore derrière les arbres, lui parut gênante, car elle se remit à attendre.

Enfin, l'heure lui sembla venue.* La nuit était toute noire, elle n'apercevait plus la sentinelle en face, la campagne s'étalait comme une mare d'encre. Elle tendit l'oreille un instant et se décida. Il y avait là, passant près de la fenêtre, une échelle de fer, des barres scellées dans le mur, qui montait de la roue au grenier, et qui servait autrefois aux meuniers pour visiter certains rouages; puis, le mécanisme avait été modifié, depuis longtemps l'échelle disparaissait* sous les lierres épais qui couvraient ce côté du moulin.

Françoise, bravement, enjamba la balustrade de sa fenêtre, saisit une des barres de fer et se trouva dans le vide. Elle commença à descendre. Ses jupons l'embarrassaient beaucoup. Brusquement, une pierre se détacha de la muraille et tomba dans la Morelle avec un rejaillissement sonore. Elle s'était arrêtée, glacée d'un frisson. Mais elle comprit que la chute d'eau, de son ronflement continu, couvrait à distance tous les bruits qu'elle pouvait faire, et elle descendit alors plus hardiment, tâtant le lierre du pied, s'assurant des échelons.

Lorsqu'elle fut à la hauteur de la chambre qui servait de prison à Dominique, elle s'arrêta. Une difficulté imprévue faillit lui faire perdre tout son courage: la fenêtre de la pièce du bas n'était pas régulièrement percée au-dessous de la fenêtre de sa chambre, elle* s'écartait de l'échelle, et lorsqu'elle allongea la main, elle ne rencontra que la muraille. Lui faudrait-il donc remonter, sans pousser son projet jusqu'au bout? Ses bras se lassaient, le murmure de la Morelle, au-dessous d'elle, commençait, à lui donner des vertiges.

Alors, elle arracha du mur de petits fragments de plâtre et les lança dans la fenêtre de Dominique. Il n'entendait pas, peut-être dormait-il. Elle émietta encore la muraille, elle s'écorchait les doigts. Et elle était à bout de force, elle se sentait tomber à la renverse, lorsque Dominique ouvrit* enfin doucement.

—C'est moi, murmura-t-elle. Prends-moi vite, je tombe.

C'était la première fois qu'elle le tutoyait. Il la saisit, en se penchant, et l'apporta dans la chambre. Là, elle eut une crise de larmes, étouffant ses sanglots, pour qu'on ne l'entendît pas. Puis, par un effort suprême, elle se calma.

—Vous êtes gardé? demanda-t-elle à voix basse.

Dominique, encore stupéfait de la voir ainsi, fit un simple signe, en montrant sa porte. De l'autre côté, on entendait un ronflement; la sentinelle, cédant au sommeil, avait dû se coucher * par terre, contre la porte, en se disant que, de cette façon, le prisonnier ne pouvait bouger.

—Il faut fuir, reprit-elle vivement. Je suis venue pour vous supplier de fuir et pour vous dire adieu.

Mais lui* ne paraissait pas l'entendre. Il répétait:

—Comment, c'est vous, c'est vous . . . Oh! que* vous m'avez fait peur! Vous pouviez vous tuer.*

Il lui prit les mains, il les baisa.

—Que je vous aime, Françoise! . . . Vous êtes aussi courageuse que bonne. Je n'avais qu'une crainte, c'était de mourir sans vous 5 avoir revue . . . Mais vous êtes là, et maintenant ils peuvent me fusiller. Quand j'aurai passé un quart d'heure avec vous, je serai prêt.

Peu à peu, il l'avait attirée à lui, et elle appuyait sa tête sur son épaule. Le danger les rapprochait. Ils oubliaient tout dans cette 10 étreinte.

—Ah! Françoise, reprit Dominique d'une voix caressante, c'est aujourd'hui la Saint-Louis, le jour si longtemps attendu de notre mariage. Rien n'a pu nous séparer, puisque nous voilà* tous les deux seuls, fidèles au rendez-vous . . . N'est-ce pas? c'est à cette 15 heure le matin des noces.

—Oui, oui, répéta-t-elle, le matin des noces.

Ils échangèrent un baiser en frissonnant. Mais, tout d'un coup, elle se dégagea, la terrible réalité se dressait devant elle.

—Il faut fuir, il faut fuir, bégaya-t-elle. Ne perdons pas une 20 minute.

Et comme il tendait les bras dans l'ombre pour la reprendre, elle le tutoya de nouveau:

—Oh! je t'en prie, écoute-moi . . . Si tu meurs, je mourrai. Dans une heure, il fera jour. Je veux que tu partes tout de suite. 25

Alors, rapidement, elle expliqua son plan. L'échelle de fer descendait jusqu'à la roue; là, il pourrait s'aider des palettes et entrer dans la barque qui se trouvait dans un enfoncement. Il lui serait facile ensuite de gagner l'autre bord de la rivière et de s'échapper.

—Mais il doit y avoir des sentinelles?* dit-il. 30

—Une seule, en face, au pied du premier saule.

—Et si elle* m'aperçoit, si elle veut crier?

Françoise frissonna. Elle lui mit dans la main un couteau qu'elle avait descendu. Il y eut un silence.

—Et votre père, et vous? reprit Dominique. Mais non, je ne 35 puis fuir . . . Quand je ne serai plus là, ces soldats vous massacreront peut-être . . . Vous ne les connaissez pas. Ils m'ont proposé de me faire grâce, si je consentais à les guider dans la forêt de Sauval. Lorsqu'ils ne me trouveront plus, ils sont* capables de tout.

La jeune fille ne s'arrêta pas à discuter. Elle répondait simplement à toutes les raisons qu'il donnait:

—Par amour pour moi, fuyez . . . Si vous m'aimez, Dominique, ne restez pas ici une minute de plus.

5 Puis, elle promit de remonter dans sa chambre. On ne saurait pas qu'elle l'avait aidé. Elle finit par le prendre dans ses bras, par l'embrasser, pour le convaincre, avec un élan de passion extraordinaire. Lui, était vaincu. Il ne posa plus qu'une question.

—Jurez-moi que votre père connaît votre démarche et qu'il me 10 conseille la fuite?

—C'est mon père qui m'a envoyée, répondit hardiment Françoise.

Elle mentait. Dans ce moment, elle n'avait qu'un besoin immense, le savoir en sûreté,* échapper à cette abominable pensée que le soleil* allait être le signal de sa mort. Quand il serait loin, tous 15 les malheurs pouvaient fondre sur elle; cela lui paraîtrait doux, du moment où il vivrait. L'égoïsme de sa tendresse le voulait vivant,* avant toutes choses.

—C'est bien, dit Dominique, je ferai comme il vous plaira.

Alors, ils ne parlèrent plus. Dominique alla rouvrir la fenêtre. 20 Mais, brusquement, un bruit les glaça. La porte fut ébranlée, et ils crurent qu'on l'ouvrait. Evidemment, une ronde avait entendu leurs voix. Et tous deux debout, serrés l'un contre l'autre, attendaient dans une angoisse indicible. La porte fut de nouveau secouée; mais elle ne s'ouvrit pas. Ils eurent chacun un soupir étouffé;* ils 25 venaient de comprendre, ce devait être le soldat couché en travers du seuil, qui s'était retourné. En effet, le silence se fit, les ronflements recommencèrent.

Dominique voulut absolument que Françoise remontât d'abord chez elle. Il la prit dans ses bras, il lui dit un muet adieu. Puis, il 30 l'aida à saisir l'échelle et se cramponna à son tour. Mais il refusa de descendre un seul échelon avant de la savoir dans sa chambre.* Quand Françoise fut rentrée, elle laissa tomber* d'une voix légère comme un souffle:

—Au revoir, je t'aime!

35 Elle resta accoudée, elle tâcha de suivre Dominique. La nuit était toujours très noire. Elle chercha la sentinelle et ne l'aperçut pas; seul, le saule faisait une tache pâle, au milieu des ténèbres. Pendant un instant, elle entendit le frôlement du corps de Dominique le long du lierre. Ensuite la roue craqua, et il y eut un léger

clapotement qui lui annonça que le jeune homme venait de trouver la barque. Une minute plus tard, en effet, elle distingua la silhouette sombre de la barque sur la nappe grise de la Morelle.

Alors, une angoisse terrible la reprit à la gorge. A chaque instant, elle croyait entendre le cri d'alarme de la sentinelle; les moindres bruits, épars dans l'ombre, lui semblaient des pas précipités de soldats, des froissements d'armes, des bruits de fusils qu'on armait. Pourtant, les secondes s'écoulaient, la campagne gardait sa paix souveraine. Dominique devait aborder à l'autre rive. Françoise ne voyait plus rien. Le silence était majestueux. Et elle entendit un piétinement, un cri rauque, la chute sourde d'un corps. Puis, le silence se fit plus profond. Alors, comme si elle eût senti la mort passer, elle resta toute froide, en face de l'épaisse nuit.

IV

Dès le petit jour, des éclats de voix ébranlèrent le moulin. Le père Merlier était venu ouvrir la porte de Françoise. Elle descendit dans la cour, pâle et très calme. Mais là, elle ne put réprimer un frisson, en face du cadavre d'un soldat prussien, qui était allongé près du puits, sur un manteau étalé.

Autour du corps, des soldats gesticulaient, criaient sur un ton de fureur. Plusieurs d'entre eux montraient les poings au village. Cependant, l'officier venait de faire appeler le père Merlier, comme maire de la commune.

—Voici, lui dit-il d'une voix étranglée par la colère, un de nos hommes que l'on a trouvé assassiné sur le bord de la rivière . . . Il nous faut* un exemple éclatant, et je compte que vous allez nous aider à découvrir le meurtrier.

—Tout ce que vous voudrez,* répondit le meunier avec son flegme. Seulement, ce ne sera pas commode.

L'officier s'était baissé pour écarter un pan du manteau, qui cachait la figure du mort. Alors apparut une horrible blessure. La sentinelle avait été frappée à la gorge, et l'arme était restée dans la plaie. C'était un couteau de cuisine à manche noir.

—Regardez ce couteau, dit l'officier au père Merlier, peut-être nous aidera-t-il dans nos recherches.

Le vieillard avait eu un tressaillement. Mais il se remit aussitôt, il répondit, sans qu'un muscle de sa face bougeât:

—Tout le monde a des couteaux pareils, dans nos campagnes . . .

Peut-être que votre homme s'ennuyait de se battre et qu'il se sera fait son affaire* lui-même. Ça se voit.*

—Taisez-vous! cria furieusement l'officier. Je ne sais ce qui me retient de mettre le feu aux quatre coins du village.

5 La colère heureusement l'empêchait de remarquer la profonde altération du visage de Françoise. Elle avait dû s'asseoir* sur le banc de pierre, près du puits. Malgré elle, ses regards ne quittaient plus ce cadavre, étendu à terre, presque à ses pieds. C'était un grand et beau garçon, qui ressemblait à Dominique, avec des 10 cheveux blonds et des yeux bleus. Cette ressemblance lui retournait le cœur. Elle pensait que le mort avait peut-être laissé là-bas, en Allemagne, quelque amoureuse qui allait pleurer. Et elle reconnaissait son couteau dans la gorge du mort. Elle l'avait tué.

Cependant, l'officier parlait de frapper Rocreuse de mesures ter-15 ribles, lorsque des soldats accoururent. On venait de s'apercevoir seulement de l'évasion de Dominique. Cela causa une agitation extrême. L'officier se rendit sur les lieux,* regarda par la fenêtre laissée ouverte, comprit tout, et revint exaspéré.

Le père Merlier parut très contrarié de la fuite de Dominique.

20 —L'imbécile! murmura-t-il, il gâte tout.

Françoise qui l'entendit, fut prise d'angoisse. Son père, d'ailleurs, ne soupçonnait pas sa complicité. Il hocha la tête, en lui disant à demi-voix:

—A présent, nous voilà propres!*

25 —C'est ce gredin! c'est ce gredin! criait l'officier. Il aura gagné les bois* . . . Mais il faut qu'on nous le retrouve, ou le village payera pour lui.

Et, s'adressant au meunier:

—Voyons, vous devez savoir où il se cache?

30 Le père Merlier eut son rire silencieux, en montrant la large étendue des coteaux boisés.

—Comment voulez-vous trouver un homme là-dedans? dit-il.

—Oh! il doit y avoir des trous que vous connaissez. Je vais vous donner dix hommes. Vous les guiderez.

35 —Je veux bien. Seulement, il nous faudra huit jours pour battre tous les bois des environs.

La tranquillité du vieillard enrageait l'officier. Il comprenait en effet le ridicule de cette battue. Ce fut alors qu'il aperçut sur le banc Françoise pâle et tremblante. L'attitude anxieuse de la jeune fille le frappa. Il se tut un instant, examinant tour à tour le meunier et Françoise.

—Est-ce que cet homme, finit-il par demander brutalement au vieillard, n'est pas l'amant de votre fille?

Le père Merlier devint livide, et l'on put croire qu'il allait se jeter sur l'officier pour l'étrangler. Il se raidit, il ne répondit pas. Françoise avait mis son visage entre ses mains.

—Oui, c'est cela, continua le Prussien, vous ou votre fille l'avez aidé à fuir. Vous êtes son complice . . . Une dernière fois, voulez-vous nous le livrer?

Le meunier ne répondit pas. Il s'était détourné, regardant au loin d'un air indifférent, comme si l'officier ne s'adressait pas à lui. Cela mit le comble à la colère de ce dernier.

—Eh bien! déclara-t-il, vous allez être fusillé à sa place.

Et il commanda une fois encore le peloton d'exécution. Le père Merlier garda son flegme. Il eut à peine un léger haussement d'épaules, tout ce drame lui semblait d'un goût médiocre. Sans doute il ne croyait pas qu'on fusillât un homme si aisément. Puis, quand le peloton fut là, il dit avec gravité:

—Alors, c'est sérieux? . . . Je veux bien. S'il vous en faut un absolument,* moi autant qu'un autre.

Mais Françoise s'était levée, affolée, bégayant:

—Grâce, monsieur, ne faites pas du mal à mon père. Tuez-moi à sa place . . . C'est moi qui ai aidé Dominique à fuir. Moi seule suis coupable.

—Tais-toi, fillette, s'écria le père Merlier. Pourquoi mens-tu? . . . Elle a passé la nuit enfermée dans sa chambre, monsieur. Elle ment, je vous assure.

—Non, je ne mens pas, reprit ardemment la jeune fille. Je suis descendue par la fenêtre, j'ai poussé Dominique à s'enfuir . . . C'est la vérité, la seule vérité . . .

Le vieillard était devenu très pâle. Il voyait bien dans ses yeux qu'elle ne mentait pas, et cette histoire l'épouvantait. Ah! ces enfants, avec leurs cœurs, comme ils gâtaient tout! Alors, il se fâcha.

—Elle est folle, ne l'écoutez pas. Elle vous raconte des histoires stupides . . . Allons, finissons-en.*

Elle voulut protester encore. Elle s'agenouilla, elle joignit les mains. L'officier, tranquillement, assistait à cette lutte douloureuse.

—Mon Dieu! finit-il par dire, je prends votre père, parce que je ne tiens plus l'autre . . . Tâchez de retrouver l'autre, et votre père sera libre.

Un moment, elle le regarda, les yeux agrandis par l'atrocité de cette proposition.

5 —C'est horrible, murmura-t-elle. Où voulez-vous que je retrouve Dominique, à cette heure? Il est parti, je ne sais plus.*

—Enfin, choisissez. Lui ou votre père.

—Oh! mon Dieu! est-ce que je puis choisir? Mais je saurais où est Dominique, que je ne pourrais pas choisir!* . . . C'est mon
10 cœur que vous coupez . . . J'aimerais mieux mourir tout de suite. Oui, ce serait plus tôt fait.* Tuez-moi, je vous en prie, tuez-moi . . .

Cette scène de désespoir et de larmes finissait par impatienter l'officier. Il s'écria:

—En voilà assez!* Je veux être bon, je consens à vous donner
15 deux heures . . . Si, dans deux heures, votre amoureux n'est pas là, votre père payera pour lui.

Et il fit conduire le père Merlier dans la chambre qui avait servi de prison à Dominique. Le vieux demanda du tabac et se mit à fumer. Sur son visage impassible on ne lisait aucune émotion.
20 Seulement, quand il fut seul, tout en fumant, il pleura deux grosses larmes qui coulèrent lentement sur ses joues. Sa pauvre et chère enfant, comme elle souffrait!

Françoise était restée au milieu de la cour. Des soldats prussiens passaient en riant. Certains lui jetaient des mots,* des plaisanteries
25 qu'elle ne comprenait pas. Elle regardait la porte par laquelle son père venait de disparaître. Et, d'un geste lent, elle portait la main à son front, comme pour l'empêcher d'éclater.

L'officier tourna sur ses talons, en répétant:

—Vous avez deux heures. Tâchez de les utiliser.

30 Elle avait deux heures. Cette phrase bourdonnait dans sa tête. Alors, machinalement, elle sortit de la cour, elle marcha devant elle.* Où aller?* que faire? Elle n'essayait même pas de prendre un parti, parce qu'elle sentait bien l'inutilité de ses efforts. Pourtant, elle aurait voulu voir Dominique. Ils se seraient entendus
35 tous les deux, ils auraient peut-être trouvé un expédient.

Et, au milieu de la confusion de ses pensées, elle descendit au bord de la Morelle, qu'elle traversa en dessous de l'écluse, à un endroit où il y avait de grosses pierres. Ses pieds la conduisirent sous le premier saule, au coin de la prairie. Comme elle se baissait, elle aperçut une mare de sang qui la fit pâlir. C'était bien là. Et elle suivit les traces de Dominique dans l'herbe foulée; il avait dû courir, on voyait une ligne de grands pas coupant la prairie de biais. Puis, au delà, elle perdit ces traces. Mais, dans un pré voisin, elle crut les retrouver. Cela la conduisit à la lisière de la forêt, où toute indication s'effaçait.

Françoise s'enfonça quand même sous les arbres. Cela la soulageait d'être seule. Elle s'assit un instant. Puis, en songeant que l'heure s'écoulait, elle se remit debout. Depuis combien de temps avait-elle quitté le moulin? Cinq minutes? une demi-heure? Elle n'avait plus conscience du temps. Peut-être Dominique était-il allé se cacher dans un taillis qu'elle connaissait, et où ils avaient, une après-midi, mangé des noisettes ensemble. Elle se rendit au taillis, le visita. Un merle seul s'envola, en sifflant sa phrase douce et triste.

Alors, elle pensa qu'il s'était réfugié dans un creux de roches, où il se mettait parfois à l'affût; mais le creux de roches était vide. A quoi bon le chercher? elle ne le trouverait pas; et peu à peu le désir de le découvrir la passionnait, elle marchait plus vite. L'idée qu'il avait dû monter dans un arbre lui vint brusquement. Elle avança dès lors, les yeux levés, et pour qu'il la sût près de lui,* elle l'appelait tous les quinze à vingt pas. Des coucous répondaient, un souffle qui passait dans les branches lui faisait croire qu'il était là et qu'il descendait. Une fois même, elle s'imagina le voir;* elle s'arrêta, étranglée, avec l'envie de fuir. Qu'allait-elle lui dire? Venait-elle donc pour l'emmener et le faire fusiller? Oh, non, elle ne parlerait point de ces choses. Elle lui crierait de se sauver, de ne pas rester dans les environs. Puis, la pensée de son père qui l'attendait, lui causa une douleur aiguë. Elle tomba sur le gazon, en pleurant, en répétant tout haut:

—Mon Dieu! mon Dieu! pourquoi suis-je là!*

Elle était folle d'être venue. Et, comme prise de peur, elle courut, elle chercha à sortir de la forêt. Trois fois, elle se trompa, et elle croyait qu'elle ne retrouverait plus le moulin, lorsqu'elle déboucha dans une prairie, juste en face de Rocreuse. Dès qu'elle aperçut le village, elle s'arrêta. Est-ce qu'elle allait rentrer seule?

Elle restait debout,* quand une voix l'appela doucement:

—Françoise! Françoise!

Et elle vit Dominique qui levait la tête, au bord d'un fossé.

Juste Dieu! elle l'avait trouvé! Le ciel voulait donc sa mort? Elle retint un cri, elle se laissa glisser dans le fossé.

—Tu me cherchais? demanda-t-il.

—Oui, répondit-elle, la tête bourdonnante, ne sachant ce qu'elle disait.

—Ah! que se passe-t-il?

Elle baissa les yeux, elle balbutia.

—Mais, rien, j'étais inquiète, je désirais te voir.

Alors, tranquillisé, il lui expliqua qu'il n'avait pas voulu s'éloigner. Il craignait pour eux. Ces gredins de Prussiens étaient très capables de se venger sur les femmes et sur les vieillards. Enfin, tout allait bien, et il ajouta en riant:

—La noce sera pour dans huit jours, voilà tout.*

Puis, comme elle restait bouleversée, il redevint grave.

—Mais, qu'as-tu?* tu me caches quelque chose.

—Non, je te jure. J'ai couru pour venir.*

Il l'embrassa, en disant que c'était imprudent pour elle et pour lui de causer davantage; et il voulut remonter le fossé, afin de rentrer dans la forêt. Elle le retint. Elle tremblait.

—Écoute, tu ferais peut-être bien tout de même de rester là . . . Personne ne te cherche, tu ne crains rien.

—Françoise, tu me caches quelque chose, répéta-t-il.

De nouveau, elle jura qu'elle ne lui cachait rien. Seulement, elle aimait mieux le savoir près d'elle. Et elle bégaya encore d'autres raisons. Elle lui parut si singulière, que maintenant lui-même aurait refusé de s'éloigner. D'ailleurs, il croyait au retour des Français. On avait vu des troupes du côté de Sauval.

—Ah! qu'ils se pressent, qu'ils soient ici le plus tôt possible! murmura-t-elle avec ferveur.

A ce moment, onze heures sonnèrent au clocher de Rocreuse. Les coups arrivaient, clairs et distincts. Elle se leva, effarée; il y avait deux heures qu'elle avait quitté le moulin.*

—Écoute, dit-elle rapidement, si nous avions besoin de toi,* je monterai dans ma chambre et j'agiterai mon mouchoir.

Et elle partit en courant, pendant que Dominique, très inquiet, s'allongeait au bord du fossé, pour surveiller le moulin. Comme elle allait rentrer dans Rocreuse, Françoise rencontra un vieux mendiant, le père Bontemps, qui connaissait tout le pays. Il la salua, il venait de voir le meunier au milieu des Prussiens; puis, en faisant des signes de croix et en marmottant des mots entrecoupés, il continua sa route.

—Les deux heures sont passées, dit l'officier quand Françoise parut.

Le père Merlier était là, assis sur le banc, près du puits. Il fumait toujours. La jeune fille, de nouveau, supplia, pleura, s'agenouilla. Elle voulait gagner du temps. L'espoir de voir revenir les Français avait grandi en elle, et tandis qu'elle se lamentait, elle croyait entendre au loin les pas cadencés d'une armée. Oh! s'ils avaient paru, s'ils les avaient tous délivrés!

—Écoutez, monsieur, une heure, encore une heure . . . Vous pouvez bien nous accorder une heure!

Mais l'officier restait inflexible. Il ordonna même à deux hommes de s'emparer d'elle et de l'emmener, pour qu'on procédât à l'exécution du vieux tranquillement. Alors, un combat affreux se passa dans le cœur de Françoise. Elle ne pouvait laisser ainsi assassiner son père.* Non, non, elle mourrait plutôt avec Dominique; et elle s'élançait vers sa chambre, lorsque Dominique lui-même entra dans la cour.

L'officier et les soldats poussèrent un cri de triomphe. Mais lui, comme s'il n'y avait eu là que Françoise, s'avança vers elle, tranquille, un peu sévère.

—C'est mal,* dit-il. Pourquoi ne m'avez-vous pas ramené? Il a fallu que le père Bontemps me contât les choses . . . Enfin, me voilà.

V

Il était trois heures. De grands nuages noirs avaient lentement empli le ciel, la queue de quelque orage voisin. Ce ciel jaune, ces haillons cuivrés changeaient la vallée de Rocreuse, si gaie au soleil, en un coupe-gorge plein d'une ombre louche. L'officier prussien s'était contenté de faire enfermer Dominique, sans se prononcer sur le sort qu'il lui réservait. Depuis midi, Françoise agonisait dans une angoisse abominable. Elle ne voulait pas quitter la cour, malgré les instances de son père. Elle attendait les Français. Mais les heures s'écoulaient, la nuit allait venir, et elle souffrait d'autant plus, que tout ce temps gagné ne paraissait pas devoir changer l'affreux dénouement.

Cependant, vers trois heures, les Prussiens firent leurs préparatifs de départ. Depuis un instant, l'officier s'était, comme la veille, enfermé avec Dominique. Françoise avait compris que la vie du jeune homme se décidait. Alors, elle joignit les mains, elle pria. Le père Merlier, à côté d'elle, gardait son attitude muette et rigide de vieux paysan, qui ne lutte pas contre la fatalité des faits.

—Oh! mon Dieu! oh! mon Dieu! balbutiait Françoise, ils vont le tuer . . .

Le meunier l'attira près de lui et la prit sur ses genoux comme un enfant.

A ce moment, l'officier sortait, tandis que, derrière lui, deux hommes amenaient Dominique.

—Jamais, jamais! criait ce dernier. Je suis prêt à mourir.

—Réfléchissez bien, reprit l'officier. Ce service que vous me refusez, un autre nous le rendra. Je vous offre la vie, je suis généreux . . . Il s'agit simplement de nous conduire à Montredon, à travers bois. Il doit y avoir des sentiers.

Dominique ne répondait plus.

—Alors, vous vous entêtez?

—Tuez-moi, et finissons-en, répondit-il.

Françoise, les mains jointes, le suppliait de loin. Elle oubliait tout, elle lui aurait conseillé une lâcheté. Mais le père Merlier lui saisit les mains, pour que les Prussiens ne vissent pas son geste de femme affolée.

—Il a raison, murmura-t-il, il vaut mieux mourir.

Le peloton d'exécution était là. L'officier attendait une faiblesse de Dominique. Il comptait toujours le décider. Il y eut un silence. Au loin, on entendait de violents coups de tonnerre. Une chaleur lourde écrasait la campagne. Et ce fut dans ce silence qu'un cri retentit:

—Les Français! les Français!

C'étaient eux, en effet. Sur la route de Sauval, à la lisière du bois, on distinguait la ligne des pantalons rouges. Ce fut,* dans le moulin, une agitation extraordinaire. Les soldats prussiens couraient, avec des exclamations gutturales. D'ailleurs, pas un coup de feu n'avait encore été tiré.

—Les Français! les Français! cria Françoise en battant des mains.

Elle était comme folle. Elle venait de s'échapper de l'étreinte de son père, et elle riait, les bras en l'air. Enfin, ils arrivaient donc, et ils arrivaient à temps, puisque Dominique était encore là, debout!*

Un feu de peloton terrible qui éclata comme un coup de foudre à ses oreilles, la fit se retourner. L'officier venait de murmurer:

—Avant tout, réglons cette affaire.

Et, poussant lui-même Dominique contre le mur d'un hangar, il avait commandé le feu. Quand Françoise se tourna, Dominique était par terre, la poitrine trouée de douze balles.

Elle ne pleura pas, elle resta stupide. Ses yeux devinrent fixes, et elle alla s'asseoir sous le hangar, à quelques pas du corps. Elle le regardait, elle avait* par moments un geste vague et enfantin de la main. Les Prussiens s'étaient emparés du père Merlier comme d'un otage.

Ce fut un beau combat. Rapidement, l'officier avait posté ses hommes, comprenant qu'il ne pouvait battre en retraite, sans se faire écraser. Autant valait-il* vendre chèrement sa vie. Maintenant, c'étaient les Prussiens qui défendaient le moulin, et les Français qui l'attaquaient. La fusillade commença avec une violence inouïe. Pendant une demi-heure, elle ne cessa pas. Puis, un éclat sourd se fit entendre, et un boulet cassa une maîtresse branche de l'orme séculaire. Les Français avaient du canon.* Une batterie, dressée juste au-dessus du fossé, dans lequel s'était caché Dominique, balayait la grande rue de Rocreuse. La lutte, désormais, ne pouvait être longue.

Ah! le pauvre moulin! Des boulets le perçaient de part en part. Une moitié de la toiture fut enlevée. Deux murs s'écroulèrent. Mais c'était surtout du côté de la Morelle que le désastre devint lamentable. Les lierres, arrachés des murailles ébranlées, pendaient comme des guenilles; la rivière emportait des débris de toutes sortes, et l'on voyait, par une brèche, la chambre de Françoise, avec son lit, dont les rideaux blancs étaient soigneusement tirés. Coup sur coup, la vieille roue reçut deux boulets, et elle eut un gémissement suprême: les palettes furent charriées dans le courant, la carcasse s'écrasa. C'était l'âme du gai moulin qui venait de s'exhaler.

Puis, les Français donnèrent l'assaut. Il y eut un furieux combat à l'arme blanche. Sous le ciel couleur de rouille, le coupe-gorge de la vallée s'emplissait de morts. Les larges prairies semblaient farouches, avec leurs grands arbres isolés, leurs rideaux de peupliers qui les tachaient d'ombre. A droite et à gauche, les forêts étaient comme les murailles d'un cirque qui enfermaient les combattants, tandis que les sources, les fontaines et les eaux courantes prenaient des bruits de sanglots,* dans la panique de la campagne.

Sous le hangar, Françoise n'avait pas bougé, accroupie en face 5 du corps de Dominique. Le père Merlier venait d'être tué raide par une balle perdue. Alors, comme les Prussiens étaient exterminés et que* le moulin brûlait, le capitaine français entra le premier dans la cour. Depuis le commencement de la campagne, c'était l'unique succès qu'il remportait. Aussi, tout enflammé, grandissant 10 sa haute taille, riait-il de son air aimable de beau cavalier. Et, apercevant Françoise imbécile entre les cadavres de son mari et de son père, au milieu des ruines fumantes du moulin, il la salua galamment de son épée, en criant:

—Victoire! victoire!

Émile Zola

PROSPER MÉRIMÉE

PROSPER MÉRIMÉE was born in Paris in 1803 and educated at the Collège Charlemagne. At first he felt drawn toward the study of law, but soon gave it up because of his greater interest in literature. His studies in archeology led the French government to appoint him, in 1834, Inspector of Historic Monuments. In this capacity he traveled much, and gathered local color for his tales and novels: *Carmen*, which in its later dramatic version was to become one of the world's most popular operas, has a setting laid in Spain; *Colomba* tells the story of a family vendetta in Corsica; *Tamango* represents the author's study of contemporary documents relating to the traffic in negro slaves who were being seized along the Ivory Coast and sold to planters in the West Indies and the States. All these exciting tales are told with that restraint which places Mérimée among the best prose stylists in French literature. He died in 1870.

TAMANGO

Le capitaine Ledoux* était un bon marin. Il avait commencé par être simple matelot, puis il devint aide-timonier. Au combat de Trafalgar, il eut la main gauche fracassée par un éclat de bois; il fut amputé, et congédié* ensuite avec de bons certificats. Le repos ne lui convenait guère, et l'occasion de se rembarquer se 5 présentant, il servit en qualité de second lieutenant à bord d'un corsaire. L'argent qu'il retira de quelques prises lui permit d'acheter des livres et d'étudier la théorie de la navigation, dont il connaissait déjà parfaitement la pratique. Avec le temps, il devint capitaine d'un lougre corsaire de trois canons et de soixante hommes d'équi- 10 page, et les caboteurs de Jersey conservent encore le souvenir de ses exploits. La paix* le désola: il avait amassé pendant la guerre une petite fortune, qu'il espérait augmenter aux dépens des Anglais. Force lui fut* d'offrir ses services à de pacifiques négociants; et comme il était connu pour un homme de résolution et d'expérience, 15 on lui confia facilement un navire. Quand la traite des nègres fut défendue,* et que, pour s'y livrer, il fallut non seulement tromper la vigilance des douaniers français, ce qui n'était pas très difficile, mais encore, et c'était le plus hasardeux, échapper aux croiseurs anglais, le capitaine Ledoux devint un homme précieux pour les 5 trafiquants de bois d'ébène.*

Bien différent de la plupart des marins qui ont langui longtemps comme lui dans des postes subalternes, il n'avait point cette horreur profonde des innovations, et cet esprit de routine qu'ils apportent trop souvent dans les grades supérieurs. Le capitaine Ledoux, au 10 contraire, avait été le premier à recommander à son armateur l'usage des caisses en fer, destinées à contenir et conserver l'eau. A son bord, les menottes et les chaînes, dont les bâtiments négriers ont provision, étaient fabriquées d'après un système nouveau, et soigneusement vernies pour les préserver de la rouille. Mais ce 15 qui lui fit le plus d'honneur parmi les marchands d'esclaves, ce fut la construction, qu'il dirigea lui-même, d'un brick destiné à la traite, fin voilier, long, étroit, comme un bâtiment de guerre, et cependant capable de contenir un très grand nombre de noirs. Il le nomma *l'Espérance.** Il voulut que* les entre-ponts, étroits et 20 rentrés, n'eussent que trois pieds quatre pouces de haut, prétendant que cette dimension permettait aux esclaves de taille raisonnable d'être commodément assis; et quel besoin ont-ils de se lever?

—Arrivés* aux colonies, disait Ledoux, ils ne resteront que trop sur leurs pieds!

25 Les noirs, le dos appuyé aux bordages du navire, et disposés sur deux lignes parallèles, laissaient entre leurs pieds un espace vide, qui, dans tous les autres négriers, ne sert qu'à la circulation. Ledoux imagina de placer dans cet intervalle d'autres nègres, couchés perpendiculairement aux premiers. De la sorte, son navire contenait 30 une dizaine de nègres de plus qu'un autre du même tonnage. A la rigueur, on aurait pu en placer davantage; mais il faut avoir de l'humanité, et laisser à un nègre au moins cinq pieds en longueur et deux en largeur* pour s'ébattre, pendant une traversée de six semaines et plus; «car enfin, disait Ledoux à son armateur pour 35 justifier cette mesure libérale, les nègres, après tout, sont des hommes comme les blancs.»

L'Espérance partit de Nantes un vendredi, comme le remarquèrent depuis des gens superstitieux. Les inspecteurs qui visitèrent scrupuleusement le brick ne découvrirent pas six grandes caisses remplies de chaînes, de menottes, et de ces fers que l'on nomme,* je ne sais pourquoi, *barres de justice.* Ils ne furent point étonnés, non plus, de l'énorme provision d'eau que devait porter *l'Espérance*, qui, d'après ses papiers, n'allait qu'au Sénégal pour y faire le commerce de bois et d'ivoire. La traversée n'est pas longue, 5 il est vrai, mais enfin le trop de précautions ne peut nuire. Si l'on était surpris par un calme, que deviendrait-on* sans eau?

L'Espérance partit donc un vendredi, bien gréée et bien équipée de tout. Ledoux aurait voulu peut-être des mâts un peu plus solides; cependant, tant qu'il commanda le bâtiment, il n'eut point à s'en 10 plaindre.* Sa traversée fut heureuse et rapide jusqu'à la côte d'Afrique. Il mouilla dans la rivière de Joale (je crois), dans un moment où les croiseurs anglais ne surveillaient point cette partie de la côte. Des courtiers du pays vinrent aussitôt à bord. Le moment était on ne peut plus* favorable; Tamango, guerrier 15 fameux et vendeur d'hommes, venait de conduire à la côte une grande quantité d'esclaves, et il s'en défaisait à bon marché, en homme qui se sent la force* et les moyens d'approvisionner promptement la place, aussitôt que les objets de son commerce y deviennent rares. 20

Le capitaine Ledoux se fit descendre sur le rivage, et fit sa visite à Tamango. Il le trouva dans une case en paille, qu'on lui avait élevée à la hâte, accompagné de ses deux femmes et de quelques sous-marchands et conducteurs d'esclaves. Tamango s'était paré pour recevoir le capitaine blanc. Il était vêtu d'un vieil habit 25 d'uniforme bleu, ayant encore les galons de caporal; mais sur chaque épaule pendaient deux épaulettes d'or attachées au même bouton, et ballottant, l'une par devant, l'autre par derrière. Comme il n'avait pas de chemise, et que* l'habit était un peu court pour un homme de sa taille, on remarquait entre les revers blancs de 30 l'habit et son caleçon de toile de Guinée,* une bande considérable de peau noire, qui ressemblait à une large ceinture. Un grand sabre de cavalerie était suspendu à son côté au moyen d'une corde, et il tenait à la main un beau fusil à deux coups, de fabrique anglaise. Ainsi équipé, le guerrier africain croyait surpasser en élégance le 35 petit-maître le plus accompli de Paris ou de Londres.

Le capitaine Ledoux le considéra quelque temps en silence, tandis que Tamango, se redressant à la manière d'un grenadier qui passe à la revue d'un général étranger, jouissait de l'impression qu'il croyait produire sur le blanc. Ledoux, après l'avoir examiné en connaisseur, se tourna vers son second, et lui dit:

—Voilà un gaillard que je vendrais au moins mille écus, rendu sain et sans avaries à la Martinique.

5 On s'assit, et un matelot qui savait un peu la langue yolofe servit d'interprète. Les premiers compliments de politesse échangés, un mousse apporta un panier de bouteilles d'eau-de-vie; on but, et le capitaine, pour mettre Tamango en belle humeur, lui fit présent d'une jolie poire à poudre en cuivre, ornée du portrait de 10 Napoléon en relief. Le présent accepté avec la reconnaissance convenable, on sortit de la case, on s'assit à l'ombre en face des bouteilles d'eau-de-vie, et Tamango donna le signal de faire venir les esclaves qu'il avait à vendre.

Ils parurent sur une longue file, le corps courbé par la fatigue et 15 la frayeur, chacun ayant le cou pris dans une fourche longue de plus de six pieds, dont les deux pointes étaient réunies vers la nuque par une barre de bois. Quand il faut se mettre en marche, un des conducteurs prend sur son épaule le manche de la fourche du premier esclave; celui-ci se charge de la fourche de l'homme qui 20 le suit immédiatement; le second porte la fourche du troisième esclave, et ainsi des autres.* S'agit-il de* faire halte, le chef de file enfonce en terre le bout pointu du manche de sa fourche, et toute la colonne s'arrête. On juge facilement qu'il ne faut pas penser à s'échapper à la course, quand on porte attaché au cou un gros 25 bâton de six pieds de longueur.

A chaque esclave mâle ou femelle qui passait devant lui, le capitaine haussait les épaules, trouvait les hommes chétifs, les femmes trop vieilles ou trop jeunes et se plaignait de l'abâtardissement de la race noire.

30 —Tout dégénère, disait-il; autrefois c'était bien différent. Les femmes avaient cinq pieds six pouces de haut, et quatre hommes auraient tourné seuls le cabestan d'une frégate, pour lever la maîtresse ancre.

Cependant, tout en critiquant, il faisait un premier choix des 35 noirs les plus robustes et les plus beaux. Ceux-là, il pouvait les payer au prix ordinaire; mais pour le reste, il demandait une forte diminution. Tamango, de son côté, défendait ses intérêts, vantait sa marchandise, parlait de la rareté des hommes et des périls de la traite. Il conclut en demandant un prix, je ne sais lequel, pour les esclaves que le capitaine blanc voulait charger à son bord.

Aussitôt que l'interprète eut traduit en français la proposition de Tamango, Ledoux manqua tomber à la renverse, de surprise et d'indignation; puis, murmurant quelques jurements affreux, il se leva comme pour rompre tout marché avec un homme aussi déraisonnable. Alors Tamango le retint; il parvint avec peine à le faire rasseoir.* Une nouvelle bouteille fut débouchée, et la discussion recommença. Ce fut le tour du noir à trouver folles et extravagantes les propositions du blanc. On cria, on disputa longtemps, on but prodigieusement d'eau-de-vie; mais l'eau-de-vie produisait un effet bien différent sur les deux parties contractantes. Plus le Français buvait, plus il réduisait ses offres; plus l'Africain buvait, plus il cédait de ses prétentions. De la sorte, à la fin du panier,* on tomba d'accord. De mauvaises cotonnades, de la poudre, des pierres à feu, trois barriques d'eau-de-vie, cinquante fusils mal raccommodés, furent donnés en échange de cent soixante esclaves. Le capitaine, pour ratifier le traité, frappa dans la main* du noir, plus qu'à moitié ivre, et aussitôt les esclaves furent remis aux matelots français, qui se hâtèrent de leur ôter leurs fourches de bois pour leur donner des carcans et des menottes en fer; ce qui montre bien la supériorité de la civilisation européenne.

Restait* encore une trentaine d'esclaves: c'étaient des enfants, des vieillards, des femmes infirmes. Le navire était plein.

Tamango, qui ne savait que faire de ce rebut, offrit au capitaine de les lui vendre pour une bouteille d'eau-de-vie la pièce. L'offre était séduisante. Ledoux se souvint qu'à la représentation des *Vêpres Siciliennes* à Nantes, il avait vu bon nombre de gens gros et gras entrer dans un parterre déjà plein, et parvenir cependant à s'y asseoir, en vertu de la compressibilité des corps humains. Il prit les vingt plus sveltes des trente esclaves.

Alors Tamango ne demanda plus qu'un verre d'eau-de-vie pour chacun des dix restants. Ledoux réfléchit que les enfants ne payent et n'occupent que demi-place dans les voitures publiques. Il prit donc trois enfants; mais il déclara qu'il ne voulait plus se charger d'un seul noir. Tamango, voyant qu'il lui restait encore sept esclaves sur les bras, saisit son fusil, et coucha en joue une femme qui venait la première: c'était la mère des trois enfants.

—Achète, dit-il au blanc, ou je la tue;* un petit verre d'eau-de-vie, ou je tire.

—Et que diable veux-tu que j'en fasse? répondit Ledoux.

Tamango fit feu, et l'esclave tomba morte à terre.

5 —Allons, à un autre!* s'écria Tamango en visant un vieillard tout cassé: un verre d'eau-de-vie, ou bien . . .

Une de ses femmes lui détourna le bras, et le coup partit au hasard. Elle venait de reconnaître dans ce vieillard que son mari allait tuer un *guiriot* ou magicien, qui lui avait prédit qu'elle serait 10 reine.

Tamango, que l'eau-de-vie avait rendu furieux, ne se posséda plus, en voyant qu'on s'opposait à ses volontés. Il frappa rudement sa femme de la crosse de son fusil; puis se tournant vers Ledoux:

15 —Tiens, dit-il, je te donne cette femme.

Elle était jolie. Ledoux la regarda en souriant, puis il la prit par la main:

—Je trouverai bien où la mettre, dit-il.

L'interprète était un homme humain. Il donna une tabatière de 20 carton à Tamango, et lui demanda les six esclaves restants. Il les délivra de leurs fourches, et leur permit de s'en aller où bon leur semblerait.* Aussitôt ils se sauvèrent, qui deçà, qui delà, fort embarrassés de retourner dans leur pays, à deux cents lieues de la côte.

25 Cependant le capitaine dit adieu à Tamango, et s'occupa de faire au plus vite embarquer sa cargaison. Il n'était pas prudent de rester longtemps en rivière; les croiseurs pouvaient reparaître, et il voulait appareiller le lendemain. Pour Tamango, il se coucha sur l'herbe, à l'ombre, et dormit pour cuver son eau-de-vie.

30 Quand il se réveilla, le vaisseau était déjà sous voiles, et descendait la rivière. Tamango, la tête encore embarrassée de la débauche de la veille, demanda sa femme Ayché. On lui répondit qu'elle avait eu le malheur de lui déplaire, et qu'il l'avait donnée en présent au capitaine blanc, lequel l'avait emmenée à son bord. A cette nou-35 velle, Tamango stupéfait se frappa la tête, puis il prit son fusil, et comme la rivière faisait plusieurs détours avant de se décharger dans la mer, il courut, par le chemin le plus direct, à une petite anse éloignée de l'embouchure d'une demi-lieue. Là, il espérait trouver un canot avec lequel il pourrait joindre le brick, dont les

sinuosités de la rivière devaient retarder la marche. Il ne se trompait pas: en effet, il eut le temps de se jeter dans un canot, et de joindre le négrier.

Ledoux fut surpris de le voir, mais encore plus de l'entendre redemander sa femme. 5

—Bien donné ne se reprend plus,* répondit-il.

Et il lui tourna le dos.

Le noir insista, offrit de rendre une partie des objets qu'il avait reçus en échange des esclaves. Le capitaine se mit à rire, dit qu'Ayché était une très bonne femme, et qu'il voulait la garder. 10 Alors le pauvre Tamango versa un torrent de larmes, et poussa des cris de douleur aussi aigus que ceux d'un malheureux qui subit une opération chirurgicale. Tantôt il se roulait sur le pont, en appelant sa chère Ayché, tantôt il se frappait la tête contre les planches, comme pour se tuer. Toujours impassible, le capitaine, en lui 15 montrant le rivage, lui faisait signe qu'il était temps pour lui de s'en aller; mais Tamango persistait. Il offrit jusqu'à ses épaulettes d'or, son fusil et son sabre. Tout fut inutile.

Pendant ce débat, le lieutenant de *l'Espérance* dit au capitaine:

—Il nous est mort cette nuit trois esclaves;* nous avons de la 20 place. Pourquoi ne prendrions-nous pas ce vigoureux coquin, qui vaut mieux à lui seul que les trois morts? Ledoux fit réflexion que Tamango se vendrait bien mille écus; que ce voyage, qui s'annonçait comme très profitable pour lui, serait probablement son dernier; qu'enfin sa fortune étant faite, et lui renonçant* au com- 25 merce d'esclaves, peu lui importait* de laisser à la côte de Guinée une bonne ou une mauvaise réputation. D'ailleurs le rivage était désert, et le guerrier africain entièrement à sa merci. Il ne s'agissait plus que de lui enlever ses armes, car il eût* été dangereux de mettre la main sur lui pendant qu'il les avait encore en sa posses- 30 sion. Ledoux lui demanda donc son fusil, comme pour l'examiner et s'assurer s'il valait bien autant que la belle Ayché. En faisant jouer les ressorts, il eut soin de laisser tomber la poudre de l'amorce. Le lieutenant de son côté maniait le sabre; et Tamango se trouvant ainsi désarmé, deux vigoureux matelots se jetèrent sur lui, le ren- 35 versèrent sur le dos, et se mirent en devoir de le garrotter. La résistance du noir fut héroïque. Revenu* de sa première surprise, et malgré le désavantage de sa position, il lutta longtemps contre les deux matelots. Grâce à sa force prodigieuse, il parvint à se relever. D'un coup de poing, il terrassa l'homme qui le tenait au collet; il laissa un morceau de son habit entre les mains de l'autre matelot, et s'élança comme un furieux sur le lieutenant, pour lui arracher son sabre. Celui-ci l'en frappa à la tête, et lui fit une blessure large, mais peu profonde. Tamango tomba une seconde fois. Aussitôt on lui lia fortement les pieds et les mains. Tandis qu'il se défendait, il poussait des cris de rage, et s'agitait comme un sanglier pris dans des toiles; mais lorsqu'il vit que toute résistance était inutile, il ferma les yeux, et ne fit plus aucun mouvement. Sa respiration forte et précipitée prouvait seule qu'il était encore vivant.

—Parbleu! s'écria le capitaine Ledoux, les noirs qu'il a vendus vont rire de bon cœur en le voyant esclave à son tour. C'est pour le coup qu'ils verront bien qu'il y a une Providence.

Cependant le pauvre Tamango perdait tout son sang. Le charitable interprète, qui la veille avait sauvé la vie à six esclaves, s'approcha de lui, banda sa blessure, et lui adressa quelques paroles de consolation. Ce qu'il put lui dire, je l'ignore. Le noir restait immobile, ainsi qu'un cadavre. Il fallut que deux matelots le portassent comme un paquet dans l'entre-pont, à la place qui lui était destinée. Pendant deux jours, il ne voulut ni boire ni manger, à peine lui vit-on ouvrir les yeux.* Ses compagnons de captivité, autrefois ses prisonniers, le virent paraître au milieu d'eux avec un étonnement stupide. Telle était la crainte qu'il leur inspirait encore, que pas un seul n'osa insulter à la misère de celui qui avait causé la leur.

Favorisé par un bon vent de terre, le vaisseau s'éloignait rapidement de la côte d'Afrique. Déjà sans inquiétude au sujet de la croisière anglaise, le capitaine ne pensait plus qu'aux énormes bénéfices qui l'attendaient dans les colonies vers lesquelles il se dirigeait. Son bois d'ébène se maintenait sans avaries. Point de maladies contagieuses. Douze nègres seulement, et des plus faibles, étaient morts de chaleur: c'était bagatelle. Afin que sa cargaison humaine souffrît le moins possible des fatigues de la traversée, il avait l'attention de faire monter tous les jours ses esclaves sur le pont. Tour à tour un tiers de ces malheureux avait une heure pour faire sa provision d'air de toute la journée. Une partie de l'équipage les surveillait armée jusqu'aux dents, de peur de révolte; d'ailleurs on avait soin de ne jamais leur ôter entièrement leurs fers.

Quelquefois un matelot qui savait jouer du violon les régalait d'un concert. Il était alors curieux de voir toutes ces figures noires se tourner vers le musicien, perdre par degrés leur expression de désespoir stupide, rire d'un gros rire et battre des mains, quand leurs chaînes le leur permettaient.—L'exercice est nécessaire à la santé; aussi l'une des salutaires pratiques du capitaine Ledoux, c'était de faire souvent danser ses esclaves, comme on fait piaffer des chevaux embarqués pour une longue traversée.

—Allons, mes enfants, dansez, amusez-vous, disait le capitaine d'une voix de tonnerre, en faisant claquer un énorme fouet de poste, et aussitôt les pauvres noirs sautaient et dansaient.

Quelque temps la blessure de Tamango le retint sous les écoutilles. Il parut enfin sur le pont, et d'abord, relevant la tête avec fierté au milieu de la foule craintive des esclaves, il jeta un coup d'œil triste, mais calme, sur l'immense étendue d'eau qui environnait le navire, puis il se coucha, ou plutôt se laissa tomber sur les planches du tillac, sans prendre même le soin d'arranger ses fers de manière qu'ils lui fussent moins incommodes. Ledoux, assis au gaillard d'arrière, fumait tranquillement sa pipe. Près de lui, Ayché, sans fers, vêtue d'une robe élégante de cotonnade bleue, les pieds chaussés de jolies pantoufles de maroquin, portant à la main un plateau chargé de liqueurs, se tenait prête à lui verser à boire. Il était évident qu'elle remplissait de hautes fonctions auprès du capitaine. Un noir, qui détestait Tamango, lui fit signe de regarder de ce côté. Tamango tourna la tête, l'aperçut, poussa un cri; et, se levant avec impétuosité, courut vers le gaillard d'arrière avant que les matelots de garde eussent pu s'opposer à une infraction aussi énorme de toute discipline navale:

—Ayché! cria-t-il d'une voix foudroyante, et Ayché poussa un cri de terreur; crois-tu que dans le pays des blancs, il n'y ait point de MAMA-JUMBO?

Déjà des matelots accouraient le bâton levé; mais Tamango, les bras croisés, et comme insensible, retournait tranquillement à sa place, tandis qu'Ayché, fondant en larmes, semblait pétrifiée par ses mystérieuses paroles.

L'interprète expliqua ce qu'était ce terrible Mama-Jumbo, dont le nom seul produisait tant d'horreur.

—C'est le Croquemitaine des nègres, dit-il. Quand un mari a peur que sa femme ne soit pas sage, il la menace du Mama-Jumbo.

Moi, qui vous parle, j'ai vu le Mama-Jumbo, et j'ai compris la ruse; mais les noirs . . ., comme c'est simple, cela ne comprend rien.* Figurez-vous qu'un soir, pendant que les femmes s'amusaient à danser, à faire un *folgar*, comme ils disent dans leur jargon, voilà que d'un
5 petit bois bien touffu et bien sombre, on entend une musique étrange, sans que l'on vît personne pour la faire; tous les musiciens étaient cachés dans le bois. Il y avait des flûtes de roseau, des tambourins de bois, des *balafos*, et des guitares faites avec des moitiés de calebasses. Tout cela jouait un air à porter le diable en
10 terre.* Les femmes n'ont pas plus tôt entendu cet air-là, qu'elles se mettent à trembler; elles veulent se sauver, mais les maris les retiennent: elles savaient bien ce qui leur pendait à l'oreille.* Tout à coup sort* du bois une grande figure blanche, haute comme notre mât de perroquet, avec une tête grosse comme un boisseau,
15 des yeux larges comme des écubiers, et une gueule comme celle du diable, avec du feu dedans. Cela marchait lentement, lentement; et cela n'alla pas plus loin qu'à demi-encablure du bois. Les femmes criaient:

—Voilà Mama-Jumbo!

20 Elles braillaient comme des vendeuses d'huîtres. Alors les maris leur disaient:

—Allons, coquines, dites-nous si vous avez été sages; si vous mentez, Mama-Jumbo est là pour vous manger toutes crues. Il y en avait qui étaient assez simples pour avouer, et alors les maris
25 les battaient comme plâtre.*

—Et qu'est-ce que c'était donc que* cette figure blanche, ce Mama-Jumbo? demanda le capitaine.

—Eh bien! c'était un farceur affublé d'un grand drap blanc, portant, au lieu de tête, une citrouille creusée et garnie d'une chan-
30 delle allumée au bout d'un grand bâton. Cela n'est pas plus malin,* et il ne faut pas de grands frais d'esprit pour attraper les noirs. Avec tout cela, c'est une bonne invention que le Mama-Jumbo, et je voudrais que ma femme y crût.

—Pour la mienne, dit Ledoux, si elle n'a pas peur de Mama-
35 Jumbo, elle a peur de Martin-Bâton; et elle sait de reste comment je l'arrangerais, si elle me jouait quelque tour. Nous ne sommes pas endurants dans la famille des Ledoux, et quoique je n'aie qu'un poignet, il manie encore assez bien une garcette. Quant à votre drôle là-bas, qui parle du Mama-Jumbo, dites-lui qu'il se

tienne bien, et qu'il ne fasse pas peur à la petite mère que voici,* ou je lui ferai si bien ratisser l'échine, que son cuir, de noir, deviendra rouge comme un rosbif cru.

A ces mots, le capitaine descendit dans sa chambre, fit venir Ayché, et tâcha de la consoler: mais ni les caresses, ni les coups mêmes, car on perd patience à la fin, ne purent rendre traitable la belle négresse; des flots de larmes coulaient de ses yeux. Le capitaine remonta sur le pont, de mauvaise humeur, et querella l'officier de quart sur la manœuvre qu'il commandait dans le moment.

La nuit, lorsque presque tout l'équipage dormait d'un profond sommeil, les hommes de garde entendirent d'abord un chant grave, solennel, lugubre, qui partait de l'entre-pont, puis un cri de femme horriblement aigu. Aussitôt après, la grosse voix de Ledoux jurant et menaçant, et le bruit de son terrible fouet, retentirent dans tout* le bâtiment. Un instant après, tout rentra dans le silence. Le lendemain, Tamango parut sur le pont la figure meurtrie, mais l'air aussi fier, aussi résolu qu'auparavant.

A peine Ayché l'eut-elle aperçu, que quittant le gaillard d'arrière où elle était assise à côté du capitaine, elle courut avec rapidité vers Tamango, s'agenouilla devant lui, et lui dit avec un accent de désespoir concentré:

—Pardonne-moi, Tamango, pardonne-moi!

Tamango la regarda fixement pendant une minute; puis, remarquant que l'interprète était éloigné:

—Une lime! dit-il.

Et il se coucha sur le tillac en tournant le dos à Ayché. Le capitaine la réprimanda vertement, lui donna même quelques soufflets, et lui défendit de parler à son ex-mari; mais il était loin de soupçonner le sens des courtes paroles qu'ils avaient échangées, et il ne fit aucune question à ce sujet.

Cependant Tamango, renfermé avec les autres esclaves, les exhortait jour et nuit à tenter un effort généreux pour recouvrer leur liberté. Il leur parlait du petit nombre des blancs, et leur faisait remarquer la négligence toujours croissante de leurs gardiens; puis, sans s'expliquer nettement, il disait qu'il saurait les ramener dans leur pays, vantait son savoir dans les sciences occultes, dont les noirs sont fort entichés, et menaçait de la vengeance du diable ceux qui se refuseraient de l'aider dans son entreprise. Dans ses harangues, il ne se servait que du dialecte des Peules, qu'en-

tendaient la plupart des esclaves, mais que l'interprète ne comprenait pas. La réputation de l'orateur, l'habitude qu'avaient les esclaves de le craindre et de lui obéir, vinrent merveilleusement au secours de son éloquence, et les noirs le pressèrent de fixer un jour
5 pour leur délivrance, bien avant que lui-même se crût en état de l'effectuer. Il répondait vaguement aux conjurés que le temps n'était pas venu, et que le diable, qui lui apparaissait en songe, ne l'avait pas encore averti, mais qu'ils eussent à se tenir prêts au premier signal. Cependant il ne négligeait aucune occasion de
10 faire des expériences sur la vigilance de ses gardiens. Une fois, un matelot, laissant son fusil appuyé contre les plats-bords, s'amusait à regarder une troupe de poissons volants qui suivaient le vaisseau; Tamango prit le fusil, et se mit à le manier, imitant avec des gestes grotesques les mouvements qu'il avait vu faire à des matelots*
15 qui faisaient l'exercice. On lui retira le fusil au bout d'un instant, mais il avait appris qu'il pourrait toucher une arme sans éveiller immédiatement le soupçon; et quand le temps viendrait de s'en servir, bien hardi celui qui* voudrait la lui arracher des mains.

Un jour, Ayché lui jeta un biscuit en lui faisant un signe que
20 lui seul comprit. Le biscuit contenait une petite lime: c'était de cet instrument que dépendait la réussite du complot. D'abord Tamango se garda bien de montrer la lime à ses compagnons; mais lorsque la nuit fut venue, il se mit à murmurer des paroles inintelligibles qu'il accompagnait de gestes bizarres. Par degrés, il s'anima
25 jusqu'à pousser des cris. A entendre les intonations variées de sa voix, on eût dit qu'il était engagé dans une conversation animée avec une personne invisible. Tous les esclaves tremblaient, ne doutant pas que le diable ne fût en ce moment même au milieu d'eux. Tamango mit fin à cette scène en poussant un cri de joie.

30 —Camarades, s'écria-t-il, l'esprit que j'ai conjuré vient enfin de m'accorder ce qu'il m'avait promis, et je tiens dans mes mains l'instrument de notre délivrance. Maintenant il ne vous faut plus qu'un peu de courage pour vous faire libres.

Il fit toucher la lime à ses voisins,* et la fourbe, toute grossière
35 qu'elle était,* trouva créance auprès d'hommes encore plus grossiers.

Après une longue attente vint le grand jour de vengeance et de liberté. Les conjurés, liés entre eux par un serment solennel, avaient arrêté leur plan après une mûre délibération. Les plus déterminés, ayant Tamango à leur tête, lorsqu'ils monteraient à leur tour sur le pont, devaient s'emparer des armes de leurs gardiens; quelques autres iraient à la chambre du capitaine pour y prendre les fusils qui s'y trouvaient. Ceux qui seraient parvenus à limer leurs fers devaient commencer l'attaque; mais malgré le travail opiniâtre de plusieurs nuits, le plus grand nombre des esclaves était encore incapable de prendre une part énergique à l'action. Aussi trois noirs robustes avaient la charge de tuer l'homme qui portait dans sa poche la clef des fers, et d'aller aussitôt délivrer leurs compagnons enchaînés.

Ce jour-là, le capitaine Ledoux était d'une humeur charmante; contre sa coutume, il fit grâce à un mousse qui avait mérité le fouet. Il complimenta l'officier de quart sur sa manœuvre, déclara à l'équipage qu'il était content, et lui annonça qu'à la Martinique, où ils arriveraient dans peu, chaque homme recevrait une gratification. Tous les matelots, entretenant de si agréables idées, faisaient déjà dans leur tête l'emploi de cette gratification: ils pensaient à l'eau-de-vie et aux femmes de couleur de la Martinique, lorsqu'on fit monter sur le pont Tamango et les autres conjurés.

Ils avaient eu soin de limer leurs fers de manière qu'ils ne parussent pas être coupés, et que le moindre effort suffît cependant pour les rompre. D'ailleurs ils les faisaient si bien résonner, qu'à les entendre on eût dit qu'ils en portaient un double poids. Après avoir humé l'air quelque temps, ils se prirent tous par la main, et se mirent à danser, pendant que Tamango entonnait le chant guerrier* de sa famille, qu'il chantait autrefois avant d'aller au combat. Quand la danse eut duré quelque temps, Tamango, comme épuisé de fatigue, se coucha tout de son long aux pieds d'un matelot qui s'appuyait nonchalamment contre les plats-bord du navire; tous les conjurés en firent autant. De la sorte, chaque matelot était entouré de plusieurs noirs.

Tout à coup Tamango, qui venait doucement de rompre ses fers, pousse un grand cri, qui devait servir de signal, tire violemment par les jambes le matelot qui se trouvait près de lui, le culbute, et, lui mettant le pied sur le ventre, lui arrache son fusil, et s'en sert pour tuer l'officier de quart. En même temps, chaque matelot de garde est assailli, désarmé et aussitôt égorgé. De toutes parts, un cri de guerre s'élève. Le contre-maître, qui avait la clef des fers, succombe un des premiers. Alors une foule de noirs inondent le tillac. Ceux qui ne peuvent trouver d'armes saisissent les barres du cabestan ou les rames de la chaloupe. Dès ce moment, l'équipage européen fut perdu. Cependant quelques matelots firent tête sur le gaillard d'arrière; mais ils manquaient d'armes et de résolution. 5 Ledoux était encore vivant, et n'avait rien perdu de son courage. S'apercevant que Tamango était l'âme de la conjuration, il espéra que, s'il pouvait le tuer, il aurait bon marché de ses complices.* Il s'élança donc à sa rencontre le sabre à la main, en l'appelant à grands cris. Aussitôt Tamango se précipita sur lui. Il tenait un 10 fusil par le bout du canon, et s'en servait comme d'une massue. Les deux chefs se joignirent sur un des passavants, ce passage étroit qui communique du gaillard d'avant à l'arrière. Tamango frappa le premier. Par un léger mouvement de corps, le blanc évita le coup; la crosse, tombant avec force sur les planches, se 15 brisa, et le contrecoup fut si violent, que le fusil échappa des mains de Tamango. Il était sans défense, et Ledoux, avec un sourire de joie diabolique, levait le bras et allait le percer. Mais Tamango était aussi agile que les panthères de son pays. Il s'élança dans les bras de son adversaire, et lui saisit la main dont il tenait son sabre. 20 L'un s'efforce de retenir son arme, l'autre de l'arracher. Dans cette lutte furieuse, ils tombent tous les deux; mais l'Africain avait le dessous. Alors, sans se décourager, Tamango, étreignant son adversaire de toute sa force, le mordit à la gorge avec tant de violence, que le sang jaillit comme sous la dent d'un lion. Le sabre échappa 25 de la main défaillante du capitaine; Tamango s'en saisit, puis se relevant, la bouche sanglante, et poussant un cri de triomphe, il perça de coups redoublés son ennemi déjà demi-mort.

La victoire n'était plus douteuse. Le peu de matelots qui restaient essayèrent d'implorer la pitié des révoltés; mais tous, jusqu'à 30 l'interprète, qui ne leur avait jamais fait de mal, furent impitoyablement massacrés. Le lieutenant mourut avec gloire. Il s'était retiré à l'arrière, auprès d'un de ces petits canons qui tournent sur un pivot, et que l'on* charge de mitraille. De la main gauche il dirigea la pièce, et de la droite, armé d'un sabre, il se défendit si 35 bien, qu'il attira autour de lui une foule de noirs. Alors, pressant la détente du canon, il fit, au milieu de cette masse serrée, une large rue pavé de morts et de mourants. Un instant après, il fut mis en pièces.

Lorsque le cadavre du dernier blanc, déchiqueté et coupé par morceaux, eut été jeté à la mer, les noirs, rassasiés de vengeance, levèrent les yeux vers les voiles du navire, qui, toujours enflées par un vent frais, semblaient obéir encore à leurs oppresseurs, et mener les vainqueurs, malgré leur triomphe, dans la terre de l'esclavage.

—Rien n'est donc fait,* pensèrent-ils avec tristesse; et ce grand fétiche des blancs voudra-t-il nous ramener dans notre pays, nous qui avons versé le sang de ses maîtres?

Quelques-uns dirent que Tamango saurait le faire obéir. Aussitôt on appelle Tamango à grands cris.

Il ne se pressait pas de se montrer. On le trouva dans la chambre de poupe, debout, une main appuyée sur le sabre sanglant du capitaine; l'autre, il la tendait, d'un air distrait, à sa femme Ayché, qui la baisait, à genoux devant lui. La joie d'avoir vaincu ne diminuait pas une sombre inquiétude qui se trahissait dans toute sa contenance. Moins grossier que les autres, il sentait mieux la difficulté de sa position.

Il parut enfin sur le tillac, affectant un calme qu'il n'éprouvait pas. Pressé, par cent voix confuses, de diriger la course du vaisseau, il s'approcha du gouvernail à pas lents, comme pour retarder un peu le moment qui allait, pour lui-même et pour les autres, décider de l'étendue de son pouvoir.

Dans tout le vaisseau il n'y avait pas un noir, si stupide qu'il fût,* qui n'eût remarqué l'influence qu'une certaine roue et la boîte placée en face exerçaient sur les mouvements du navire; mais dans ce mécanisme, il y avait toujours pour eux un grand mystère. Tamango examina la boussole pendant longtemps, en remuant les lèvres, comme s'il lisait les caractères qu'il y voyait tracés; puis il portait la main à son front, et prenait l'attitude pensive d'un homme qui fait un calcul de tête. Tous les noirs l'entouraient, la bouche béante, les yeux démesurément ouverts, suivant avec anxiété le moindre de ses gestes. Enfin, avec ce mélange de crainte et de confiance que l'ignorance donne, il imprima un violent mouvement à la roue du gouvernail.

Comme un généreux coursier qui se cabre sous l'éperon d'un cavalier imprudent, le beau brick *l'Espérance* bondit sur la vague, à cette manœuvre inouïe. On eût dit* qu'indigné, il voulait s'engloutir avec son pilote ignorant. Le rapport nécessaire entre la direction des voiles et celle du gouvernail étant brusquement rompu, le vaisseau s'inclina avec tant de violence, qu'on eût dit qu'il allait s'abîmer. Ses longues vergues plongèrent dans la mer. Plusieurs hommes furent renversés; quelques-uns tombèrent par-dessus le bord. Bientôt le vaisseau se releva fièrement contre la lame, comme pour lutter encore une fois avec la destruction. Le vent redoubla d'efforts, et tout d'un coup, avec un bruit horrible, tombèrent les deux mâts cassés, à quelques pieds du pont, couvrant le tillac de débris et comme d'un lourd filet de cordages.

Les nègres épouvantés fuyaient sous les écoutilles, en poussant des cris de terreur; mais comme le vent ne trouvait plus de prise,* le vaisseau se releva, et se laissa doucement ballotter par les flots. Alors les plus hardis des noirs remontèrent sur le tillac, et le débarrassèrent des débris qui l'obstruaient. Tamango restait immobile, le coude appuyé sur l'habitacle, et se cachant le visage sur son bras replié. Ayché était auprès de lui, mais n'osait lui adresser la parole. Peu à peu les noirs s'approchèrent; un murmure s'éleva, qui bientôt se changea en un orage de reproches et d'injures.

—Perfide! imposteur! s'écriaient-ils, c'est toi qui as causé tous nos maux; c'est toi qui nous as vendus aux blancs, c'est toi qui nous as contraints de nous révolter contre eux. Tu nous avais vanté ton savoir; tu nous avais promis de nous ramener dans notre pays. Nous t'avons cru, insensés que nous étions! et voilà que nous avons manqué de périr tous, parce que tu as offensé le fétiche des blancs.

Tamango releva fièrement la tête, et les noirs qui l'entouraient reculèrent intimidés. Il ramassa deux fusils, fit signe à sa femme de le suivre, traversa la foule, qui s'ouvrit devant lui, et se dirigea vers l'avant du vaisseau. Là, il se fit comme un rempart avec des tonneaux vides et des planches; puis il s'assit au milieu de cette espèce de retranchement, d'où sortaient menaçantes les baïonnettes de ses deux fusils. On le laissa tranquille. Parmi les révoltés, les uns pleuraient; d'autres, levant les mains au ciel, invoquaient leurs fétiches et ceux des blancs. Ceux-ci, à genoux devant la boussole, dont ils admiraient le mouvement continuel, la suppliaient de les ramener dans leur pays; ceux-là se couchaient sur le tillac, dans un morne abattement. Au milieu de ces désespérés, qu'on se représente* des femmes et des enfants hurlant d'effroi, et une vingtaine de blessés implorant des secours que personne ne pensait à leur donner.

Tout à coup un nègre paraît sur le tillac: son visage est radieux.

Il annonce qu'il vient de découvrir l'endroit où les blancs gardent leur eau-de-vie; et sa joie et sa contenance prouvent assez qu'il vient d'en faire l'essai. Cette nouvelle suspend un instant les cris de ces malheureux. Ils courent à la cambuse, et se gorgent de liqueur. Une heure après, on les eût vus sauter et rire sur le pont, 5 se livrant à toutes les extravagances de l'ivresse la plus brutale. Leurs danses et leurs chants étaient accompagnés des gémissements et des sanglots des blessés. Ainsi se passa le reste du jour et toute la nuit.

Le matin, au réveil, nouveau désespoir. Pendant la nuit, un 10 grand nombre de blessés étaient morts. Le vaisseau flottait entouré de cadavres. La mer était grosse et le ciel brumeux. On tint conseil. Quelques apprentis dans l'art magique, qui n'avaient point osé parler de leur savoir-faire devant Tamango, offrirent tour à tour leurs services. On essaya plusieurs conjurations puissantes. 15 A chaque tentative inutile, le découragement augmentait. Enfin on reparla de Tamango, qui n'était pas encore sorti de son retranchement. Après tout, c'était le plus savant d'entre eux, et lui seul pouvait les tirer de la situation horrible où il les avait placés. Un vieillard s'approcha de lui, porteur de propositions de paix. Il le 20 pria de venir donner son avis; mais Tamango, inflexible comme Coriolan, fut sourd à ses prières. La nuit, au milieu du désordre, il avait fait sa provision de biscuits et de chair salée. Il paraissait déterminé à vivre seul dans sa retraite.

L'eau-de-vie restait: au moins elle fait oublier et la mer, et 25 l'esclavage, et la mort prochaine. On dort, on rêve de l'Afrique, on voit des forêts de gommiers, des cases couvertes en paille, des baobabs dont l'ombre couvre tout un village. L'orgie de la veille recommença. De la sorte se passèrent plusieurs jours. Crier, pleurer, s'arracher les cheveux, puis s'enivrer et dormir, telle était 30 leur vie. Plusieurs moururent à force de boire; quelques-uns se jetèrent à la mer ou se poignardèrent.

Un matin, Tamango sortit de son fort, et s'avança jusqu'auprès du tronçon du grand mât.

—Esclaves, dit-il, l'Esprit m'est apparu en songe, et m'a révélé 35 les moyens de vous tirer d'ici, pour vous ramener dans votre pays. Votre ingratitude mériterait que je vous abandonasse; mais j'ai pitié de ces femmes et de ces enfants qui crient. Je vous pardonne: écoutez-moi.

Tous les noirs baissèrent la tête avec respect, et se serrèrent autour de lui.

—Les blancs, poursuivit Tamango, connaissent seuls les paroles puissantes qui font remuer ces grandes maisons de bois;* mais 5 nous pouvons diriger à notre gré ces barques légères qui ressemblent à celles de notre pays.

Il montrait la chaloupe et les autres embarcations du brick.

—Remplissons-les de vivres, montons dedans, et ramons dans la direction du vent; mon maître et le vôtre le fera souffler vers 10 notre pays.

On le crut. Jamais projet ne fut plus insensé. Ignorant l'usage de la boussole, et sous un ciel inconnu, il ne pouvait qu'errer à l'aventure. D'après ses idées, il s'imaginait qu'en ramant tout droit devant lui, il trouverait à la fin quelque terre habitée par les 15 noirs, car les noirs possèdent la terre, et les blancs vivent sur leurs vaisseaux. C'est ce qu'il avait entendu dire à sa mère.*

Tout fut bientôt prêt pour l'embarquement; mais la chaloupe avec un canot seulement se trouvèrent en état de servir. C'était trop peu pour contenir environ quatre-vingts nègres encore vivants. 20 Il fallut abandonner tous les blessés et les malades. La plupart demandèrent qu'on les tuât avant de se séparer d'eux.

Les deux embarcations, mises à flot avec des peines infinies, et chargées outre mesure, quittèrent le vaisseau par une mer clapoteuse, qui menaçait à chaque instant de les engloutir. Le canot 25 s'éloigna le premier. Tamango, avec Ayché, avait pris place dans la chaloupe, qui, beaucoup plus lourde et plus chargée, demeurait considérablement en arrière. On entendait encore les cris plaintifs de quelques malheureux abandonnés à bord du brick, quand une vague assez forte prit la chaloupe en travers et l'emplit d'eau. En 30 moins d'une minute, elle coula. Le canot* vit leur désastre, et ses rameurs redoublèrent d'efforts, de peur d'avoir à recueillir quelques naufragés. Presque tous ceux qui montaient la chaloupe* furent noyés. Une douzaine seulement put regagner le vaisseau. De ce nombre étaient Tamango et Ayché. Quand le soleil se coucha, ils 35 virent disparaître le canot derrière l'horizon; mais ce qu'il devint,* on l'ignore.

Pourquoi fatiguerais-je le lecteur par la description dégoûtante des tortures de la faim? Vingt personnes environ sur un espace étroit, tantôt ballottées par une mer orageuse, tantôt brûlées par un soleil ardent, se disputent tous les jours les faibles restes de leurs provisions. Chaque morceau de biscuit coûte un combat, et le faible meurt, non parce que le fort le tue, mais parce qu'il le laisse mourir. Au bout de quelques jours, il ne resta plus de vivant à bord du brick *l'Espérance* que Tamango et Ayché. 5

. . . .

Une nuit, la mer était agitée, le vent soufflait avec violence, et l'obscurité était si grande, que de la poupe on ne pouvait voir la proue du navire. Ayché était couchée sur un matelas, dans la chambre du capitainc, et Tamango était assis à ses pieds. Tous les deux gardaient le silence depuis longtemps. 10

—Tamango, s'écria enfin Ayché, tout ce que tu souffres, tu le souffres à cause de moi . . .

—Je ne souffre pas, répondit-il brusquement. Et il jeta sur le matelas, à côté de sa femme, la moitié d'un biscuit qui lui restait.*

—Garde-le pour toi, dit-elle, en repoussant doucement le biscuit; 15 je n'ai plus faim. D'ailleurs, pourquoi manger? Mon heure n'estelle pas venue?

Tamango se leva sans répondre, monta en chancelant sur le tillac et s'assit au pied d'un mât rompu. La tête penchée sur sa poitrine, il sifflait l'air de sa famille.* Tout à coup un grand cri se fit en- 20 tendre au-dessus du bruit du vent et de la mer; une lumière parut. Il entendit d'autres cris, et un gros vaisseau noir glissa rapidement auprès du sien, si près, que les vergues passèrent au-dessus de sa tête. Il ne vit que deux figures éclairées par une lanterne suspendue à un mât. Ces gens poussèrent encore un cri, et aussitôt leur navire, 25 emporté par le vent, disparut dans l'obscurité. Sans doute les hommes de garde avaient aperçu le vaisseau naufragé; mais le gros temps empêchait de virer de bord. Un instant après, Tamango vit la flamme d'un canon et entendit le bruit de l'explosion; puis il vit la flamme d'un autre canon, mais il n'entendit aucun bruit; 30 puis il ne vit plus rien. Le lendemain, pas une voile ne paraissait à l'horizon. Tamango se recoucha sur son matelas, et ferma les yeux. Sa femme Ayché était morte cette nuit-là.

. . . .

Je ne sais combien de temps après, une frégate anglaise, *la Bellone*, aperçut un bâtiment démâté, et en apparence abandonné de son 35 équipage. Une chaloupe, l'ayant abordé, y trouva une négresse morte et un nègre si décharné et si maigre, qu'il ressemblait à une momie. Il était sans connaissance, mais avait encore un souffle de vie. Le chirurgien s'en empara, lui donna des soins, et quand *la* 5 *Bellone* aborda à Kingston, Tamango était en parfaite santé. On lui demanda son histoire. Il dit ce qu'il en savait. Les planteurs de l'île voulaient qu'on le pendît comme nègre rebelle; mais le gouverneur, qui était un homme humain, s'intéressa à lui, trouvant son cas justifiable, puisque après tout, il n'avait fait qu'user du 10 droit de légitime défense; et puis ceux qu'il avait tués n'étaient que des Français. On le traita comme on traite les nègres pris à bord d'un vaisseau négrier que l'on confisque. On lui donna la liberté, c'est-à-dire qu'on le fit travailler pour le gouvernement; mais il avait six sous par jour et la nourriture. C'était un fort bel homme. 15 Le colonel du soixante-quinzième le vit et le prit pour en faire un cymbalier dans la musique de son régiment. Il apprit un peu d'anglais; mais il ne parlait guère. En revanche, il buvait avec excès du rhum et du tafia. Il mourut à l'hôpital, d'une inflammation de poitrine.

Prosper Mérimée

CARMEN

I

J'avais toujours soupçonné les géographes de ne savoir* ce qu'ils disent, lorsqu'ils placent le champ de bataille de Munda dans le pays des Bastuli-Pœni, près de la moderne Monda, à quelques deux lieues au nord de Marbella. D'après mes propres conjectures sur le texte de l'anonyme auteur du *Bellum Hispaniense*, et quelques renseignements recueillis dans l'excellente bibliothèque du duc d'Osuna, je pensais qu'il fallait chercher aux environs de Montilla le lieu mémorable où, pour la dernière fois, César joua quitte ou double contre les champions de la république. Me trouvant en Andalousie au commencement de l'automne de 1830, je fis une assez longue excursion pour éclaircir les doutes qui me restaient encore. Un mémoire que je publierai prochainement ne laissera plus, je l'espère, aucune incertitude dans l'esprit de tous les archéologues de bonne foi. En attendant que ma dissertation résolve* enfin le problème géographique qui tient toute l'Europe savante en suspens, je veux vous raconter une petite histoire; elle ne préjuge rien sur l'intéressante question de l'emplacement de Munda.

J'avais loué à Cordoue un guide et deux chevaux, et m'étais mis en campagne avec les *Commentaires de César* et quelques chemises pour tout bagage. Certain jour,* errant dans la partie élevée de la plaine de Cachena, harassé de fatigue, mourant de soif, brûlé par un soleil de plomb, je donnais au diable de bon cœur César et les fils de Pompée, lorsque j'aperçus, assez loin du sentier que je suivais, une petite pelouse verte parsemée de joncs et de roseaux. Cela m'annonçait le voisinage d'une source. En effet, en m'approchant, je vis que la prétendue pelouse était un marécage où se perdait un ruisseau, sortant, comme il semblait, d'une gorge étroite entre deux hauts contreforts de la sierra de Cabra. Je conclus qu'en remontant le ruisseau je trouverais de l'eau plus fraîche, moins de sangsues et de grenouilles, et peut-être un peu d'ombre au milieu des rochers. A l'entrée de la gorge, mon cheval hennit, et un autre cheval, que je ne voyais pas, lui répondit aussitôt. A peine eus-je fait une centaine de pas, que* la gorge, s'élargissant tout à coup, me montra une espèce de cirque naturel parfaitement ombragé par la hauteur des escarpements qui l'entouraient. Il 5 était impossible* de rencontrer un lieu qui promît* au voyageur une halte plus agréable. Au pied de rochers à pic, la source s'élançait en bouillonnant, et tombait dans un petit bassin tapissé d'un sable blanc comme la neige. Cinq à six* beaux chênes verts, toujours à l'abri du vent et rafraîchis par la source, s'élevaient sur ses 10 bords, et la couvraient de leur épais ombrage; enfin, autour du bassin, une herbe fine, lustrée, offrait un lit meilleur qu'on n'en eût trouvé* dans aucune auberge à dix lieues à la ronde.

A moi n'appartenait pas l'honneur* d'avoir découvert un si beau lieu. Un homme s'y reposait déjà, et sans doute dormait, lorsque 15 j'y pénétrai. Réveillé par les hennissements, il s'était levé, et s'était rapproché de son cheval, qui avait profité du sommeil de son maître pour faire un bon repas de l'herbe aux environs. C'était un jeune gaillard, de taille moyenne, mais d'apparence robuste, au regard sombre et fier.* Son teint, qui avait dû être beau,* était 20 devenu, par l'action du soleil, plus foncé que ses cheveux. D'une main il tenait le licol de sa monture, de l'autre une espingole de cuivre. J'avouerai que d'abord l'espingole et l'air farouche du porteur me surprirent quelque peu; mais je ne croyais plus aux voleurs, à force d'en entendre parler* et de n'en rencontrer jamais.* 25 D'ailleurs, j'avais vu tant d'honnêtes fermiers s'armer jusqu'aux dents pour aller au marché, que la vue d'une arme à feu ne m'autorisait pas à mettre en doute la moralité de l'inconnu.—Et puis, me disais-je, que ferait-il de mes chemises et de mes *Commentaires* Elzévir? Je saluai donc l'homme à l'espingole* d'un signe de tête 30 familier, et je lui demandai en souriant si j'avais troublé son sommeil. Sans me répondre, il me toisa de la tête aux pieds; puis, comme satisfait de son examen, il considéra avec la même attention mon guide, qui s'avançait. Je vis celui-ci pâlir et s'arrêter en montrant une terreur évidente. Mauvaise rencontre! me dis-je. 35 Mais la prudence me conseilla aussitôt de ne laisser voir aucune inquiétude. Je mis pied à terre; je dis au guide de débrider, et, m'agenouillant au bord de la source, j'y plongeai ma tête et mes mains; puis je bus une bonne gorgée, couché à plat ventre, comme les mauvais soldats de Gédéon.*

J'observais cependant mon guide et l'inconnu. Le premier s'approchait bien à contre-cœur; l'autre semblait n'avoir pas* de mauvais desseins contre nous, car il avait rendu la liberté à son cheval, et son espingole, qu'il tenait d'abord horizontale, était maintenant dirigée vers la terre. 5

Ne croyant pas devoir* me formaliser du peu de cas qu'on avait paru faire de ma personne,* je m'étendis sur l'herbe, et, d'un air dégagé, je demandai à l'homme à l'espingole s'il n'avait pas un briquet sur lui. En même temps je tirais mon étui à cigares. L'inconnu, toujours sans parler, fouilla dans sa poche, prit son briquet, 10 et s'empressa de me faire du feu. Évidemment il s'humanisait; car il s'assit en face de moi, toutefois sans quitter son arme. Mon cigare allumé, je choisis le meilleur de ceux qui me restaient, et je lui demandai s'il fumait.

—Oui, monsieur, répondit-il. 15

C'étaient les premiers mots qu'il faisait entendre,* et je remarquai qu'il ne prononçait pas l'*s* à la manière andalouse,* d'où je conclus que c'était un voyageur comme moi, moins archéologue seulement.

—Vous trouverez celui-ci assez bon, lui dis-je en lui présentant un véritable régalia de la Havane. 20

Il me fit une légère inclination de tête, alluma son cigare au mien, me remercia d'un autre signe de tête, puis se mit à fumer avec l'apparence d'un très vif plaisir.

—Ah! s'écria-t-il en laissant échapper lentement sa première bouffée par la bouche et les narines, comme il y avait longtemps 25 que je n'avais fumé!*

En Espagne, un cigare donné et reçu établit des relations d'hospitalité, comme en Orient le partage du pain et du sel. Mon homme se montra plus causant que je ne* l'avais espéré. D'ailleurs, bien qu'il se dît* habitant du partido de Montilla, il paraissait connaître 30 le pays assez mal. Il ne savait pas le nom de la charmante vallée où nous nous trouvions; il ne pouvait nommer aucun village des alentours; enfin, interrogé par moi s'il n'avait pas vu aux environs des murs détruits, de larges tuiles à rebords, des pierres sculptées, il confessa qu'il n'avait jamais fait attention à pareilles choses. En 35 revanche, il se montra expert en matière de chevaux. Il critiqua le mien, ce qui* n'était pas difficile; puis il me fit la généalogie du sien, qui sortait du fameux haras de Cordoue: noble animal, en effet, si dur à la fatigue, à ce que prétendait son maître, qu'il avait fait une fois trente lieues dans un jour, au galop ou au grand trot. Au milieu de sa tirade, l'inconnu s'arrêta brusquement, comme surpris et fâché d'en* avoir trop dit. «C'est que j'étais très pressé d'aller à Cordoue, reprit-il avec quelque embarras. J'avais à solliciter les juges pour un procès . . .» En parlant, il regardait mon guide Antonio, qui baissait les yeux.

L'ombre et la source me charmèrent tellement, que je me souvins de quelques tranches d'excellent jambon que mes amis de Montilla avaient mis dans la besace de mon guide. Je les fis apporter, et j'invitai l'étranger à prendre sa part de la collation impromptu. S'il n'avait pas fumé depuis longtemps, il me parut vraisemblable qu'il n'avait pas mangé depuis quarante-huit heures au moins. Il dévorait comme un loup affamé. Je pensai que ma rencontre avait été providentielle pour le pauvre diable. Mon guide, cependant, mangeait peu, buvait encore moins, et ne parlait pas du tout, bien que, depuis le commencement de notre voyage, il se fût révélé à moi comme un bavard sans pareil. La présence de notre hôte semblait le gêner, et une certaine méfiance les éloignait l'un de l'autre sans que j'en devinasse* positivement la cause.

Déjà les dernières miettes du pain et du jambon avaient disparu; nous avions fumé chacun un second cigare; j'ordonnai au guide de brider nos chevaux, et j'allais prendre congé de mon nouvel ami, lorsqu'il me demanda où je comptais passer la nuit.

Avant que j'eusse fait attention à un signe de mon guide, j'avais répondu que j'allais à la venta del Cuervo.

—Mauvais gîte pour une personne comme vous, monsieur . . . J'y vais, et, si vous me permettez de vous accompagner, nous ferons route ensemble.

—Très volontiers, dis-je en montant à cheval.

Mon guide, qui me tenait l'étrier, me fit un nouveau signe des yeux. J'y répondis en haussant les épaules, comme pour l'assurer que j'étais parfaitement tranquille, et nous nous mîmes en chemin.

Les signes mystérieux d'Antonio, son inquiétude, quelques mots échappés à l'inconnu, surtout sa course de trente lieues et l'explication peu plausible qu'il en avait donnée, avaient déjà formé mon opinion sur le compte de mon compagnon de voyage. Je ne doutai pas que je n'eusse* affaire à un contrebandier, peut-être à un voleur; mais que m'importait?* Je connaissais assez le caractère espagnol pour être très sûr de n'avoir rien à craindre d'un homme qui avait mangé et fumé avec moi. Sa présence même était une protection assurée contre toute mauvaise rencontre. D'ailleurs, j'étais bien aise de savoir ce que c'est qu'un brigand.* On n'en voit pas tous les jours, et il y a un certain charme à se trouver auprès d'un être dangereux, surtout lorsqu'on le sent* doux et apprivoisé. 5

J'espérais amener par degrés l'inconnu à me faire des confidences, et, malgré les clignements d'yeux de mon guide, je mis la conversation sur les voleurs de grand chemin. Bien entendu que* j'en parlai avec respect. Il y avait alors en Andalousie un fameux bandit nommé José Maria, dont les exploits étaient dans toutes les bouches.* «Si j'étais* à côté de José Maria?» me disais-je . . . Je racontai les histoires que je savais de ce héros, toutes à sa louange d'ailleurs, et j'exprimai hautement mon admiration pour sa bravoure et sa générosité. 10 15

—José Maria n'est qu'un drôle, dit froidement l'étranger.

«Se rend-il justice, ou bien est-ce excès de modestie de sa part?» me demandai-je mentalement; car, à force de considérer mon compagnon, j'étais parvenu à lui appliquer le signalement de José Maria, que j'avais lu affiché aux portes de mainte ville d'Andalousie.—Oui, c'est bien lui . . . Cheveux blonds, yeux bleus, grande bouche, belles dents, les mains petites; une chemise fine, une veste de velours à boutons d'argent, des guêtres de peau blanche, un cheval bai . . . Plus de doute!* Mais respectons son incognito. 20 25

Nous arrivâmes à la venta. Elle était telle qu'il me l'avait dépeinte, c'est-à-dire une des plus misérables que j'eusse encore rencontrées.* Une grande pièce servait de cuisine, de salle à manger et de chambre à coucher. Sur une pierre plate, le feu se faisait au milieu de la chambre, et la fumée sortait par un trou pratiqué dans le toit, ou plutôt s'arrêtait, formant un nuage à quelques pieds au-dessus du sol. Le long du mur, on voyait étendues par terre cinq ou six vieilles couvertures de mulets; c'étaient les lits des voyageurs. A vingt pas de la maison, ou plutôt de l'unique pièce que je viens de décrire, s'élevait une espèce de hangar servant d'écurie. Dans ce charmant séjour, il n'y avait d'autres êtres humains, du moins pour le moment, qu'une vieille femme et une petite fille de dix à douze ans, toutes les deux de couleur de suie et vêtues d'horribles haillons.—Voilà donc tout ce qui reste, me dis-je, 30 35 de la population de l'antique Munda Bætica! O César! ô Sextus Pompée! que* vous seriez surpris si vous reveniez au monde!

En apercevant mon compagnon, la vieille laissa échapper une exclamation de surprise.

—Ah! seigneur don José!* s'écria-t-elle.

Don José fronça le sourcil, et leva une main d'un geste d'autorité qui arrêta la vieille aussitôt. Je me tournai vers mon guide, et, d'un signe imperceptible, je lui fis comprendre qu'il n'avait rien à m'apprendre sur le compte de l'homme avec qui j'allais passer la nuit. Le souper fut meilleur que je ne m'y attendais.* On nous servit, sur une petite table haute d'un pied, un vieux coq fricassé avec du riz et force piments, puis des piments à l'huile, enfin du *gaspacho*, espèce de salade de piments. Trois plats ainsi épicés nous obligèrent de recourir souvent à une outre de vin de Montilla qui se trouva délicieux. Après avoir mangé, avisant une mandoline accrochée contre la muraille,—il y a partout des mandolines en Espagne,—je demandai à la petite fille qui nous servait, si elle savait en jouer.*

—Non, répondit-elle; mais don José en joue si bien!

—Soyez assez bon, lui dis-je, pour me chanter quelque chose; j'aime à la passion votre musique nationale.

—Je ne puis rien refuser à un monsieur si honnête, qui me donne de si excellents cigares,* s'écria don José d'un air de bonne humeur.

Et, s'étant fait donner la mandoline,* il chanta en s'accompagnant. Sa voix était rude, mais pourtant agréable, l'air mélancolique et bizarre; quant aux paroles, je n'en compris pas un mot.

—Si je ne me trompe,* lui dis-je, ce n'est pas un air espagnol que vous venez de chanter. Cela ressemble aux *zorzicos* que j'ai entendus dans les *Provinces*,* et les paroles doivent être en langue basque.

—Oui, répondit don José d'un air sombre.

Il posa la mandoline à terre, et, les bras croisés, il se mit à contempler le feu qui s'éteignait, avec une singulière expression de tristesse. Éclairée par une lampe posée sur la petite table, sa figure, à la fois noble et farouche, me rappelait le Satan de Milton. Comme lui peut-être, mon compagnon songeait au séjour qu'il avait quitté, à l'exil qu'il avait encouru par une faute. J'essayai de ranimer la conversation, mais il ne répondit pas, absorbé qu'il était* dans ses tristes pensées. Déjà la vieille s'était couchée dans un coin de la salle, à l'abri d'une couverture trouée tendue sur une corde. La petite fille l'avait suivie dans cette retraite réservée au beau sexe. Mon guide alors, se levant, m'invita à le suivre à l'écurie; mais, à ce mot, don José, comme réveillé en sursaut, lui demanda d'un ton brusque où il allait. 5

—A l'écurie, répondit le guide.

—Pour quoi faire? les chevaux ont à manger. Couche ici,* monsieur le permettra.

—Je crains que le cheval de Monsieur ne soit malade;* je voudrais que Monsieur le vît:* peut-être saura-t-il ce qu'il faut lui faire.* 10

Il était évident qu'Antonio voulait me parler en particulier; mais je ne me souciais pas de donner des soupçons à don José, et, au point où nous en étions,* il me semblait que le meilleur parti à prendre était de montrer la plus grande confiance. Je répondis donc à Antonio que je n'entendais rien aux chevaux,* et que j'avais envie de dormir. Don José le suivit à l'écurie, d'où bientôt il revint seul. Il me dit que le cheval n'avait rien,* mais que mon guide le trouvait un animal si précieux,* qu'il le frottait avec sa veste pour le faire transpirer, et qu'il comptait passer la nuit dans cette douce occupation. Cependant, je m'étais étendu sur les couvertures de mulets, soigneusement enveloppé dans mon manteau, pour ne pas les toucher. Après m'avoir demandé pardon de la liberté qu'il prenait de se mettre auprès de moi, don José se coucha devant la porte, non sans avoir renouvelé l'amorce de son espingole, qu'il eut soin de placer sous la besace qui lui servait d'oreiller. Cinq minutes après nous être mutuellement souhaité le bonsoir, nous étions l'un et l'autre profondément endormis. 15 20 25

Je me croyais* assez fatigué pour pouvoir dormir dans un pareil gîte; mais, au bout d'une heure, de très désagréables démangeaisons m'arrachèrent à mon premier somme. Dès que j'en eus compris la nature, je me levai, persuadé qu'il valait mieux passer le reste de la nuit à la belle étoile que sous ce toit inhospitalier. Marchant sur la pointe du pied, je gagnai la porte, enjambant par-dessus la couche de don José, qui dormait du sommeil* du juste, et je fis si bien* que je sortis de la maison sans qu'il s'éveillât. Auprès de la porte était un large banc de bois; je m'étendis dessus,* et m'arrangeai de mon mieux pour achever ma nuit. J'allais fermer les yeux pour la seconde fois, quand il me sembla voir passer devant 30 35

moi l'ombre d'un homme et l'ombre d'un cheval, marchant l'un et l'autre sans faire le moindre bruit. Je me mis sur mon séant, et je crus reconnaître Antonio. Surpris de le voir hors de l'écurie à pareille heure, je me levai et marchai à sa rencontre. Il s'était
5 arrêté, m'ayant aperçu d'abord.

—Où est-il? me demanda Antonio à voix basse.

—Dans la venta; il dort; c'est qu'il n'a pas peur des punaises. Pourquoi donc emmenez-vous ce cheval?

Je remarquai alors que, pour ne pas faire de bruit en sortant du
10 hangar, Antonio avait soigneusement enveloppé les pieds de l'animal avec les débris d'une vieille couverture.

—Parlez plus bas, me dit Antonio, au nom de Dieu! Vous ne savez pas qui est cet homme-là. C'est José Navarro, le plus insigne bandit de* l'Andalousie. Toute la journée je vous ai fait des signes
15 que vous n'avez pas voulu comprendre.

—Bandit ou non, que m'importe?* répondis-je; il ne nous a pas volés, et je parierais qu'il n'en a pas envie.

—A la bonne heure; mais il y a deux cents ducats pour qui le livrera.* Je sais un poste de lanciers* à une lieue et demie d'ici,
20 et avant qu'il soit jour, j'amènerai quelques gaillards solides. J'aurais pris son cheval, mais il est si méchant que nul que le Navarro* ne peut en approcher.

—Que le diable vous emporte!* lui dis-je. Quel mal vous a fait ce pauvre homme pour le dénoncer?* D'ailleurs, êtes-vous sûr qu'il
25 soit le brigand que vous dites?

—Parfaitement sûr; tout à l'heure il m'a suivi dans l'écurie et m'a dit: «Tu as l'air de me connaître, si tu dis à ce bon monsieur qui je suis, je te fais sauter la cervelle.» Restez, monsieur, restez auprès de lui; vous n'avez rien à craindre. Tant qu'il vous saura
30 là,* il ne se méfiera de rien.

Tout en parlant, nous nous étions déjà assez éloignés de la venta pour qu'on ne pût entendre les fers du cheval. Antonio l'avait débarrassé en un clin d'œil des guenilles dont il lui avait enveloppé les pieds; il se préparait à enfourcher sa monture. J'essayai prières
35 et menaces* pour le retenir.

—Je suis un pauvre diable, monsieur, me disait-il; deux cents ducats ne sont pas à perdre,* surtout quand il s'agit de délivrer le pays de pareille vermine. Mais prenez garde: si le Navarro se réveille, il sautera sur son espingole,* et gare à vous!

Moi, je suis trop avancé* pour reculer; arrangez-vous comme vous pourrez.

Le drôle était en selle; il piqua des deux,* et dans l'obscurité je l'eus bientôt perdu de vue.

J'étais fort irrité contre mon guide et passablement inquiet. Après un instant de réflexion, je me décidai et rentrai dans la venta. Don José dormait encore, réparant sans doute en ce moment les fatigues et les veilles de plusieurs journées aventureuses. Je fus obligé de le secouer rudement pour l'éveiller. Jamais je n'oublierai son regard farouche et le mouvement qu'il fit pour saisir son espingole, que, par mesure de précaution, j'avais mise à quelque distance de sa couche.

—Monsieur, lui dis-je, je vous demande pardon de vous éveiller; mais j'ai une sotte question à vous faire:* seriez-vous bien aise de voir arriver ici une demi-douzaine de lanciers?

Il sauta en pieds, et d'une voix terrible:

—Qui vous l'a dit? me demanda-t-il.

—Peu importe* d'où vient l'avis, pourvu qu'il soit bon.

—Votre guide m'a trahi, mais il me le payera!* Où est-il?

—Je ne sais . . . Dans l'écurie, je pense . . . mais quelqu'un m'a dit . . .

—Qui vous a dit? . . . Ce ne peut être* la vieille . . .

—Quelqu'un que je ne connais pas . . . Sans plus de paroles, avez-vous, oui ou non, des motifs pour ne pas attendre les soldats? Si vous en avez, ne perdez pas de temps, sinon bonsoir, et je vous demande pardon d'avoir interrompu votre sommeil.

—Ah! votre guide! votre guide! Je m'en étais méfié d'abord . . . mais . . . son compte est bon!* . . . Adieu, monsieur. Dieu vous rende* le service que je vous dois. Je ne suis pas tout à fait aussi mauvais que vous me croyez . . . oui, il y a encore en moi quelque chose qui mérite la pitié d'un galant homme . . . Adieu, monsieur . . . Je n'ai qu'un regret, c'est de ne pouvoir m'acquitter envers vous.

—Pour prix du service que je vous ai rendu, promettez-moi, don José, de ne soupçonner personne, de ne pas songer à la vengeance. Tenez, voilà des cigares pour votre route; bon voyage!

Et je lui tendis la main.

Il me la serra sans répondre, prit son espingole et sa besace, et, après avoir dit quelques mots à la vieille dans un argot que je ne pus comprendre, il courut au hangar. Quelques instants après, je l'entendais galoper dans la campagne.

Pour moi, je me recouchai sur mon banc, mais je ne me rendormis point. Je me demandais si j'avais eu raison de sauver de la potence
5 un voleur, et peut-être un meurtrier, et cela seulement parce que j'avais mangé avec lui du jambon et du riz à la valencienne. N'avais-je pas trahi mon guide qui soutenait la cause des lois; ne l'avais-je pas exposé à la vengeance d'un scélérat? Mais les devoirs de l'hospitalité! . . . Préjugé de sauvage, me disais-je; j'aurai à
10 répondre de tous les crimes que le bandit va commettre . . . Pourtant est-ce un préjugé que cet instinct* de conscience qui résiste à tous les raisonnements? Peut-être, dans la situation délicate où je me trouvais, ne pouvais-je m'en tirer sans remords. Je flottais encore dans la plus grande incertitude au sujet de la moralité de
15 mon action, lorsque je vis paraître une demi-douzaine de cavaliers avec Antonio, qui se tenait prudemment à l'arrière-garde. J'allai au-devant d'eux, et les prévins que le bandit avait pris la fuite depuis plus de deux heures. La vieille, interrogée par le brigadier, répondit qu'elle connaissait le Navarro, mais que, vivant seule,
20 elle n'aurait jamais osé risquer sa vie en le dénonçant. Elle ajouta que son habitude,* lorsqu'il venait chez elle, était de partir toujours au milieu de la nuit. Pour moi, il me fallut aller, à quelques lieues de là, exhiber mon passeport et signer une déclaration devant un alcade, après quoi on me permit de reprendre mes recherches
25 archéologiques. Antonio me gardait rancune, soupçonnant que c'était moi qui l'avais empêché de gagner les deux cents ducats. Pourtant nous nous séparâmes bons amis à Cordoue; là, je lui donnai une gratification aussi forte que l'état de mes finances pouvait me le permettre.

II

30 Je passai quelques jours à Cordoue. On m'avait indiqué certain manuscrit de la bibliothèque des dominicains, où je devais trouver des renseignements intéressants sur l'antique Munda. Fort bien accueilli par les bons pères, je passais les journées dans leur couvent, et le soir je me promenais par la ville. A Cordoue, vers le
35 coucher du soleil, il y a quantité d'oisifs sur le quai qui borde la rive droite du Guadalquivir. Là, on respire les émanations d'une tannerie qui conserve encore l'antique renommée du pays pour la

préparation des cuirs; mais, en revanche, on y jouit d'un spectacle qui a bien son mérite. Quelques minutes avant l'*angélus*, un grand nombre de femmes se rassemblent sur le bord du fleuve, au bas du quai, lequel est assez élevé. Pas un homme n'oserait se mêler à cette troupe. Aussitôt que l'*angélus* sonne, il est censé qu'il fait 5 nuit. Au dernier coup de cloche, toutes ces femmes se déshabillent et entrent dans l'eau. Alors ce sont* des cris, des rires, un tapage infernal. Du haut du quai, les hommes contemplent les baigneuses, écarquillant les yeux, et ne voyant pas grand'chose. Cependant ces formes blanches et incertaines qui se dessinent sur le sombre 10 azur du fleuve font travailler les esprits poétiques, et, avec un peu d'imagination, il n'est pas difficile de se représenter Diane et ses nymphes au bain, sans avoir à craindre le sort d'Actéon. On m'a dit que quelques mauvais garnements se cotisèrent certain jour, pour graisser la patte au sonneur* de la cathédrale et lui faire son- 15 ner l'*angélus* vingt minutes avant l'heure légale. Bien qu'il fît encore grand jour,* les nymphes du Guadalquivir n'hésitèrent pas, et se fiant plus à l'*angélus* qu'au soleil, elles firent en sûreté de conscience leur toilette de bain, qui est toujours des plus simples.* Je n'y étais pas. De mon temps,* le sonneur était incorruptible, le 20 crépuscule peu clair, et un chat seulement aurait pu distinguer la plus vieille marchande d'oranges de la plus jolie grisette de Cordoue.

Un soir, à l'heure où l'on ne voit plus rien, je fumais, appuyé sur le parapet du quai, lorsqu'une femme, remontant l'escalier qui conduit à la rivière, vint s'asseoir près de moi. Elle avait dans les 25 cheveux un gros bouquet de jasmin, dont les larges pétales exhalent le soir une odeur enivrante. Elle était simplement, peut-être pauvrement vêtue, tout en noir,* comme la plupart des grisettes dans la soirée. Les femmes comme il faut* ne portent le noir que le matin; le soir elles s'habillent *à la francesa*. En arrivant auprès 30 de moi, ma baigneuse laissa glisser sur ses épaules la mantille qui lui couvrait la tête, et, *à l'obscure clarté qui tombe des étoiles*, je vis qu'elle était petite, jeune, bien faite,* et qu'elle avait de très grands yeux. Je jetai mon cigare aussitôt. Elle comprit cette attention d'une politesse toute française, et se hâta de me dire qu'elle aimait 35 beaucoup l'odeur du tabac, et que même elle fumait, quand elle trouvait des *papelitos* bien doux. Par bonheur, j'en avais de tels* dans mon étui, et je m'empressai de lui en offrir. Elle daigna en prendre un, et l'alluma à un bout de corde enflammé qu'un enfant nous apporta moyennant un sou. Mêlant nos fumées, nous causâmes si longtemps, la belle baigneuse et moi, que nous nous trouvâmes presque seuls sur le quai. Je crus n'être point indiscret en lui offrant d'aller prendre des glaces à la *nevería.** Après une hésitation modeste elle accepta; mais avant de se décider, elle désira savoir quelle heure il était. Je fis sonner ma montre,* et cette sonnerie parut l'étonner beaucoup.

—Quelles inventions on a chez vous,* messieurs les étrangers! De quel pays êtes-vous, monsieur? Anglais sans doute?*

—Français et votre grand serviteur. Et vous, mademoiselle, ou madame, vous êtes probablement de Cordoue?

—Non.

—Vous êtes du moins Andalouse. Il me semble le reconnaître à votre doux parler.*

—Si vous remarquez si bien l'accent du monde, vous devez bien deviner qui je suis.*

—Je crois que vous êtes du pays de Jésus, à deux pas du paradis. (J'avais appris cette métaphore, qui désigne l'Andalousie, de mon ami Francisco Sevilla, picador bien connu.)

—Bah! le paradis . . . les gens d'ici disent qu'il n'est pas fait pour nous.

—Alors, vous seriez donc Mauresque,* ou . . . je m'arrêtai, n'osant dire: juive.

—Allons, allons! vous voyez bien que je suis bohémienne; voulez-vous que je vous dise *la baji?** Avez-vous entendu parler de la Carmencita? C'est moi.

J'étais alors un tel mécréant, il y a de cela quinze ans,* que je ne reculai pas d'horreur en me voyant à côté d'une sorcière. «Bon! me dis-je; la semaine passée, j'ai soupé avec un voleur de grands chemins, allons aujourd'hui prendre des glaces avec une servante du diable. En voyage il faut tout voir.» J'avais encore un autre motif pour cultiver sa connaissance. Sortant* du collège, je l'avouerai à ma honte, j'avais perdu quelque temps à étudier les sciences occultes et même plusieurs fois j'avais tenté de conjurer l'esprit de ténèbres. Guéri depuis longtemps de la passion de semblables recherches, je n'en conservais pas moins* un certain attrait de curiosité pour toutes les superstitions, et me faisais une fête d'apprendre jusqu'où s'était élevé l'art de la magie parmi les bohémiens.

Tout en causant, nous étions entrés dans la *nevería*, et nous étions assis à une petite table éclairée par une bougie renfermée dans un globe de verre. J'eus alors tout le loisir d'examiner ma *gitana* pendant que quelques honnêtes gens s'ébahissaient, en prenant leurs glaces, de me voir en si bonne compagnie.*

Je doute fort que mademoiselle Carmen fût de race pure, du moins elle était infiniment plus jolie que toutes les femmes de sa nation que j'aie* jamais rencontrées. Pour qu'une femme soit belle, il faut, disent les Espagnols, qu'elle réunisse trente *si*, ou, si l'on veut, qu'on puisse la définir au moyen de dix adjectifs applicables chacun à trois parties de sa personne. Par exemple, elle doit avoir trois choses noires: les yeux, les paupières et les sourcils; trois fines: les doigts, les lèvres, les cheveux, etc. Voyez Brantôme pour le reste. Ma bohémienne ne pouvait prétendre à tant de perfections. Sa peau, d'ailleurs parfaitement unie, approchait fort de la teinte du cuivre. Ses yeux étaient obliques, mais admirablement fendus; ses lèvres un peu fortes, mais bien dessinées et laissant voir* des dents plus blanches que des amandes sans leur peau. Ses cheveux, peut-être un peu gros, étaient noirs, à reflets bleus comme l'aile d'un corbeau, longs et luisants. Pour ne pas vous fatiguer d'une description trop prolixe, je vous dirai en somme qu'à chaque défaut elle réunissait une qualité qui ressortait peut-être plus fortement par le contraste. C'était une beauté étrange et sauvage, une figure qui étonnait d'abord, mais qu'on ne pouvait oublier. Ses yeux surtout avaient une expression à la fois voluptueuse et farouche que je n'ai trouvée depuis à aucun regard humain. Œil de bohémien, œil de loup, c'est un dicton espagnol qui dénote une bonne observation. Si vous n'avez pas le temps d'aller au Jardin des Plantes pour étudier le regard d'un loup, considérez votre chat quand il guette un moineau.

On sent qu'il eût été* ridicule de se faire tirer la bonne aventure dans un café. Aussi je priai la jolie sorcière de me permettre de l'accompagner à son domicile; elle y consentit sans difficulté, mais elle voulut connaître encore la marche du temps, et me pria de nouveau de faire sonner ma montre.

—Est-elle vraiment d'or? dit-elle en la considérant avec une excessive attention.

Quand nous nous remîmes en marche, il était nuit close; la plupart des boutiques étaient fermées et les rues presque désertes. Nous passâmes le pont du Guadalquivir, et à l'extrémité du faubourg

nous nous arrêtâmes devant une maison qui n'avait nullement l'apparence d'un palais. Un enfant nous ouvrit.* La bohémienne lui dit quelques mots dans une langue à moi inconnue, que je sus* depuis être la *rommani* ou *chipe calli*, l'idiome des gitanos. Aussitôt
5 l'enfant disparut, nous laissant dans une chambre assez vaste, meublée d'une petite table, de deux tabourets et d'un coffre. Je ne dois point oublier une jarre d'eau, un tas d'oranges et une botte d'ognons.

Dès que nous fûmes seuls, la bohémienne tira de son coffre des
10 cartes qui paraissaient avoir beaucoup servi, un aimant, un caméléon desséché, et quelques autres objets nécessaires à son art. Puis elle me dit de faire la croix dans ma main gauche avec une pièce de monnaie, et les cérémonies magiques commencèrent. Il est inutile de vous rapporter ses prédictions, et, quant à sa manière d'opérer,
15 il était évident qu'elle n'était pas sorcière à demi.

Malheureusement nous fûmes bientôt dérangés. La porte s'ouvrit tout à coup avec violence, et un homme, enveloppé jusqu'aux yeux dans un manteau brun, entra dans la chambre en apostrophant la bohémienne d'une façon peu gracieuse. Je n'entendais pas ce qu'il
20 disait, mais le ton de sa voix indiquait qu'il était de fort mauvaise humeur. A sa vue, la gitana ne montra ni surprise ni colère, mais elle accourut à sa rencontre, et, avec une volubilité extraordinaire, lui adressa quelques phrases dans la langue mystérieuse dont elle s'était déjà servie devant moi. Le mot *payllo*, souvent répété,
25 était le seul mot que je comprisse.* Je savais que les bohémiens désignent ainsi tout homme étranger à leur race. Supposant qu'il s'agissait de moi, je m'attendais à une explication délicate; déjà j'avais la main sur le pied d'un des tabourets, et je syllogisais à part moi* pour deviner le moment précis où il conviendrait de le
30 jeter à la tête de l'intrus. Celui-ci repoussa rudement la bohémienne, et s'avança vers moi; puis, reculant d'un pas:

—Ah! monsieur, dit-il, c'est vous!

Je le regardai à mon tour, et reconnus mon ami don José. En ce moment, je regrettais un peu de ne pas l'avoir laissé pendre.

35 —Eh! c'est vous, mon brave! m'écriai-je en riant le moins jaune que je pus; vous avez interrompu mademoiselle au moment où elle m'annonçait des choses bien intéressantes.

—Toujours la même!* Ça finira, dit-il entre ses dents, attachant sur elle un regard farouche.

Cependant la bohémienne continuait à lui parler dans sa langue. Elle s'animait par degrés. Son œil s'injectait de sang et devenait terrible, ses traits se contractaient, elle frappait du pied. Il me sembla qu'elle le pressait vivement de faire quelque chose à quoi il montrait de l'hésitation. Ce que c'était, je croyais ne le comprendre que trop à la voir passer et repasser rapidement sa petite main sous son menton. J'étais tenté de croire qu'il s'agissait d'une gorge à couper, et j'avais quelques soupçons que cette gorge ne fût* la mienne.

A tout ce torrent d'éloquence, don José ne répondit que par deux ou trois mots prononcés d'un ton bref. Alors la bohémienne lui lança un regard de profond mépris; puis, s'asseyant à la turque dans un coin de la chambre, elle choisit une orange, la pela et se mit à la manger.

Don José me prit le bras, ouvrit la porte et me conduisit dans la rue. Nous fîmes environ deux cents pas dans le plus profond silence. Puis, étendant la main:

—Toujours tout droit, dit-il, et vous trouverez le pont.

Aussitôt il me tourna le dos et s'éloigna rapidement. Je revins à mon auberge un peu penaud et d'assez mauvaise humeur. Le pire fut qu'en me déshabillant, je m'aperçus que ma montre me manquait.

Diverses considérations m'empêchèrent d'aller la réclamer le lendemain, ou de solliciter M. le corrégidor pour qu'il voulût bien la faire chercher.* Je terminai mon travail sur le manuscrit des dominicains et je partis pour Séville. Après plusieurs mois de courses errantes en Andalousie, je voulus retourner à Madrid, et il me fallut repasser par Cordoue. Je n'avais pas l'intention d'y faire un long séjour, car j'avais pris en grippe cette belle ville et les baigneuses du Guadalquivir. Cependant quelques amis à revoir, quelques commissions à faire devaient me retenir au moins trois ou quatre jours dans l'antique capitale des princes musulmans.*

Dès que je reparus au couvent des dominicains, un des pères qui m'avait toujours montré un vif intérêt dans mes recherches sur l'emplacement de Munda, m'accueillit les bras ouverts, en s'écriant:

—Loué soit le nom de Dieu! Soyez le bienvenu, mon cher ami. Nous vous croyions tous mort, et moi, qui vous parle, j'ai récité bien des *Pater* et des *Ave,** que je ne regrette pas, pour le salut de votre âme. Ainsi vous n'êtes pas assassiné, car pour volé nous savons que vous l'êtes.*

—Comment cela? lui demandai-je un peu surpris.

—Oui, vous savez bien, cette belle montre à répétition que vous
5 faisiez sonner dans la bibliothèque, quand nous vous disions qu'il était temps d'aller au chœur. Eh bien! elle est retrouvée, on vous la rendra.

—C'est-à-dire, interrompis-je un peu décontenancé, que je l'avais égarée . . .

10 —Le coquin est sous les verrous, et, comme on savait qu'il était homme à tirer un coup de fusil à un chrétien* pour lui prendre une piécette, nous mourions de peur qu'il ne vous eût tué.* J'irai avec vous chez le corrégidor, et nous vous ferons rendre votre belle montre. Et puis, avisez-vous de dire là-bas* que la justice ne sait
15 pas son métier en Espagne!

—Je vous avoue, lui dis-je, que j'aimerais mieux perdre ma montre que de témoigner en justice pour faire pendre un pauvre diable, surtout parce que . . . parce que . . .

—Oh! n'ayez aucune inquiétude; il est bien recommandé,* et on
20 ne peut le pendre deux fois. Quand je dis pendre, je me trompe. C'est un hidalgo que votre voleur; il sera donc *garrotté** après-demain sans rémission. Vous voyez qu'un vol de plus ou de moins ne changera rien à son affaire. Plût à Dieu qu'il n'eût que volé!* mais il a commis plusieurs meurtres, tous plus horribles les uns que
25 les autres.

—Comment se nomme-t-il?

—On le connaît dans le pays sous le nom de José Navarro; mais il a encore un autre nom basque, que ni vous ni moi ne prononcerons jamais.* Tenez, c'est un homme à voir,* et vous qui aimez à con-
30 naître les singularités du pays, vous ne devez pas négliger d'apprendre comment en Espagne les coquins sortent de ce monde. Il est en chapelle,* et le père Martinez vous y conduira.

Mon dominicain insista tellement pour que je visse les apprêts du «*petit pendement pien choli,*»* que je ne pus m'en défendre. J'allai
35 voir le prisonnier, muni d'un paquet de cigares qui, je l'espérais, devaient lui faire excuser mon indiscrétion.

On m'introduisit auprès de don José, au moment où il prenait son repas. Il me fit un signe de tête assez froid, et me remercia poliment du cadeau que je lui apportais. Après avoir compté les cigares du paquet que j'avais mis entre ses mains, il en choisit un certain nombre, et me rendit le reste, observant qu'il n'avait pas besoin d'en prendre davantage.

Je lui demandai si, avec un peu d'argent, ou par le crédit de mes amis, je pourrais obtenir quelque adoucissement à son sort. D'abord il haussa les épaules en souriant avec tristesse; bientôt, se ravisant, il me pria de faire dire une messe pour le salut de son âme.

—Voudriez-vous, ajouta-t-il timidement, voudriez-vous en faire dire une autre pour une personne qui vous a offensé?

—Assurément, mon cher, lui dis-je; mais personne, que je sache,* ne m'a offensé en ce pays.

Il me prit la main et la serra d'un air grave. Après un moment de silence, il reprit:

—Oserai-je* encore vous demander un service? . . . Quand vous reviendrez dans votre pays, peut-être passerez-vous par la Navarre, au moins vous passerez par Vitoria, qui n'en est pas fort éloignée.

—Oui, lui dis-je, je passerai certainement par Vitoria; mais il n'est pas impossible que je me détourne pour aller à Pampelune, et, à cause de vous, je crois que je ferais volontiers ce détour.

—Eh bien! si vous allez à Pampelune, vous y verrez plus d'une chose qui vous intéressera . . . C'est une belle ville . . . Je vous donnerai cette médaille (il me montrait une petite médaille d'argent qu'il portait au cou), vous l'envelopperez dans du papier . . . il s'arrêta un instant pour maîtriser son émotion . . . et vous la remettrez ou vous la ferez remettre à une bonne femme dont je vous dirai l'adresse.—Vous direz que je suis mort, vous ne direz pas comment.

Je promis d'exécuter sa commission. Je le revis le lendemain, et je passai une partie de la journée avec lui. C'est de sa bouche que j'ai appris les tristes aventures qu'on va lire.

III

Je suis né, dit-il, à Elizondo, dans la vallée de Baztan. Je m'appelle don José Lizarrabengoa, et vous connaissez assez l'Espagne, monsieur, pour que mon nom vous dise aussitôt que je suis Basque et vieux chrétien. Si je prends le *don*, c'est que j'en ai le droit, et, si j'étais à Elizondo, je vous montrerais ma généalogie sur parchemin. On voulait que je fusse d'église,* et l'on me fit étudier, mais je ne profitais guère. J'aimais trop à jouer à la paume, c'est ce qui m'a perdu. Quand nous jouons à la paume, nous autres Navarrais,* nous oublions tout. Un jour que* j'avais gagné, un gars de l'Alava me chercha querelle; nous prîmes nos *maquilas*,* et 5 j'eus encore l'avantage; mais cela m'obligea de quitter le pays. Je rencontrai des dragons, et je m'engageai dans le régiment d'Almanza, cavalerie. Les gens de nos montagnes apprennent vite le métier militaire. Je devins bientôt brigadier, et on me promettait de me faire maréchal des logis, quand, pour mon malheur, on me 10 mit de garde à la manufacture de tabacs de Séville. Si vous êtes allé à Séville, vous aurez vu* ce grand bâtiment-là, hors des remparts, près du Guadalquivir. Il me semble en voir encore la porte et le corps de garde auprès. Quand ils sont de service, les Espagnols jouent aux cartes, ou dorment; moi, comme un franc Navarrais, 15 je tâchais toujours de m'occuper. Je faisais une chaîne avec du fil de laiton, pour tenir mon épinglette. Tout d'un coup les camarades disent: «Voilà la cloche qui sonne; les filles vont rentrer à l'ouvrage.» Vous saurez,* monsieur, qu'il y a bien quatre à cinq cents femmes occupées dans la manufacture. Ce sont elles qui roulent 20 les cigares dans une grande salle, où les hommes n'entrent pas sans une permission du *vingt-quatre*,* parce qu'elles se mettent à leur aise, les jeunes surtout, quand il fait chaud. A l'heure où les ouvrières rentrent, après leur dîner, bien des jeunes gens vont les voir passer, et leur en content de toutes les couleurs.* Il y a peu de 25 ces demoiselles qui refusent une mantille de taffetas, et les amateurs, à cette pêche-là, n'ont qu'à se baisser pour prendre le poisson. Pendant que les autres regardaient, moi, je restais sur mon banc, près de la porte. J'étais jeune alors; je pensais toujours au pays,* et je ne croyais pas qu'il y eût de jolies filles sans jupes bleues et 30 sans nattes tombant sur les épaules.* D'ailleurs, les Andalouses me faisaient peur; je n'étais pas encore fait à leurs manières:* toujours à railler,* jamais un mot de raison. J'étais donc le nez sur ma chaîne,* quand j'entends des bourgeois qui disaient: Voilà la gitanilla! Je levai les yeux, et je la vis. C'était un vendredi, et 35 je ne l'oublierai jamais. Je vis cette Carmen que vous connaissez, chez qui je vous ai rencontré il y a quelques mois.

Elle avait un jupon rouge fort court qui laissait voir des bas de soie blancs avec plus d'un trou, et des souliers mignons de maroquin rouge attachés avec des rubans couleur de feu. Elle écartait sa

mantille afin de montrer ses épaules et un gros bouquet de cassie qui sortait de sa chemise. Elle avait encore une fleur de cassie dans le coin de la bouche, et elle s'avançait en se balançant sur ses hanches comme une pouliche du haras de Cordoue. Dans mon pays, une femme en ce costume aurait obligé le monde à se signer. 5
A Séville, chacun lui adressait quelque compliment gaillard sur sa tournure; elle répondait à chacun, faisant les yeux en coulisse, le poing sur la hanche, effrontée comme une vraie bohémienne qu'elle était. D'abord elle ne me plut pas, et je repris mon ouvrage; mais elle, suivant l'usage des femmes et des chats qui ne viennent pas 10
quand on les appelle et qui viennent quand on ne les appelle pas, s'arrêta devant moi et m'adressa la parole:

—Compère, me dit-elle à la façon andalouse, veux-tu me donner ta chaîne pour tenir les clefs de mon coffre-fort?

—C'est pour attacher mon épinglette, lui répondis-je. 15

—Ton épinglette! s'écria-t-elle en riant. Ah! monsieur fait de la dentelle, puisqu'il a besoin d'épingles!

Tout le monde qui était là se mit à rire, et moi je me sentais rougir, et je ne pouvais trouver rien à lui répondre.

—Allons, mon cœur, reprit-elle, fais-moi sept aunes de dentelle 20
noire pour une mantille, épinglier de mon âme!*

Et prenant la fleur de cassie qu'elle avait à la bouche, elle me la lança, d'un mouvement du pouce, juste entre les deux yeux. Monsieur, cela me fit l'effet d'une balle qui m'arrivait . . . Je ne savais où me fourrer, je demeurais immobile comme une planche. Quand 25
elle fut entrée dans la manufacture, je vis la fleur de cassie qui était tombée à terre entre mes pieds; je ne sais ce qui me prit, mais je la ramassai sans que mes camarades s'en aperçussent et je la mis précieusement dans ma veste. Première sottise!

Deux ou trois heures après, j'y pensais encore, quand arrive dans 30
le corps de garde un portier tout haletant, la figure renversée. Il nous dit que dans la grande salle des cigares, il y avait une femme assassinée, et qu'il fallait y envoyer la garde. Le maréchal me dit de prendre deux hommes et d'y aller voir.* Je prends mes deux hommes et je monte. Figurez-vous, monsieur, qu'entré* dans la 35
salle, je trouve d'abord trois cents femmes en chemise, ou peu s'en faut, toutes criant, hurlant, gesticulant, faisant un vacarme à ne pas entendre Dieu tonner.* D'un côté, il y en avait une, les quatre fers en l'air,* couverte de sang, avec un X sur la figure qu'on venait

de lui marquer en deux coups de couteau. En face de la blessée, que secouraient les meilleures de la bande, je vois Carmen tenue par cinq ou six commères. La femme blessée criait: «Confession!* confession! je suis morte!»* Carmen ne disait rien; elle serrait les 5 dents, et roulait des yeux comme un caméléon. «Qu'est-ce que c'est?» demandai-je. J'eus grand'peine à savoir ce qui s'était passé, car toutes les ouvrières me parlaient à la fois. Il paraît que la femme blessée s'était vantée d'avoir assez d'argent en poche pour acheter un âne au marché de Triana. «Tiens, dit Carmen qui 10 avait une langue,* tu n'as donc pas assez d'un balai?»* L'autre, blessée du reproche, peut-être parce qu'elle se sentait véreuse sur l'article, lui répond qu'elle ne se connaissait pas en balais, n'ayant pas l'honneur d'être bohémienne ni filleule de Satan, mais que mademoiselle Carmencita ferait bientôt connaissance avec son âne,* 15 quand M. le corrégidor la mènerait à la promenade avec deux laquais par derrière pour l'émoucher. «Eh bien, moi, dit Carmen, je te ferai des abreuvoirs à mouches sur la joue, et je veux y peindre un damier.» Là-dessus, vli! vlan! elle commence, avec le couteau dont elle coupait le bout des cigares, à lui dessiner des croix de 20 Saint-André sur la figure.

Le cas était clair; je pris Carmen par le bras: «Ma sœur, lui dis-je poliment, il faut me suivre.» Elle me lança un regard comme si elle me reconnaissait; mais elle dit d'un air résigné: «Marchons. Où est ma mantille?» Elle la mit sur sa tête de façon à ne montrer 25 qu'un seul de ses grands yeux, et suivit mes deux hommes, douce comme un mouton. Arrivés au corps de garde, le maréchal des logis dit que c'était grave, et qu'il fallait la mener à la prison. C'était encore moi qui devais la conduire. Je la mis entre deux dragons, et je marchais derrière comme un brigadier doit faire en semblable 30 rencontre. Nous nous mîmes en route pour la ville. D'abord la bohémienne avait gardé le silence; mais dans la rue du Serpent,—vous la connaissez, elle mérite bien son nom par les détours qu'elle fait,—dans la rue du Serpent, elle commence par laisser tomber sa mantille sur ses épaules, afin de me montrer son minois enjôleur, 35 et, se tournant vers moi autant qu'elle pouvait, elle me dit:

—Mon officier,* où me menez-vous?

—A la prison, ma pauvre enfant, lui répondis-je le plus doucement que je pus, comme un bon soldat doit parler à un prisonnier, surtout à une femme.

—Hélas! que deviendrai-je? Seigneur officier, ayez pitié de moi. Vous êtes si jeune, si gentil! . . . Puis, d'un ton plus bas: Laissez-moi m'échapper, dit-elle, je vous donnerai un morceau de la *bar lachi*, qui vous fera aimer de toutes les femmes.*

La *bar lachi*, monsieur, c'est la pierre d'aimant, avec laquelle les 5 bohémiens prétendent qu'on fait quantité de sortilèges quand on sait s'en servir. Faites-en boire à une femme une pincée râpée dans un verre de vin blanc, elle ne résiste plus.* Moi, je lui répondis le plus sérieusement que je pus:

—Nous ne sommes pas ici pour dire des balivernes; il faut aller 10 à la prison, c'est la consigne, et il n'y a pas de remède.

Nous autres gens du pays basque, nous avons un accent qui nous fait reconnaître facilement des Espagnols; en revanche il n'y en a pas un qui puisse seulement apprendre à dire *baï, jaona.** Carmen donc n'eut pas de peine à deviner que je venais des Provinces. 15 Vous saurez que les bohémiens, monsieur, comme n'étant d'aucun pays, voyageant toujours, parlent toutes les langues, et la plupart sont chez eux en Portugal,* en France, dans les Provinces, en Catalogne, partout; même avec les Maures et les Anglais, ils se font entendre. Carmen savait assez bien le basque. 20

—*Laguna ene bihotsarena*, camarade de mon cœur, me dit-elle tout à coup, êtes-vous du pays?*

Notre langue, monsieur, est si belle, que, lorsque nous l'entendons en pays étranger, cela nous fait tressaillir . . .—Je voudrais avoir un confesseur des Provinces, ajouta plus bas le 25 bandit.

Il reprit après un silence:

—Je suis d'Elizondo, lui répondis-je en basque, fort ému de l'entendre parler ma langue.

—Moi, je suis d'Etchalar, dit-elle. (C'est un pays à quatre 30 heures de chez nous.) J'ai été emmenée par des bohémiens à Séville. Je travaillais à la manufacture pour gagner de quoi retourner en Navarre, près de ma pauvre mère qui n'a que moi pour soutien, et un petit *barratcea** avec vingt pommiers à cidre! Ah! si j'étais au pays,* devant la montagne blanche! On m'a insultée 35 parce que je ne suis pas de ce pays de filous, marchands d'oranges pourries; et ces gueuses se sont mises toutes contre moi,* parce que je leur ai dit que tous leurs *jaques** de Séville, avec leurs couteaux, ne feraient pas peur à un gars de chez nous avec son béret bleu et son *maquila.* Camarade, mon ami, ne ferez-vous rien pour une payse?

Elle mentait, monsieur, elle a toujours menti. Je ne sais pas si dans sa vie cette fille-là a jamais dit un mot de vérité; mais, quand 5 elle parlait, je la croyais: c'était plus fort que moi. Elle estropiait le basque, et je la crus Navarraise; ses yeux seuls et sa bouche et son teint la disaient* bohémienne. J'étais fou, je ne faisais plus attention à rien. Je pensais que, si des Espagnols s'étaient avisés de mal parler* du pays, je leur aurais coupé la figure, tout comme 10 elle venait de faire à sa camarade. Bref, j'étais comme un homme ivre; je commençais à dire des bêtises, j'étais tout près d'en faire.

—Si je vous poussais, et si vous tombiez, mon pays, reprit-elle en basque, ce ne seraient pas ces deux conscrits de Castillans qui me retiendraient . . .

15 Ma foi, j'oubliai la consigne et tout, et je lui dis:

—Eh bien, m'amie,* ma payse, essayez, et que Notre-Dame de la Montagne vous soit en aide!

En ce moment, nous passions devant une de ces ruelles étroites comme il y en a tant à Séville. Tout à coup Carmen se retourne 20 et me lance un coup de poing dans la poitrine. Je me laissai tomber exprès à la renverse. D'un bond, elle saute par-dessus moi et se met à courir en nous montrant une paire de jambes! . . . On dit jambes de Basque: les siennes en valaient bien d'autres* . . . aussi vites que bien tournées. Moi, je me relève aussitôt, mais 25 je mets ma lance* en travers, de façon à barrer la rue, si bien que, de prime abord, les camarades furent arrêtés au moment de la poursuivre. Puis je me mis moi-même à courir, et eux après moi; mais l'atteindre! Il n'y avait pas de risque, avec nos éperons, nos sabres et nos lances! En moins de temps que je n'en mets à vous 30 le dire,* la prisonnière avait disparu. D'ailleurs, toutes les commères du quartier favorisaient sa fuite, et se moquaient de nous, et nous indiquaient la fausse voie. Après plusieurs marches et contre-marches, il fallut nous en revenir* au corps de garde sans un reçu du gouverneur de la prison.

35 Mes hommes, pour n'être pas punis, dirent que Carmen m'avait parlé basque; et il ne paraissait pas trop naturel, pour dire la vérité, qu'un coup de poing d'une tant petite fille* eût terrassé si facilement un gaillard de ma force. Tout cela parut louche, ou plutôt trop clair. En descendant la garde, je fus dégradé et envoyé pour un

mois à la prison. C'était ma première punition depuis que j'étais au service. Adieu les galons de maréchal des logis que je croyais déjà tenir!

Mes premiers jours de prison se passèrent fort tristement. En me faisant soldat, je m'étais figuré que je deviendrais tout au moins* officier: Longa, Mina, mes compatriotes, sont bien capitaines généraux; Chapalangarra, qui est un négro* comme Mina, et réfugié comme lui dans votre pays, Chapalangarra était colonel, et j'ai joué à la paume vingt fois avec son frère, qui était un pauvre diable comme moi. Maintenant je me disais: Tout le temps que tu as servi sans punition, c'est du temps perdu. Te voilà mal noté; pour te remettre bien dans l'esprit des chefs, il te faudra travailler* dix fois plus que lorsque tu es venu comme conscrit! Et pourquoi me suis-je fait punir? Pour une coquine de bohémienne qui s'est moquée de moi, et qui, dans ce moment, est à voler* dans quelque coin de la ville. Pourtant je ne pouvais m'empêcher de penser à elle. Le croiriez-vous, monsieur? ses bas de soie troués qu'elle me faisait voir tout en plein en s'enfuyant, je les avais toujours devant les yeux. Je regardais par les barreaux de la prison dans la rue, et, parmi toutes les femmes qui passaient, je n'en voyais pas une seule qui valût* cette diable de fille-là.* Et puis, malgré moi, je sentais la fleur de cassie qu'elle m'avait jetée, et qui, sèche, gardait toujours sa bonne odeur . . . S'il y a des sorcières, cette fille-là en était une!

Un jour, le geôlier entre, et me donne un pain d'Alcalà.*

—Tenez, dit-il, voilà ce que votre cousine vous envoie.

Je pris le pain, fort étonné, car je n'avais pas de cousine à Séville. C'est peut-être une erreur, pensai-je en regardant le pain; mais il était si appétissant, il sentait si bon, que, sans m'inquiéter de savoir d'où il venait et à qui il était destiné, je résolus de le manger. En voulant le couper, mon couteau rencontra quelque chose de dur. Je regarde, et je trouve une petite lime anglaise qu'on avait glissée dans la pâte avant que le pain fût cuit. Il y avait encore dans le pain une pièce d'or de deux piastres. Plus de doute alors, c'était un cadeau de Carmen. Pour les gens de sa race, la liberté est tout, et ils mettraient le feu à une ville pour s'épargner un jour de prison. D'ailleurs, la commère était fine, et avec ce pain-là on se moquait* des geôliers. En une heure, le plus gros barreau était scié* avec la petite lime, et avec la pièce de deux piastres, chez le premier fripier, je changeais* ma capote d'uniforme pour un habit bourgeois. Vous pensez bien* qu'un homme qui avait déniché maintes fois des aiglons dans nos rochers ne s'embarrassait guère de descendre dans la rue, d'une fenêtre haute de moins de trente pieds; mais je ne voulais pas m'échapper. J'avais encore mon honneur de soldat,* et déserter me semblait un grand crime. Sculement, je fus touché de cette marque de souvenir. Quand on est en prison, on aime à penser qu'on a dehors un ami qui s'intéresse à vous.* La pièce d'or m'offusquait un peu, j'aurais bien voulu la rendre; mais où trouver mon créancier? Cela ne me semblait pas facile.

Après la cérémonie de la dégradation, je croyais n'avoir plus rien à souffrir; mais il me restait encore une humiliation à dévorer: ce fut à ma sortie de prison, lorsqu'on me commanda de service* et qu'on me mit en faction comme un simple soldat. Vous ne pouvez vous figurer ce qu'un homme de cœur éprouve en pareille occasion. Je crois que j'aurais aimé autant à être fusillé. Au moins on marche seul, en avant de son peloton; on se sent quelque chose;* le monde vous regarde.

Je fus mis en faction à la porte du colonel. C'était un jeune homme riche, bon enfant, qui aimait à s'amuser. Tous les jeunes officiers étaient chez lui, et force bourgeois, des femmes aussi, des actrices, à ce qu'on disait.* Pour moi, il me semblait que toute la ville s'était donné rendez-vous à sa porte pour me regarder. Voilà qu'arrive la voiture du colonel, avec son valet de chambre sur le siège. Qu'est-ce que* je vois descendre? . . . La gitanilla. Elle était parée, cette fois, comme une châsse, pomponnée, attifée, tout or et tout rubans. Une robe à paillettes, des souliers bleus à paillettes aussi, des fleurs et des galons partout. Elle avait un tambour de basque à la main. Avec elle il y avait deux autres bohémiennes, une jeune et une vieille. Il y a toujours une vieille pour les mener, puis un vieux avec une guitare, bohémien aussi, pour jouer et les faire danser. Vous savez qu'on s'amuse souvent à faire venir des bohémiennes dans les sociétés, afin de leur faire danser la *romalis*, c'est leur danse, et souvent bien autre chose.

Carmen me reconnut, et nous échangeâmes un regard. Je ne sais,* mais, en ce moment, j'aurais voulu être à cent pieds sous terre.

—*Agur laguna*,* dit-elle. Mon officier, tu montes la garde comme un conscrit!

Et, avant que j'eusse trouvé un mot à répondre, elle était dans la maison.

Toute la société était dans le patio, et, malgré la foule, je voyais à peu près tout ce qui se passait à travers la grille.* J'entendais les castagnettes, le tambour, les rires et les bravos; parfois j'apercevais sa tête quand elle sautait avec son tambour. Puis j'entendais encore des officiers qui lui disaient bien des choses qui me faisaient monter le rouge à la figure.* Ce qu'elle répondait, je n'en savais rien. C'est de ce jour-là, je pense, que je me mis à l'aimer pour tout de bon, car l'idée me vint trois ou quatre fois d'entrer dans le patio, et de donner de mon sabre dans le ventre à tous ces freluquets qui lui contaient fleurettes. Mon supplice dura une bonne heure; puis les bohémiens sortirent, et la voiture les ramena. Carmen, en passant, me regarda encore avec les yeux que vous savez, et me dit très bas:

—Pays, quand on aime la bonne friture, on en va manger* à Triana, chez Lillas Pastia.

Légère comme un cabri, elle s'élança dans la voiture, le cocher fouetta ses mules, et toute la bande joyeuse s'en fut* je ne sais où.

Vous devinez bien* qu'en descendant ma garde* j'allai à Triana; mais d'abord je me fis raser et je me brossai comme pour un jour de parade. Elle était chez Lillas Pastia, un vieux marchand de friture, bohémien, noir comme un Maure, chez qui* beaucoup de bourgeois venaient manger du poisson frit, surtout, je crois, depuis que Carmen y avait pris ses quartiers.

—Lillas, dit-elle sitôt qu'elle me vit, je ne fais plus rien de la journée. Demain il fera jour!* Allons, pays, allons nous promener.

Elle mit sa mantille devant son nez, et nous voilà* dans la rue, sans savoir où j'allais.

—Mademoiselle, lui dis-je, je crois que j'ai à vous remercier d'un présent que vous m'avez envoyé quand j'étais en prison. J'ai mangé le pain, la lime me servira pour affiler ma lance, et je la garde comme souvenir de vous; mais l'argent, le voilà.

—Tiens! Il a gardé l'argent, s'écria-t-elle en éclatant de rire. Au reste, tant mieux, car je ne suis guère en fonds; mais qu'importe? chien qui chemine ne meurt pas de famine.* Allons, mangeons tout. Tu me régales.

Nous avions repris le chemin de Séville. A l'entrée de la rue du Serpent, elle acheta une douzaine d'oranges, qu'elle me fit mettre dans mon mouchoir. Un peu plus loin, elle acheta encore un pain, du saucisson, une bouteille de manzanilla, puis enfin elle entra chez un confiseur. Là, elle jeta sur le comptoir la pièce d'or que je lui avais rendue, une autre encore qu'elle avait dans sa poche, avec quelque argent blanc; enfin elle me demanda tout ce que j'avais. Je n'avais qu'une piécette et quelques cuartos, que je lui donnai, fort honteux de n'avoir pas davantage. Je crus qu'elle voulait emporter toute la boutique. Elle prit tout ce qu'il y avait de plus beau et de plus cher, *yemas,** *turon,** fruits confits, tant que l'argent dura. Tout cela, il fallut encore que je le portasse dans des sacs de papier. Vous connaissez peut-être la rue du Candilejo, où il y a une tête du roi don Pedro le Justicier.* Elle* aurait dû m'inspirer des réflexions. Nous nous arrêtâmes, dans cette rue-là, devant une vieille maison. Elle entra dans l'allée, et frappa au rez-de-chaussée. Une bohémienne, vraie servante de Satan, vint nous ouvrir.* Carmen lui dit quelques mots en rommani. La vieille grogna d'abord. Pour l'apaiser, Carmen lui donna deux oranges et une poignée de bonbons, et lui permit de goûter au vin. Puis elle lui mit sa mante sur le dos et la conduisit à la porte, qu'elle ferma avec la barre de bois. Dès que nous fûmes seuls, elle se mit à danser et à rire comme une folle, en chantant:

—Tu es mon *rom*, je suis ta *romi.**

Moi, j'étais au milieu de la chambre, chargé de toutes ses emplettes, ne sachant où les poser. Elle jeta tout par terre, et me sauta au cou, en me disant:

—Je paye mes dettes, je paye mes dettes! c'est la loi des *calés!**

Ah! monsieur, cette journée-là! cette journée-là! . . . quand j'y pense, j'oublie celle de demain.

Le bandit se tut un instant; puis, après avoir rallumé son cigare, il reprit:

Nous passâmes ensemble toute la journée, mangeant, buvant, et le reste. Quand elle eut mangé des bonbons comme un enfant de six ans, elle en fourra des poignées dans la jarre d'eau de la vieille. «C'est pour lui faire du sorbet,» disait-elle. Elle écrasait des yemas en les lançant contre la muraille. «C'est pour que les mouches nous laissent tranquilles,» disait-elle . . . Il n'y a pas de tour ni de bêtise qu'elle ne fît.* Je lui dis que je voudrais la voir danser; mais où trouver des castagnettes? Aussitôt elle prend la seule assiette de la vieille, la casse en morceaux, et la voilà qui danse la romalis en faisant claquer les morceaux de faïence aussi bien que si elle avait eu des castagnettes d'ébène ou d'ivoire. On ne s'ennuyait pas auprès de cette fille-là, je vous en réponds. Le soir vint, et j'entendis les tambours qui battaient la retraite.

—Il faut que j'aille au quartier pour l'appel, lui dis-je.

—Au quartier? dit-elle d'un air de mépris; tu es donc un nègre, pour te laisser mener à la baguette? Tu es un vrai canari,* d'habit et de caractère. Va, tu as un cœur de poulet.

Je restai, résigné d'avance à la salle de police.* Le matin, ce fut elle qui parla la première de nous séparer.

—Écoute, Joseito, dit-elle; t'ai-je payé?* D'après notre loi, je ne te devais rien, puisque tu es un *payllo;* mais tu es un joli garçon, et tu m'as plu. Nous sommes quittes. Bonjour.

Je lui demandai quand je la reverrais.

—Quand tu seras moins niais, répondit-elle en riant. Puis, d'un ton plus sérieux: Sais-tu, mon fils, que je crois que je t'aime un peu? Mais cela ne peut durer. Chien et loup ne font pas longtemps bon ménage. Peut-être que, si tu prenais la loi d'Egypte, j'aimerais à devenir ta romi. Mais ce sont des bêtises; cela ne se peut pas.* Bah! mon garçon, crois-moi, tu en es quitte à bon compte. Tu as rencontré le diable, oui, le diable; il n'est pas toujours noir, et il ne t'a pas tordu le cou. Je suis habillée de laine, mais je ne suis pas mouton.* Va mettre un cierge devant ta Majari,* elle l'a bien gagnée. Allons, adieu encore une fois. Ne pense plus à Carmencita, ou elle te ferait épouser une veuve à jambes de bois.*

En parlant ainsi, elle défaisait la barre qui fermait la porte, et une fois dans la rue elle s'enveloppa dans sa mantille et me tourna les talons.

Elle disait vrai. J'aurais été sage de ne plus penser à elle; mais, depuis cette journée dans la rue du Candilejo, je ne pouvais plus songer à autre chose. Je me promenais tout le jour, espérant la rencontrer. J'en demandais des nouvelles* à la vieille et au marchand de friture. L'un et l'autre répondaient qu'elle était partie pour Lalorò,* c'est ainsi qu'ils appellent le Portugal. Probablement c'était d'après les instructions de Carmen qu'ils parlaient de la sorte, mais je ne tardai pas à savoir qu'ils mentaient. Quelques semaines après ma journée de la rue du Candilejo, je fus de faction à une des portes de la ville. A peu de distance de cette porte il y avait une brèche qui s'était faite dans le mur d'enceinte; on y travaillait pendant le jour, et la nuit on y mettait un factionnaire pour empêcher les fraudeurs. Pendant le jour, je vis Lillas Pastia passer et repasser autour du corps de garde, et causer avec quelques-uns de mes camarades; tous le connaissaient, et ses poissons et ses beignets encore mieux. Il s'approcha de moi et me demanda si j'avais des nouvelles de Carmen.

—Non, lui dis-je.

—Eh bien, vous en aurez, compère.

Il ne se trompait pas. La nuit, je fus mis de faction à la brèche. Dès que le brigadier se fut retiré, je vis venir à moi une femme.* Le cœur me disait que c'était Carmen. Cependant je criai:

—Au large! On ne passe pas!

—Ne faites donc pas le méchant, me dit-elle en se faisant connaître à moi.*

—Quoi! vous voilà, Carmen!

—Oui, mon pays. Parlons peu, parlons bien. Veux-tu gagner un douro? Il va venir des gens* avec des paquets; laisse-les faire.*

—Non, répondis-je. Je dois les empêcher de passer; c'est la consigne.

—La consigne! la consigne! Tu n'y pensais pas rue du Candilejo.

—Ah! répondis-je, tout bouleversé par ce seul souvenir, cela valait bien la peine d'oublier la consigne; mais je ne veux pas de l'argent des contrebandiers.

—Voyons; si tu ne veux pas d'argent, veux-tu que nous allions encore dîner chez la vieille Dorothée?

—Non! dis-je à moitié étranglé par l'effort que je faisais. Je ne puis pas.

—Fort bien. Si tu es si difficile, je sais à qui m'adresser. J'offrirai à ton officier d'aller chez Dorothée. Il a l'air d'un bon enfant, et il fera mettre en sentinelle un gaillard qui ne verra que ce qu'il faudra voir. Adieu, canari. Je rirai bien le jour où la consigne sera de te pendre.

J'eus la faiblesse de la rappeler, et je promis de laisser passer toute la Bohême, s'il le fallait, pourvu que j'obtinsse la seule récompense que je désirais. Elle me jura aussitôt de me tenir parole dès le lendemain, et courut prévenir ses amis, qui étaient à deux pas.* Il y en avait cinq, dont était Pastia,* tous bien chargés de marchandises anglaises. Carmen faisait le guet. Elle devait avertir avec ses castagnettes dès qu'elle apercevrait la ronde, mais elle n'en eut pas besoin. Les fraudeurs firent leur affaire* en un instant.

Le lendemain, j'allai rue du Candilejo. Carmen se fit attendre,* et vint d'assez mauvaise humeur.

—Je n'aime pas les gens qui se font prier, dit-elle. Tu m'as rendu un plus grand service la première fois, sans savoir si tu y gagnerais quelque chose. Hier, tu as marchandé avec moi. Je ne sais pas pourquoi je suis venue, car je ne t'aime plus. Tiens, va-t'en, voilà un douro pour ta peine.

Peu s'en fallut que je ne lui jetasse la pièce à la tête,* et je fus obligé de faire un effort violent sur moi-même pour ne pas la battre. Après nous être disputés pendant une heure, je sortis furieux. J'errai quelque temps par la ville, marchant deçà et delà comme un fou; enfin j'entrai dans une église, et, m'étant mis dans le coin le plus obscur, je pleurai à chaudes larmes. Tout d'un coup j'entends une voix:

—Larmes de dragon! j'en veux faire un philtre.

Je lève les yeux, c'était Carmen en face de moi.

—Eh bien, mon pays, m'en voulez-vous encore? me dit-elle. Il faut bien que je vous aime, malgré que j'en aie,* car, depuis que vous m'avez quittée, je ne sais ce que j'ai.* Voyons, maintenant c'est moi qui te demande si tu veux venir rue du Candilejo.

Nous fîmes donc la paix; mais Carmen avait l'humeur comme est le temps chez nous.* Jamais l'orage n'est si près dans nos montagnes que lorsque le soleil est le plus brillant. Elle m'avait promis de me revoir une autre fois chez Dorothée, et elle ne vint pas. Et Dorothée me dit de plus belle qu'elle était allée à Laloró pour les affaires d'Égypte.

Sachant déjà par expérience à quoi m'en tenir là-dessus, je cherchais Carmen partout où je croyais qu'elle pouvait être, et je passais vingt fois par jour dans la rue du Candilejo. Un soir, j'étais chez Dorothée, que j'avais presque apprivoisée en lui payant de temps à autre quelque verre d'anisette, lorsque Carmen entra suivie d'un jeune homme, lieutenant dans notre régiment.

—Va-t'en vite, me dit-elle en basque.

Je restai stupéfait, la rage dans le cœur.

—Qu'est-ce que tu fais ici? me dit le lieutenant. Décampe, hors d'ici!

Je ne pouvais faire un pas; j'étais comme perclus. L'officier, en colère, voyant que je ne me retirais pas, et que je n'avais pas même ôté mon bonnet de police, me prit au collet et me secoua rudement. Je ne sais ce que je lui dis. Il tira son épée, et je dégaînai. La vieille me saisit le bras, et le lieutenant me donna un coup au front, dont je porte encore la marque. Je reculai, et d'un coup de coude je jetai Dorothée à la renverse; puis, comme le lieutenant me poursuivait, je lui mis la pointe au corps, et il s'enferra. Carmen alors éteignit la lampe, et dit dans sa langue à Dorothée de s'enfuir. Moi-même je me sauvai* dans la rue, et me mis à courir sans savoir où. Il me semblait que quelqu'un me suivait. Quand je revins à moi, je trouvai que Carmen ne m'avait pas quitté.

—Grand niais de canari! me dit-elle, tu ne sais faire que des bêtises. Aussi bien, je te l'ai dit que je te porterais malheur. Allons, il y a remède à tout, quand on a pour bonne amie une flamande de Rome.* Commence par mettre ce mouchoir sur ta tête, et jette-moi ce ceinturon. Attends-moi dans cette allée. Je reviens* dans deux minutes.

Elle disparut, et me rapporta bientôt une mante rayée qu'elle était allée chercher je ne sais où. Elle me fit quitter mon uniforme, et mettre la mante par-dessus ma chemise. Ainsi accoutré, avec le mouchoir dont elle avait bandé la plaie que j'avais à la tête, je ressemblais assez à un paysan valencien, comme il y en a* à Séville, qui viennent vendre leur orgeat de *chufas*.* Puis elle me mena dans une maison assez semblable à celle de Dorothée, au fond d'une petite ruelle. Elle et une autre bohémienne me lavèrent, me pansèrent mieux que n'eût pu le faire un chirurgien-major,* me firent boire je ne sais quoi; enfin, on me mit sur un matelas, et je m'endormis.

Probablement ces femmes avaient mêlé dans ma boisson quelques-unes de ces drogues assoupissantes dont elles ont le secret, car je ne m'éveillai que fort tard le lendemain. J'avais un grand mal de tête et un peu de fièvre. Il fallut quelque temps pour que le souvenir me revînt de la terrible scène où j'avais pris part la veille. Après avoir pansé ma plaie, Carmen et son amie, accroupies toutes les deux sur les talons auprès de mon matelas, échangèrent quelques mots en *chipe calli*, qui paraissaient être une consultation médicale. Puis toutes les deux m'assurèrent que je serais guéri avant peu, mais qu'il fallait quitter Séville le plus tôt possible; car, si l'on m'y attrapait, j'y serais fusillé sans rémission.

—Mon garçon, me dit Carmen, il faut que tu fasses quelque chose; maintenant que le roi ne te donne plus ni riz ni merluche,* il faut que tu songes à gagner ta vie. Tu es trop bête pour voler *à pastesas;** mais tu es leste et fort: si tu as du cœur, va-t'en à la côte, et fais-toi contrebandier. Ne t'ai-je pas promis de te faire pendre? Cela vaut mieux que d'être fusillé. D'ailleurs, si tu sais t'y prendre, tu vivras comme un prince, aussi longtemps que les miñons* et les gardes-côtes ne te mettront pas la main sur le collet.

Ce fut de cette façon engageante que cette diable de fille* me montra la nouvelle carrière qu'elle me destinait, la seule, à vrai dire, qui me restât, maintenant que j'avais encouru la peine de mort. Vous le dirai-je, monsieur? elle me détermina sans beaucoup de peine. Il me semblait que je m'unissais à elle plus intimement par cette vie de hasards et de rébellion. Désormais je crus m'assurer son amour. J'avais entendu souvent parler de quelques contrebandiers qui parcouraient l'Andalousie, montés sur un bon cheval, l'espingole au poing, leur maîtresse en croupe. Je me voyais déjà trottant par monts et par vaux avec la gentille bohémienne derrière moi. Quand je lui parlais de cela, elle riait à se tenir les côtes,* et me disait qu'il n'y a rien de si beau qu'une nuit passée au bivouac, lorsque chaque rom se retire avec sa romi sous sa petite tente formée de trois cerceaux, avec une couverture par-dessus.

—Si je te tiens jamais dans la montagne, lui disais-je, je serai sûr de toi! Là, il n'y a pas de lieutenant pour partager avec moi.

—Ah! tu es jaloux, répondit-elle. Tant pis pour toi. Comment es-tu assez bête pour cela? Ne vois-tu pas que je t'aime, puisque je ne t'ai jamais demandé d'argent?

Lorsqu'elle parlait ainsi, j'avais envie de l'étrangler.

Pour le faire court, monsieur, Carmen me procura un habit bourgeois, avec lequel je sortis de Séville sans être reconnu. J'allai à Jerez avec une lettre de Pastia pour un marchand d'anisette chez qui se réunissaient des contrebandiers. On me présenta à ces gens-là, dont le chef, surnommé le Dancaïre, me reçut dans sa troupe. Nous partîmes pour Gaucin, où je retrouvai Carmen, qui m'y avait donné rendez-vous. Dans les expéditions, elle servait d'espion à nos gens, et de meilleur il n'y en eut jamais.* Elle revenait de Gibraltar, et déjà elle avait arrangé avec un patron de navire l'embarquement de marchandises anglaises que nous devions recevoir sur la côte. Nous allâmes les attendre près d'Estepona, puis nous en cachâmes une partie dans la montagne; chargés du reste, nous nous rendîmes à Ronda. Carmen nous y avait précédés. Ce fut elle encore qui nous indiqua le moment où nous entrerions en ville. Ce premier voyage et quelques autres 5 après furent heureux. La vie de contrebandier me plaisait mieux que la vie de soldat; je faisais des cadeaux à Carmen. J'avais de l'argent et une maîtresse. Je n'avais guère de remords, car, comme disent les bohémiens: Gale avec plaisir ne démange pas. Partout nous étions bien reçus; mes compagnons me traitaient bien, et 10 même me témoignaient de la considération. La raison, c'était que j'avais tué un homme, et parmi eux il y en avait qui n'avaient pas un pareil exploit sur la conscience. Mais ce qui me touchait davantage dans ma nouvelle vie, c'est que je voyais souvent Carmen. Elle me montrait plus d'amitié que jamais; cependant, devant les 15 camarades, elle ne convenait pas qu'elle était ma maîtresse; et même, elle m'avait fait jurer par toute sorte de serments de ne rien leur dire sur son compte. J'étais si faible devant cette créature, que j'obéissais à tous ses caprices. D'ailleurs, c'était la première fois qu'elle se montrait à moi avec la réserve d'une honnête femme, 20 et j'étais assez simple pour croire qu'elle s'était véritablement corrigée de ses façons d'autrefois.

Notre troupe, qui se composait de huit ou dix hommes, ne se réunissait guère que* dans les moments décisifs, et d'ordinaire nous étions dispersés deux à deux, trois à trois, dans les villes et les 25 villages. Chacun de nous prétendait avoir un métier: celui-ci était chaudronnier, celui-là maquignon; moi, j'étais marchand de merceries, mais je ne me montrais guère dans les gros endroits, à cause de ma mauvaise affaire de Séville. Un jour, ou plutôt une nuit, notre rendez-vous était au bas de Véger. Le Dancaïre et moi nous 30 nous y trouvâmes avant les autres. Il paraissait fort gai.

—Nous allons avoir un camarade de plus, me dit-il. Carmen vient de faire un de ses meilleurs tours. Elle vient de faire échapper son rom qui était au presidio à Tarifa.

Je commençais déjà à comprendre le bohémien, que parlaient 35 presque tous mes camarades, et ce mot de rom* me causa un saisissement.

—Comment!* son mari! elle est donc mariée? demandai-je au capitaine.

—Oui, répondit-il, à Garcia le Borgne, un bohémien aussi futé qu'elle. Le pauvre garçon était aux galères. Carmen a si bien embobeliné le chirurgien du presidio, qu'elle en a obtenu la liberté de son rom. Ah! cette fille-là vaut son pesant d'or. Il y a deux ans qu'elle cherche à le faire évader.* Rien n'a réussi, jusqu'au moment où l'on s'est avisé de changer le major. Avec celui-ci, il paraît qu'elle a trouvé bien vite le moyen de s'entendre. 5

Vous vous imaginez le plaisir que me fit cette nouvelle. Je vis bientôt Garcia le Borgne; c'était bien le plus vilain monstre que la Bohême ait nourri: noir de peau et plus noir d'âme, c'était le plus franc scélérat que j'aie rencontré dans ma vie. Carmen vint avec lui; et, lorsqu'elle l'appelait son rom devant moi, il fallait voir* les yeux qu'elle me faisait, et ses grimaces quand Garcia tournait la tête. J'étais indigné, et je ne lui parlais pas de la nuit.* Le matin nous avions fait nos ballots, et nous étions déjà en route, quand nous nous aperçûmes qu'une douzaine de cavaliers étaient à nos trousses. Les fanfarons Andalous, qui ne parlaient que de tout massacrer, firent aussitôt piteuse mine. Ce fut un sauve-qui-peut général. Le Dancaïre, Garcia, un joli garçon d'Ecija, qui s'appelait le Remendado, et Carmen ne perdirent pas la tête. Le reste avait abandonné les mulets, et s'était jeté dans les ravins où les chevaux ne pouvaient les suivre. Nous ne pouvions conserver nos bêtes, et nous nous hâtâmes de défaire le meilleur de notre butin, et de le charger sur nos épaules, puis nous essayâmes de nous sauver au travers des rochers par les pentes les plus raides. Nous jetions nos ballots devant nous, et nous les suivions de notre mieux en glissant sur les talons. Pendant ce temps-là, l'ennemi nous canardait; c'était la première fois que j'entendais siffler les balles, et cela ne me fit pas grand'chose.* Quand on est en vue d'une femme, il n'y a pas de mérite à se moquer de la mort. Nous nous échappâmes, excepté le pauvre Remendado, qui reçut un coup de feu dans les reins. Je jetai mon paquet, et j'essayai de le prendre. 10 15 20 25 30

—Imbécile! me cria Garcia, qu'avons-nous affaire d'une charogne? achève-le et ne perds pas les bas de coton.

—Jette-le! me criait Carmen.

La fatigue m'obligea de le déposer un moment à l'abri d'un rocher. Garcia s'avança, et lui lâcha son espingole dans la tête. 35

—Bien habile qui le reconnaîtrait* maintenant, dit-il en regardant sa figure que douze balles avaient mise en morceaux.

Voilà, monsieur, la belle vie que j'ai menée. Le soir, nous nous

trouvâmes dans un hallier, épuisés de fatigue, n'ayant rien à manger et ruinés par la perte de nos mulets. Que fit cet infernal Garcia? il tira un paquet de cartes de sa poche, et se mit à jouer avec le Dancaïre à la lueur d'un feu qu'ils allumèrent. Pendant ce
5 temps-là, moi, j'étais couché, regardant les étoiles, pensant au Remendado, et me disant que j'aimerais autant être* à sa place. Carmen était accroupie près de moi, et de temps en temps elle faisait un roulement de castagnettes en chantonnant. Puis, s'approchant comme pour me parler à l'oreille, elle m'embrassa, presque
10 malgré moi, deux ou trois fois.

—Tu es le diable, lui disais-je.

—Oui, me répondait-elle.

Après quelques heures de repos, elle s'en fut* à Gaucin, et le lendemain matin un petit chevrier vint nous porter du pain. Nous
15 demeurâmes là tout le jour, et la nuit nous nous rapprochâmes de Gaucin. Nous attendions des nouvelles de Carmen. Rien ne venait. Au jour, nous voyons un muletier qui menait une femme bien habillée, avec un parasol, et une petite fille qui paraissait sa domestique.* Garcia nous dit:

20 —Voilà deux mules et deux femmes que saint Nicolas nous envoie; j'aimerais mieux quatre mules; n'importe, j'en fais mon affaire!*

Il prit son espingole, et descendit vers le sentier en se cachant dans les broussailles. Nous le suivions, le Dancaïre et moi, à peu
25 de distance. Quand nous fûmes à portée, nous nous montrâmes, et nous criâmes au muletier de s'arrêter. La femme, en nous voyant, au lieu de s'effrayer, et notre toilette aurait suffi pour cela, fait un grand éclat de rire.*

—Ah! les *lillipendi* qui me prennent pour une *erani!**

30 C'était Carmen, mais si bien déguisée, que je ne l'aurais pas reconnue parlant* une autre langue. Elle sauta en bas de sa mule, et causa quelque temps à voix basse avec le Dancaïre et Garcia, puis elle me dit:

—Canari nous nous reverrons* avant que tu sois pendu. Je vais
35 à Gibraltar pour les affaires d'Égypte. Vous entendrez bientôt parler de moi.

Nous nous séparâmes après qu'elle nous eut indiqué un lieu où nous pourrions trouver un abri pour quelques jours. Cette fille était la providence de notre troupe. Nous reçûmes bientôt quelque

argent qu'elle nous envoya, et un avis qui valait mieux pour nous: c'était que tel jour partiraient deux milords anglais, allant de Gibraltar à Grenade par tel chemin. A bon entendeur, salut. Ils avaient de belles et bonnes guinées. Garcia voulait les tuer, mais le Dancaïre et moi nous nous y opposâmes. Nous ne leur prîmes que l'argent* 5
et les montres, outre les chemises, dont nous avions grand besoin.

Monsieur, on devient coquin sans y penser. Une jolie fille vous fait perdre la tête, on se bat pour elle, un malheur arrive, il faut vivre à la montagne, et de contrebandier on devient voleur avant d'avoir réfléchi. Nous jugeâmes qu'il ne faisait pas bon pour nous 10
dans les environs de Gibraltar après l'affaire des milords, et nous nous enfonçâmes dans la sierra de Ronda.—Vous m'avez parlé de José Maria; tenez, c'est là que j'ai fait connaissance avec lui. Il menait sa maîtresse dans ses expéditions. C'était une jolie fille, sage, modeste, de bonnes manières; jamais un mot malhonnête, et 15
un dévouement! . . . En revanche, il la rendait bien malheureuse. Il était toujours à courir* après toutes les filles, et la malmenait, puis quelquefois il s'avisait de faire le jaloux. Une fois, il lui donna un coup de couteau. Eh bien, elle ne l'en aimait que davantage.* Les femmes sont ainsi faites, les Andalouses surtout. Celle-là était 20
fière de la cicatrice qu'elle avait au bras, et la montrait comme la plus belle chose du monde. Et puis, José Maria, par-dessus le marché, était le plus mauvais camarade! . . . Dans une expédition que nous fîmes, il s'arrangea si bien, que tout le profit lui en demeura, à nous les coups et l'embarras de l'affaire. Mais je re- 25
prends mon histoire. Nous n'entendions plus parler de Carmen. Le Dancaïre dit:

—Il faut qu'un de nous aille à Gibraltar pour en avoir des nouvelles; elle doit avoir préparé quelque affaire. J'irais bien, mais je suis trop connu à Gibraltar. 30

Le Borgne dit:

—Moi aussi, on m'y connaît, j'y ai fait tant de farces aux Écrevisses;* et, comme je n'ai qu'un œil, je suis difficile à déguiser.

—Il faut donc que j'y aille? dis-je à mon tour, enchanté à la seule idée de revoir Carmen; voyons, que faut-il faire? 35

Les autres me dirent:

—Fais tant que de* t'embarquer ou de passer par Saint-Roc, comme tu aimeras le mieux, et, lorsque tu seras à Gibraltar, demande sur le port où demeure une marchande de chocolat qui s'appelle la Rollona;* quand tu l'auras trouvée, tu sauras d'elle ce qui se passe là-bas.

Il fut convenu que nous partirions tous les trois pour la sierra de Gaucin, que j'y laisserais mes deux compagnons, et que je me 5 rendrais à Gibraltar comme un marchand de fruits. A Ronda, un homme qui était à nous m'avait procuré un passeport; à Gaucin, on me donna un âne: je le chargeai d'oranges et de melons, et je me mis en route. Arrivé à Gibraltar, je trouvai qu'on y connaissait bien la Rollona, mais elle était morte ou elle était allée à *finibus* 10 *terræ*,* et sa disparition expliquait, à mon avis, comment nous avions perdu notre moyen de correspondre avec Carmen. Je mis mon âne dans une écurie, et, prenant mes oranges, j'allais par la ville comme pour les vendre, mais, en effet, pour voir si je ne rencontrerais pas quelque figure de connaissance. Il y a là force canaille 15 de tous les pays du monde, et c'est la tour de Babel, car on ne saurait* faire dix pas dans une rue sans entendre parler autant de langues. Je voyais bien des gens d'Égypte, mais je n'osais guère m'y fier; je les tâtais, et ils me tâtaient. Nous devinions bien que nous étions des coquins; l'important était de savoir si nous étions 20 de la même bande. Après deux jours passés en courses inutiles, je n'avais rien appris touchant la Rollona ni Carmen, et je pensais à retourner auprès de mes camarades après avoir fait quelques emplettes, lorsqu'en me promenant dans une rue, au coucher du soleil, j'entends une voix de femme d'une fenêtre qui me dit: «Marchand 25 d'oranges! . . .» Je lève la tête, et je vois à un balcon Carmen, accoudée avec un officier en rouge, épaulettes d'or, cheveux frisés, tournure d'un gros milord. Pour elle, elle était habillée superbement: un châle sur ses épaules, un peigne d'or, toute en soie; et la bonne pièce,* toujours la même! riait à se tenir les côtes. L'Anglais, 30 en baragouinant l'espagnol, me cria de monter, que madame voulait des oranges; et Carmen me dit en basque:

—Monte, et ne t'étonne de rien.

Rien, en effet, ne devait m'étonner de sa part. Je ne sais si j'eus plus de joie que de chagrin en la retrouvant. Il y avait à la 35 porte un grand domestique anglais, poudré, qui me conduisit dans un salon magnifique. Carmen me dit aussitôt en basque:

—Tu ne sais pas un mot d'espagnol, tu ne me connais pas.

Puis, se tournant vers l'Anglais:

—Je vous le disais bien, je l'ai tout de suite reconnu pour un

Basque; vous allez entendre quelle drôle de langue. Comme il a l'air bête, n'est-ce pas? On dirait un chat surpris* dans un garde-manger.

—Et toi, lui dis-je dans ma langue, tu as l'air d'une effrontée coquine, et j'ai bien envie de te balafrer la figure devant ton galant. 5

—Mon galant! dit-elle, tiens, tu as deviné cela tout seul? Et tu es jaloux de cet imbécile-là? Tu es encore plus niais qu'avant nos soirées de la rue du Candilejo. Ne vois-tu pas, sot que tu es, que je fais en ce moment les affaires d'Égypte, et de la façon la plus brillante? Cette maison est à moi, les guinées de l'écrevisse 10 seront à moi; je le mène par le bout du nez, je le mènerai d'où il ne sortira jamais.

—Et moi, lui dis-je, si tu fais encore les affaires d'Égypte de cette manière-là, je ferai si bien que tu ne recommenceras plus.

—Ah! oui-dà! Es-tu mon rom, pour me commander? Le Borgne 15 le trouve bon, qu'as-tu à y voir?* Ne devrais-tu pas être bien content d'être le seul qui se puisse dire* mon *minchorrô?**

—Qu'est-ce qu'il dit? demanda l'Anglais.

—Il dit qu'il a soif et qu'il boirait bien un coup, répondit Carmen.

Et elle se renversa sur un canapé en éclatant de rire à sa tra- 20 duction.

Monsieur, quand cette fille-là riait, il n'y avait pas moyen de parler raison. Tout le monde riait avec elle. Ce grand Anglais se mit à rire aussi, comme un imbécile qu'il était, et ordonna qu'on m'apportât à boire. 25

Pendant que je buvais:

—Vois-tu cette bague qu'il a au doigt? dit-elle; si tu veux, je te la donnerai.

Moi je répondis:

—Je donnerais un doigt pour tenir ton milord dans la montagne, 30 chacun un maquila au poing.

L'Anglais retint ce mot, et demanda:

—Maquila, qu'est-ce que cela veut dire? demanda l'Anglais.

—Maquila, dit Carmen riant toujours, c'est une orange. N'est-ce pas un bien drôle de mot pour une orange? Il dit qu'il voudrait 35 vous faire manger du maquila.

—Oui? dit l'Anglais. Eh bien! apporte encore demain du maquila.

Pendant que nous parlions, le domestique entra et dit que le dîner était prêt. Alors l'Anglais se leva, me donna une piastre, et offrit son bras à Carmen, comme si elle ne pouvait pas marcher seule. Carmen, riant toujours, me dit:

—Mon garçon, je ne puis t'inviter à dîner; mais demain, dès que tu entendras le tambour pour la parade, viens ici avec des 5 oranges. Tu trouveras une chambre mieux meublée que celle de la rue du Candilejo, et tu verras si je suis toujours ta Carmencita. Et puis nous parlerons des affaires d'Égypte.

Je ne répondis rien, et j'étais dans la rue que l'Anglais me criait:*

—Apportez demain du maquila! et j'entendais les éclats de rire 10 de Carmen.

Je sortis, ne sachant ce que je ferais. Je ne dormis guère, et le matin je me trouvais si en colère contre cette traîtresse, que j'avais résolu de partir de Gibraltar sans la revoir; mais, au premier roulement de tambour, tout mon courage m'abandonna: je pris ma 15 natte d'oranges et je courus chez Carmen. Sa jalousie était entr'ouverte, et je vis son grand œil noir qui me guettait. Le domestique poudré m'introduisit aussitôt; Carmen lui donna une commission, et, dès que nous fûmes seuls, elle partit d'un de ses éclats de rire de crocodile, et se jeta à mon cou. Je ne l'avais jamais vue si belle. 20 Parée comme une madone, parfumée . . . des meubles de soie, des rideaux brodés . . . ah! . . . et moi fait* comme un voleur que j'étais.

—Minchorrô! disait Carmen, j'ai envie de tout casser ici, de mettre le feu à la maison, et de m'enfuir à la sierra.

25 Et c'étaient des tendresses! . . . et puis des rires! . . . et elle dansait, et elle déchirait ses falbalas: jamais singe ne fit plus de gambades, de grimaces, de diableries. Quand elle eut repris son sérieux:

—Écoute, me dit-elle, il s'agit de l'Égypte. Je veux qu'il me 30 mène à Ronda, où j'ai une sœur religieuse . . . (Ici nouveaux éclats de rire.) Nous passons par un endroit que je te ferai dire.* Vous tombez sur lui:* pillé rasibus! Le mieux serait de l'escofier; mais, ajouta-t-elle avec un sourire diabolique qu'elle avait dans de certains moments, et ce sourire-là, personne n'avait alors envie 35 de l'imiter,—sais-tu ce qu'il faudrait faire? Que le Borgne paraisse le premier. Tenez-vous un peu en arrière. L'Écrevisse est brave et adroit: il a de bons pistolets . . . Comprends-tu? . . .

Elle s'interrompit par un nouvel éclat de rire qui me fit frissonner.

—Non, lui dis-je: je hais Garcia, mais c'est mon camarade. Un jour peut-être je t'en débarrasserai, mais nous réglerons nos comptes à la façon de mon pays. Je ne suis Égyptien que par hasard et pour certaines choses; je serai toujours franc Navarrais, comme dit le proverbe.

Elle reprit: 5

—Tu es une bête, un niais, un vrai *payllo*. Tu es comme le nain qui se croit grand quand il a pu cracher loin. Tu ne m'aimes pas, va-t'en.

Quand elle me disait: Va-t'en, je ne pouvais jamais m'en aller. Je promis de partir, de retourner auprès de mes camarades, et 10 d'attendre l'Anglais; de son côté, elle me promit d'être malade jusqu'au moment de quitter Gibraltar pour Ronda. Je demeurai encore deux jours à Gibraltar. Elle eut l'audace de me venir voir* déguisée dans mon auberge. Je partis; moi aussi j'avais mon projet. Je retournai à notre rendez-vous, sachant le lieu et l'heure où 15 l'Anglais et Carmen devaient passer. Je trouvai le Dancaïre et Garcia qui m'attendaient. Nous passâmes la nuit dans un bois auprès d'un feu de pommes de pin qui flambait à merveille. Je proposai à Garcia de jouer aux cartes. Il accepta. A la seconde partie, je lui dis qu'il trichait; il se mit à rire. Je lui jetai les cartes 20 à la figure. Il voulut prendre son espingole; je mis le pied dessus, et je lui dis: «On dit que tu sais jouer du couteau comme le meilleur jaque de Malaga; veux-tu t'essayer avec moi?» Le Dancaïre voulut nous séparer. J'avais donné deux ou trois coups de poing à Garcia. La colère l'avait rendu brave; il avait tiré son couteau, moi le 25 mien. Nous dîmes tous deux au Dancaïre de nous laisser place libre et franc jeu. Il vit qu'il n'y avait pas moyen de nous arrêter, et il s'écarta. Garcia était déjà ployé en deux comme un chat prêt à s'élancer contre une souris. Il tenait son chapeau de la main gauche pour parer, son couteau en avant. C'est leur garde andalouse. 30 Moi, je me mis à la navarraise, droit en face de lui, le bras gauche levé, la jambe gauche en avant, le couteau le long de la cuisse droite. Je me sentais plus fort qu'un géant. Il se lança sur moi comme un trait; je tournai sur le pied gauche, et il ne trouva plus rien devant lui; mais je l'atteignis à la gorge, et le couteau entra si 35 avant, que ma main était sous son menton. Je retournai la lame si fort, qu'elle se cassa. C'était fini. La lame sortit de la plaie lancée par un bouillon de sang gros comme le bras. Il tomba sur le nez, raide comme un pieu.

—Qu'as-tu fait? me dit le Dancaïre.

—Écoute, lui dis-je: nous ne pouvions vivre ensemble. J'aime Carmen, et je veux être seul. D'ailleurs, Garcia était un coquin, et je me rappelle ce qu'il a fait au pauvre Remendado. Nous ne 5 sommes plus que deux, mais nous sommes de bons garçons. Voyons, veux-tu de moi pour ami, à la vie, à la mort?

Le Dancaïre me tendit la main. C'était un homme de cinquante ans.

—Au diable les amourettes! s'écria-t-il. Si tu lui avais demandé 10 Carmen, il te l'aurait vendue pour une piastre. Nous ne sommes plus que deux; comment ferons-nous demain?*

—Laisse-moi faire tout seul, lui répondis-je. Maintenant je me moque du monde entier.

Nous enterrâmes Garcia, et nous allâmes placer notre camp deux 15 cents pas plus loin. Le lendemain, Carmen et son Anglais passèrent avec deux muletiers et un domestique. Je dis au Dancaïre:

—Je me charge de l'Anglais. Fais peur aux autres, ils ne sont pas armés.

L'Anglais avait du cœur. Si Carmen ne lui eût poussé le bras, 20 il me tuait.* Bref, je reconquis Carmen en ce jour-là, et mon premier mot fut de lui dire qu'elle était veuve. Quand elle sut* comment cela s'était passé:

—Tu seras toujours un *lillipendi!* me dit-elle. Garcia devait te tuer. Ta garde navarraise n'est qu'une bêtise, et il en a mis à 25 l'ombre de plus habiles que toi.* C'est que son temps était venu. Le tien viendra.

—Et le tien, répondis-je, si tu n'es pas pour moi une vraie romi.

—A la bonne heure, dit-elle; j'ai vu plus d'une fois dans du marc de café que nous devions finir ensemble. Bah! arrive qui 30 plante!*

Et elle fit claquer ses castagnettes, ce qu'elle faisait toujours quand elle voulait chasser quelque idée importune.

On s'oublie quand on parle de soi. Tous ces détails-là vous ennuient sans doute, mais j'ai bientôt fini.* La vie que nous menions 35 dura assez longtemps. Le Dancaïre et moi nous nous étions associés quelques camarades plus sûrs que les premiers, et nous nous occupions de contrebande, et aussi parfois, il faut bien l'avouer, nous arrêtions sur la grande route, mais à la dernière extrémité, et lorsque nous ne pouvions faire autrement. D'ailleurs, nous ne maltraitions pas les voyageurs, et nous nous bornions à leur prendre leur argent. Pendant quelques mois, je fus content de Carmen; elle continuait à nous être utile pour nos opérations, en nous avertissant des bons coups que nous pourrions faire. Elle se tenait, soit à Malaga, soit à Cordoue, soit à Grenade; mais, sur un mot de moi, elle quittait tout, et venait me retrouver dans une venta isolée, ou même au bivouac. Une fois seulement, c'était à Malaga, elle me donna quelque inquiétude. Je sus qu'elle avait jeté son dévolu sur un négociant fort riche, avec lequel probablement elle se proposait de recommencer la plaisanterie de Gibraltar. Malgré tout ce que le Dancaïre put me dire pour m'arrêter, je partis, et j'entrai dans Malaga en plein jour. Je cherchai Carmen, et je l'emmenai aussitôt. Nous eûmes une verte explication.

—Sais-tu, me dit-elle, que, depuis que tu es mon rom pour tout de bon, je t'aime moins que lorsque tu étais mon minchorrô? Je ne veux pas être tourmentée, ni surtout commandée. Ce que je veux, c'est être libre et faire ce qui me plaît. Prends garde de me pousser à bout.* Si tu m'ennuies, je trouverai quelque bon garçon qui te fera comme tu as fait au Borgne.

Le Dancaïre nous raccommoda; mais nous nous étions dit des choses qui nous restaient sur le cœur, et nous n'étions plus comme auparavant. Peu après, un malheur nous arriva. La troupe nous surprit. Le Dancaïre fut tué, ainsi que deux de mes camarades; deux autres furent pris. Moi, je fus grièvement blessé, et, sans mon bon cheval, je demeurais entre* les mains des soldats. Exténué de fatigue, ayant une balle dans le corps, j'allai me cacher dans un bois avec le seul compagnon qui me restât. Je m'évanouis en descendant de cheval, et je crus que j'allais crever dans les broussailles comme un lièvre qui a reçu du plomb.* Mon camarade me porta dans une grotte que nous connaissions, puis il alla chercher Carmen. Elle était à Grenade, et aussitôt elle accourut. Pendant quinze jours, elle ne me quitta pas d'un instant. Elle ne ferma pas l'œil; elle me soigna avec une adresse et des attentions que jamais femme n'a eues* pour l'homme le plus aimé. Dès que je pus me tenir sur mes jambes, elle me mena à Grenade dans le plus grand secret. Les bohémiennes trouvent partout des asiles sûrs, et je passai plus de six semaines dans une maison, à deux portes du corrégidor qui me cherchait. Plus d'une fois, regardant derrière un volet, je le vis passer. Enfin je me rétablis; mais j'avais fait bien des réflexions sur mon lit de douleur, et je projetais de changer de vie. Je parlai à Carmen de quitter l'Espagne, et de chercher à vivre honnêtement dans le Nouveau-Monde. Elle se moqua de moi.

—Nous ne sommes pas faits pour planter des choux,* dit-elle; 5 notre destin, à nous, c'est de vivre aux dépens des *payllos*. Tiens, j'ai arrangé une affaire avec Nathan ben-Joseph de Gibraltar. Il a des cotonnades qui n'attendent que toi pour passer.* Il sait que tu es vivant. Il compte sur toi. Que diraient nos correspondants de Gibraltar, si tu leur manquais de parole?

10 Je me laissai entraîner, et je repris mon vilain commerce.

Pendant que j'étais caché à Grenade, il y eut des courses de taureaux où Carmen alla. En revenant, elle parla beaucoup d'un picador très adroit nommé Lucas. Elle savait le nom de son cheval, et combien lui coûtait sa veste brodée. Je n'y fis pas attention. 15 Juanito, le camarade qui m'était resté, me dit, quelques jours après, qu'il avait vu Carmen avec Lucas chez un marchand du Zacatin. Cela commença à m'alarmer. Je demandai à Carmen comment et pourquoi elle avait fait connaissance avec le picador.

—C'est un garçon, me dit-elle, avec qui on peut faire une affaire. 20 Rivière qui fait du bruit a de l'eau ou des cailloux.* Il a gagné douze cents réaux aux courses. De deux choses l'une: ou bien il faut avoir cet argent; ou bien, comme c'est un bon cavalier et un gaillard de cœur, on peut l'enrôler dans notre bande. Un tel et un tel sont morts, tu as besoin de les remplacer. Prends-le avec toi.

25 —Je ne veux, répondis-je, ni de son argent, ni de sa personne, et je te défends de lui parler.

—Prends garde, me dit-elle; lorsqu'on me défie de faire une chose, elle est bientôt faite!

Heureusement, le picador partit pour Malaga, et moi, je me mis 30 en devoir de faire entrer les cotonnades du juif. J'eus fort à faire dans cette expédition-là, Carmen aussi, et j'oubliai Lucas; peut-être aussi l'oublia-t-elle, pour le moment du moins. C'est vers ce temps, monsieur, que je vous rencontrai, d'abord près de Montilla, puis après à Cordoue. Je ne vous parlerai pas de notre dernière 35 entrevue. Vous en savez peut-être plus long que moi. Carmen vous vola votre montre; elle voulait encore votre argent, et surtout cette bague que je vois à votre doigt, et qui, dit-elle, est un anneau magique qu'il lui importait beaucoup de posséder. Nous eûmes une violente dispute, et je la frappai. Elle pâlit et pleura.

C'était la première fois que je la voyais pleurer, et cela me fit un effet terrible. Je lui demandai pardon, mais elle me bouda pendant tout un jour, et, quand je repartis pour Montilla, elle ne voulut pas m'embrasser. J'avais le cœur gros, lorsque, trois jours après, elle vint me trouver l'air riant et gaie comme un pinson. Tout était oublié, et nous avions l'air d'amoureux de deux jours. Au moment de nous séparer, elle me dit:

—Il y a une fête à Cordoue, je vais la voir, puis je saurai les gens qui s'en vont avec de l'argent,* et je te le dirai.

Je la laissai partir. Seul, je pensai à cette fête et à ce changement d'humeur de Carmen. Il faut qu'elle se soit vengée déjà,* me dis-je, puisqu'elle est revenue la première. Un paysan me dit qu'il y avait des taureaux à Cordoue. Voilà mon sang qui bouillonne, et, comme un fou, je pars, et je vais à la place. On me montra Lucas, et, sur le banc contre la barrière, je reconnus Carmen. Il me suffit de la voir une minute pour être sûr de mon fait. Lucas, au premier taureau, fit le joli cœur, comme je l'avais prévu. Il arracha la cocarde* du taureau, et la porta à Carmen, qui s'en coiffa sur-le-champ. Le taureau se chargea de me venger. Lucas fut culbuté avec son cheval sur la poitrine, et le taureau par-dessus tous les deux. Je regardai Carmen, elle n'était déjà plus à sa place. Il m'était impossible de sortir de celle où j'étais, et je fus obligé d'attendre la fin des courses. Alors j'allai à la maison que vous connaissez, et je m'y tins coi toute la soirée et une partie de la nuit. Vers deux heures du matin, Carmen revint, et fut un peu surprise de me voir.

—Viens avec moi, lui dis-je.

—Eh bien! dit-elle, partons!

J'allai prendre mon cheval, je la mis en croupe, et nous marchâmes tout le reste de la nuit sans nous dire un seul mot. Nous nous arrêtâmes au jour dans une venta isolée, assez près d'un petit ermitage. Là je dis à Carmen:

—Écoute, j'oublie* tout. Je ne te parlerai de rien; mais jure-moi une chose: c'est que tu vas me suivre en Amérique, et que tu t'y tiendras tranquille.

—Non, dit-elle d'un ton boudeur, je ne veux pas aller en Amérique. Je me trouve bien ici.

—C'est parce que tu es près de Lucas; mais, songes-y bien, s'il guérit, ce ne sera pas pour faire de vieux os.* Au reste, pourquoi m'en prendre à lui? Je suis las de tuer tous tes amants; c'est toi que je tuerai.

Elle me regarda fixement de son regard sauvage, et me dit:

—J'ai toujours pensé que tu me tuerais. La première fois que 5 je t'ai vu, je venais de rencontrer un prêtre à la porte de ma maison. Et cette nuit, en sortant de Cordoue, n'as-tu rien vu? Un lièvre a traversé le chemin entre les pieds de ton cheval. C'est écrit.*

—Carmencita, lui demandais-je, est-ce que tu ne m'aimes plus?

Elle ne répondit rien. Elle était assise les jambes croisées sur une 10 natte et faisait des traits par terre avec son doigt.

—Changeons de vie, Carmen, lui dis-je d'un ton suppliant. Allons vivre quelque part où nous ne serons jamais séparés. Tu sais que nous avons, pas loin d'ici, sous un chêne, cent vingt onces enterrées . . . Puis, nous avons des fonds encore chez le juif ben-Joseph.

15 Elle se mit à sourire, et me dit:

—Moi d'abord, toi ensuite. Je sais que cela doit arriver ainsi.

—Réfléchis, repris-je; je suis au bout de ma patience et de mon courage; prends ton parti, ou je prendrai le mien.

Je la quittai et j'allai me promener du côté de l'ermitage. Je 20 trouvai l'ermite qui priait. J'attendis que sa prière fût finie; j'aurais bien voulu prier, mais je ne pouvais pas. Quand il se releva, j'allai à lui.

—Mon père, lui dis-je, voulez-vous prier pour quelqu'un qui est en grand péril?

25 —Je prie pour tous les affligés, dit-il.

—Pouvez-vous dire une messe pour une âme qui va peut-être paraître devant son Créateur?

—Oui, répondit-il en me regardant fixement.

Et, comme il y avait dans mon air quelque chose d'étrange, il 30 voulut me faire parler:

—Il me semble que je vous ai déjà vu, dit-il.

Je mis une piastre sur son banc.

—Quand direz-vous la messe? lui demandai-je.

—Dans une demi-heure. Le fils de l'aubergiste de là-bas va 35 venir la servir. Dites-moi, jeune homme, n'avez-vous pas quelque chose sur la conscience qui vous tourmente? Voulez-vous écouter les conseils d'un chrétien?

Je me sentais près de pleurer. Je lui dis que je reviendrais, et je me sauvai. J'allai me coucher sur l'herbe jusqu'à ce que j'entendisse la cloche.* Alors je m'approchai, mais je restai en dehors de la chapelle. Quand la messe fut dite, je retournai à la venta. J'espérais presque que Carmen se serait enfuie; elle aurait pu prendre mon cheval et se sauver . . . mais je la retrouvai. Elle ne voulait pas qu'on pût dire que je lui avais fait peur. Pendant mon absence, 5 elle avait défait l'ourlet de sa robe pour en retirer le plomb.* Maintenant elle était devant une table, regardant dans une terrine pleine d'eau le plomb qu'elle avait fait fondre, et qu'elle venait d'y jeter. Elle était si occupée de sa magie, qu'elle ne s'aperçut pas d'abord de mon retour. Tantôt elle prenait un morceau de plomb et le 10 tournait de tous les côtés d'un air triste, tantôt elle chantait quelqu'une de ces chansons magiques où elles invoquent Marie Padilla,* la maîtresse de don Pedro, qui fut, dit-on, la *Bari Crallisa*, ou la grande reine des bohémiens.

—Carmen, lui dis-je, voulez-vous venir* avec moi? 15

Elle se leva, jeta sa sébile, et mit sa mantille sur sa tête comme prête à partir. On m'amena mon cheval, elle monta en croupe, et nous nous éloignâmes.

—Ainsi, lui dis-je, ma Carmen, après un bout de chemin, tu veux bien me suivre, n'est-ce pas? 20

—Je te suis à la mort, oui, mais je ne vivrai plus avec toi.

Nous étions dans une gorge solitaire; j'arrêtai mon cheval.

—Est-ce ici? dit-elle.

Et d'un bond elle fut à terre. Elle ôta sa mantille, la jeta à ses pieds, et se tint immobile un poing sur la hanche, me regardant 25 fixement.

—Tu veux me tuer, je le vois bien, dit-elle; c'est écrit, mais tu ne me feras pas céder.

—Je t'en prie, lui dis-je, sois raisonnable. Écoute-moi! tout le passé est oublié. Pourtant, tu le sais, c'est toi qui m'as perdu: c'est 30 pour toi que je suis devenu un voleur et un meurtrier. Carmen! ma Carmen! laisse-moi te sauver et me sauver avec toi.

—José, répondit-elle, tu me demandes l'impossible. Je ne t'aime plus; toi, tu m'aimes encore, et c'est pour cela que tu veux me tuer. Je pourrais bien encore te faire quelque mensonge; mais je ne veux 35 pas m'en donner la peine. Tout est fini entre nous. Comme mon rom, tu as le droit de tuer ta romi; mais Carmen sera toujours libre. Calli elle est née, calli elle mourra.

—Tu aimes donc Lucas? lui demandai-je.

—Oui, je l'ai aimé, comme toi, un instant, moins que toi peut-être. A présent, je n'aime plus rien, et je me hais pour t'avoir aimé.

Je me jetai à ses pieds, je lui pris les mains, je les arrosai de mes larmes. Je lui rappelai tous les moments de bonheur que nous avions passés ensemble. Je lui offris de rester brigand pour lui plaire. Tout, monsieur, tout; je lui offris tout, pourvu qu'elle voulût m'aimer encore!

Elle me dit:

—T'aimer encore, c'est impossible. Vivre avec toi, je ne le veux pas.

La fureur me possédait. Je tirai mon couteau. J'aurais voulu qu'elle eût peur et me demandât grâce, mais cette femme était un démon.

—Pour la dernière fois, m'écriai-je, veux-tu rester avec moi?

—Non! non! non! dit-elle en frappant du pied.

Et elle tira de son doigt une bague que je lui avais donnée, et la jeta dans les broussailles.

Je la frappai deux fois. C'était le couteau du Borgne que j'avais pris, ayant cassé le mien. Elle tomba au second coup sans crier. Je crois voir encore son grand œil noir me regarder fixement; puis il devint trouble, et se ferma. Je restai anéanti une bonne heure assis devant ce cadavre. Puis, je me rappelai que Carmen m'avait dit souvent qu'elle aimerait à être* enterrée dans un bois. Je lui creusai une fosse avec mon couteau, et je l'y déposai. Je cherchai longtemps sa bague, et je la trouvai à la fin. Je la mis dans la fosse auprès d'elle, avec une petite croix. Peut-être ai-je eu tort. Ensuite je montai sur mon cheval, je galopai jusqu'à Cordoue, et au premier corps de garde je me fis connaître. J'ai dit que j'avais tué Carmen; mais je n'ai pas voulu dire où était son corps. L'ermite était un saint homme. Il a prié pour elle! Il a dit une messe pour son âme . . . Pauvre enfant! Ce sont les *Calé* qui sont coupables, pour l'avoir élevée ainsi.

Prosper Mérimée

NOTES

Page 3

3. **pas de dot:** the dowry plays a very important rôle in marriages in France.
3. **pas d'espérances:** i.e., **pas d'espérances (de mariage).**
5. **elle se laissa marier avec:** " she allowed herself to be married to ". An infinitive depending on **faire, laisser, entendre,** and a few other verbs frequently has a passive sense.
5. **Ministère de l'instruction publique:** " Department of Education ". Education forms an independent department of the administration in France. Its head, the **ministre**—" Minister " or " Secretary "—has a seat in the Cabinet.
6. **Elle fut simple:** " She was (' of simple taste ') dressed plainly ".
7. **une déclassée:** " one fallen from her proper station ", " one married below her station ".
9. **de naissance et de famille:** i.e., **de naissance (noble) et de famille (distinguée).**
11. **font des filles du peuple les égales:** " make, of the daughters of the common people, the equals ".
17. **la petite Bretonne:** " the little Breton maid ". A considerable number of servant girls in Paris come from Brittany.

Page 4

11. **une nappe de trois jours:** " a tablecloth three days old ", " a soiled tablecloth ".
12. **le bon pot-au-feu!** " what a fine beef stew! " The everyday dish of the thrifty class of petty employees described here.
13. **rien de meilleur:** " nothing better ". When **rien, quelque chose,** and other indefinite pronouns are modified by an adjective the modifying phrase is introduced by **de** and the adjective remains invariably masculine singular.
18. **tout en mangeant:** " while eating ". This use of **tout** emphasizes the simultaneous occurrence and the continuity of the two actions.
21. **Elle eût tant désiré:** in literary style, and pluperfect subjunctive very frequently replaces the conditional perfect; in conversation, **aurait tant désiré** would be used here.
27. **tenant à la main:** " holding in his hand ". Very frequently the definite article is used instead of the possessive adjective to modify parts of the body and articles of clothing, if no ambiguity results in so doing.
34. **l'hôtel du Ministère:** " the Ministry ", a building containing the public offices as well as the private residence of the **ministre.**
37. **Que veux-tu que je fasse de cela?** (" What do you wish that I do with that? "); *tr.* " What do you expect me to do with that? " **Fasse** is in the subjunctive after the verb **vouloir.**

Page 5

1. **une belle!** i.e., **une belle (occasion)!** " a fine one! "
6. **que je me mette sur le dos:** " that I put on my back ", i.e., " **that I wear** ". See Note to page 4, line 37, for tense.
7. **Il n'y avait pas songé:** " He had not thought of it ". The pronominal adverb **y** replaces the preposition **à** of **songer à** and its pronoun.
9. **Elle me semble très bien, à moi:** " It seems very good to *me* ". The adverb **bien** is frequently used instead of adjectives like **beau** and **bon.**
13. **Qu'as-tu?** " What is the matter with you? "; cf. **qu'est-ce que tu as** on page 7, line 38.
17. **je ne peux aller:** the negative particle **pas** is frequently omitted after **pouvoir, savoir,** and **oser.**

Page 6

1. **tu es toute drôle depuis trois jours:** " you have been very queer for three days ". The present tense, used with **depuis,** should usually be rendered by the present perfect in English. The adverb **tout** adds **e** before feminine adjectives beginning with a consonant.
4. **J'aurai l'air misère comme tout:** " I shall look as poverty-stricken as anything ", " I shall look horribly poverty-stricken ". **Misère** is a noun, used here colloquially for the adjective, **misérable.**
14. **Que tu es bête!** " How stupid you are! " **Que!** is frequently used instead of the more common **comme!** to introduce an exclamation.
19. **elle se rendit:** " she went ". The reflexive verb **se rendre** is frequently so used instead of the more common **aller.**
27. **Elle demandait toujours:** " She kept asking ", " She asked repeatedly ". Here **toujours** has the sense of " still ".
28. **Tu n'as plus rien autre?** " Haven't you anything else? " It is however more usual to say **rien d'autre.** Cf. Note to page 4, line 13.
29. **Mais si:** " Why, yes ". **Si** is used instead of **oui** in answer to a negative interrogative. Cf. **Mais, oui** in line 37 below.

Page 7

2. **Elle était plus jolie que toutes:** " She was prettier than all the rest "; **i.e., Elle était plus jolie que toutes (les autres femmes qui s'y trouvaient).**
28. **s'ils eussent été:** " if they had been ". The pluperfect subjunctive is frequently used instead of the pluperfect indicative in contrary-to-fact conditions.
33. **elle s'était enveloppé les épaules:** " she had covered her shoulders ". The past participle **enveloppé** remains unchanged here because its preceding object **s'** is only indirect. Its direct object, **les épaules,** follows.

Page 8

16. **si je ne la retrouverai pas:** " whether or not I can find it ". When **si** is followed by the future or conditional, it generally has the meaning of " whether ".
28. **tu la fais réparer:** " you are having it repaired ". In French, " to have something done " is expressed by means of **faire** followed by the infinitive.
32. **vieilli de cinq ans:** (" grown older by five years "); ***tr.*** " who seemed to have grown five years older ".

Page 9

17. **la noire misère:** adjectives of color generally follow the noun; however, as here, frequently the adjective precedes when it modifies an abstract noun or noun indicating a mental condition or in certain poetic or rhetorical uses.
25. **ce que redoutait:** here **ce que** does not refer to **l'écrin** but to the whole idea expressed by the preceding clause.

Page 10

7. **à cinq sous la page:** " at five cents per (*or* a) page ". Note this special use of the definite article.
14. **à grande eau:** " with plenty of water ". It is common in France to clean floors by throwing on water by the pailful.
37. **depuis que je ne t'ai vue:** " since last I saw you ". After phrases like **depuis que** a pleonastic **ne** is required with compound tenses.

Page 11

8. **Et voilà dix ans que nous la payons:** " And we have been paying for it for ten years ". The same idea might be expressed by: **Nous la payons depuis dix ans** or **Il y a dix ans que nous la payons.**
9. **c'est fini:** " it's settled ", " it's all over ".
17. **lui prit les deux mains:** " took her two hands ". The English possessive adjective, before parts of the body and articles of clothing, is very often rendered in French by means of the dative of the person and the definite article.

Page 12

3. **avec l'espérance de rester seul:** " hoping to remain alone ", i.e., hoping that no one else would come into the compartment. French trains are generally divided into a number of compartments, entrance to which is gained through the **portière.**
3. **se rouvrit:** " was opened "; an excellent example of the use of the reflexive substituted for the English passive.
5. **nous nous trouvons:** " we are ". The verb **se trouver** is often used instead of **être** when location or position is indicated.
13. **quand l'homme eut fait entrer son torse:** " when the man had raised his body ". The past anterior, which denotes what had happened immediately before another event, is rarely used except after conjunctions of time, such as **quand, lorsque, après que, aussitôt que,** and the like.
21. **un vieux soldat:** " a veteran ". **Vieux** here has the sense of **ancien,** " former ".

Page 13

1. **bien que . . . fussent presque blancs:** " although his hair was almost white ". The subjunctive is required after certain conjunctions such as **bien que, avant que,** and the like.
1. **il était décoré:** " he was decorated " (with the Red Ribbon of the Legion of Honor). This famous order was established by Napoleon in 1802 to foster and reward military merit. Since 1848 the order has been extended as a distinction, not only to reward military service (army and navy) but also to honor merit in art, science, philanthropy, diplomacy, and even industry.

8. **d'où, de quand?** " where and when? ", i.e., at what place and time in the past.
28. **les Poincel:** " the Poincels ". The plural of proper names, i.e., names of families and of persons, is usually invariable in French.
29. **avant la guerre:** i.e., **avant la guerre (de 1870).**
29. **voilà douze ans de cela:** " that was twelve years ago ". The same idea is frequently expressed by **il y a douze ans de cela.**
31. **le lieutenant Revalière:** " Lieutenant Revalière ". In French, the definite article is required with titles except in direct address.
33. **où:** " when ", " on which ". **Où** is frequently used as a relative with the value of **dans (à, sur,** etc.) + a relative pronoun.
34. **sur le passage d'un boulet:** (" on the passage of a cannon-ball "); *tr.* " as a cannon-ball whizzed by ".

Page 14

5. **Il y avait de l'amour là-dedans:** " There was a love story connected with it ".
11. **Mlle de Mandal:** the **de**, which is frequently called " the honorable particle ", shows that the young lady was of noble family.
16. **Je levai les yeux:** " I raised my eyes ". Very frequently the definite article is used instead of the possessive adjective to modify parts of the body and articles of clothing, if no ambiguity results from so doing.
18. **s'il finissait à peine:** " if he were barely finishing speaking ", i.e., " if he had barely finished speaking ".
32. **ces écoles de magnanimité:** the author sarcastically likens novels and plays to " schools of magnanimity " because in them the heroes are rewarded for their sufferings and the endings are happy.
34. **de fort mauvaise humeur:** " in a very bad humor ". The adverb **fort** is more forcible than the more common **très.**
36. **soudain:** very frequently the adjective **soudain** is used instead of the adverb **soudainement,** " suddenly ".
37. **Peut-être s'était-il marié:** " Perhaps he had (got) married ". When adverbs or conjunctions such as **peut-être, aussi,** and the like stand at the beginning of a sentence, the inverted order is generally required.

Page 15

14. **Vous êtes père?** " Have you any children? " In French, the article is omitted before a predicate noun which qualifies in a general way the personal subject.
19. **Je l'avais pensé:** " I had thought (it) *i.e.*, so ". The direct object **l'** here refers to the speaker's previous question: **Vous êtes père?**
24. **J'en suis resté aux préliminaires:** " I remained at the preliminaries ", i.e., " I got no further than the preliminaries ". **En,** " of it ", refers to the question of whether he was married, mentioned in the preceding sentence.
38. **davantage:** " more " or " further ". **Davantage** is required instead of **plus** in rendering " more " when the second object of the comparison is omitted. Cf. **ce collier vaut plus que celui-là,** but **ce collier valait davantage l'année dernière.**

Page 16

2. **devant l'opinion:** i.e., **devant l'opinion (publique).**
5. **je n'aurais jamais accepté . . . qu'elle devînt:** (" I never should have

accepted . . . that she become"); *tr.* "I should never have permitted her to become". **Devînt** is in the subjunctive, because its clause depends upon a verb of accepting.

13. **qu'elle espère heureuse:** i.e., **qu'elle espère (sera) heureuse.**
16. **ce bruit de moulin:** the speaker likens the noise made by his stumps and crutches to the clatter of a mill; *tr.* "this mill-wheel clatter".
17. **j'ai des exaspérations à:** "I become exasperated enough to". The preposition **à**, introducing an adjectival phrase, frequently means "enough to", "fit to", and the like.
18. **Croyez-vous qu'on puisse accepter d'une femme de tolérer:** "Do you think that one can permit a woman to endure". **Puisse** is in the subjunctive after an interrogative verb of believing.
20. **que c'est joli, mes bouts de jambes?:** "that my stumps are pretty?" In informal conversation the singular form **c'est** frequently replaces the plural form **ce sont.**
21. **Que lui dire?** i.e., **Que (devrais-je** *or* **pourrais-je) lui dire;** *tr.* "What (could *or* should I) tell him?"
22. **à elle:** used to identify and to make more emphatic the **lui** in **lui donner tort.** Omit in translation.
25. **appelaient:** "called for" or "required".
26. **qui me manquait:** "which (I felt) was lacking"; i.e., lacking in poetical or dramatic effect.

Page 17

6. **comme elle aurait pu tenir:** "as she might have held".

Page 18

3. **mâles:** "males". Instead of **hommes** Maupassant has consciously used this word to indicate that these men were in many ways on a plane with their animals.
7. **fait écarter les genoux:** "causes the knees to spread".
18. **leurs hommes:** "their men-folks".
26. **c'était:** i.e., **il y avait,** "there was".
29. **aiguës:** a diæresis (in French, **tréma**) is required over the **e** in order to indicate that the **u** is pronounced.
31. **que dominait:** "above which rose". Note that here **que** is the object and that the order of words is inverted.

Page 19

11. **avaient eu des affaires ensemble:** "had had some business dealings together", i.e., "had had differences *or* a row".
12. **licol:** more usually **licou,** "halter".
27. **gisaient:** "lay". The present and imperfect are the only tenses of **gésir** which occur in everyday French. Cf. **Ci-gît,** "Here lies".
30. **l'air sec:** "with a dour look".
32. **C'est dit:** "You have my word", "It's a bargain", "All right".
32. **maît':** for **maître.** In this story Maupassant will consistently represent with his spelling the actual pronunciation of his Norman peasant characters.
32. **J'vous l'donne:** for **Je vous le donne,** "She's yours".

Page 20

1. **Tout contre les dîneurs attablés:** " Just opposite the diners seated at the table " or " Right against the diners seated at the table ".
6. **allumait les gaietés, mouillait les bouches:** " made everyone cheerful, made everybody's mouth water ".
13. **le tambour roula:** " the drum rolled " or " the beat of the drum was heard ".
18. **à contretemps:** " out of time ", i.e., incorrectly.
19. **Il est fait assavoir:** a legal formula with the meaning of: " Be it known ", " Notice is given ".
25. **vingt francs de récompense:** " twenty francs as *or* for reward ", " a reward of twenty francs ".
38. **Me v'la:** for **Me voilà,** " Here I am ".

Page 21

10. **à phrases pompeuses:** " given to pompous sentences ", or " addicted to bombastic speech ".
16. **Mé, mé, j'ai ramassé çu portafeuille!** for **Moi, moi, j'ai ramassé ce portefeuille!**
20. **Qui ça qui m'a vu?** " Who's that, who saw me? "
24. **i m'a vu, çu manant! I m'a vu ramasser c'te ficelle-là, tenez, m'sieu le maire:** for **il m'a vu, ce manant! Il m'a vu ramasser cette ficelle-là, tenez, monsieur le maire.**
28. **Vous ne me ferez pas accroire:** " You can't (*or* won't) make me believe ".
33. **la vérité du bon Dieu:** " God's very truth ".
36. **Après avoir ramassé:** " After picking up ". **Après** governs the perfect infinitive in French.
37. **si:** i.e., **(pour voir) si.**

Page 22

1. **Si on peut dire!** " How can they tell! "
9. **A sa sortie de la mairie:** " On his departure from the town-hall ".
17. **Vieux malin, va!** " You old rogue! "
30. **ne sachant pas lire:** " being unable to read ". Note that **savoir** replaces **pouvoir** when intellectual ability is referred to.
35. **C'qui m'faisait deuil:** for **Ce qui me faisait deuil;** " What hurt me ".
35. **c'est point:** i.e., **ce n'est point.** In popular speech the first negative particle is frequently omitted.
36. **Y a rien:** for **Il n'y a rien.**

Page 23

3. **sans qu'il sût:** " without his knowing ". The subjunctive is required after conjunctions of negative force.
5. **Il lui semblait sentir:** i.e., **Il lui semblait qu'il sentait.**
11. **lui jetant une tape dans le creux de son ventre:** " giving him a poke in the pit of his stomach ".
12. **lui cria par la figure:** " yelled out to him right in his face ".
12. **lui tourna les talons:** " turned his back on him ". More frequently the French use **dos,** " back ", instead of **talons,** " heels ", in this expression.
18. **ta ficelle:** i.e., **(l'histoire de) ta ficelle.**

22. **Tais-té, mon pé:** for **Tais-toi, mon père.**
22. **r'porte:** for **reporte,** " brings (it) back ".
23. **Ni vu ni connu, je t'embrouille:** " Neither seen nor heard, no one is the wiser for it ".

Page 24

3. **Ça, c'est des raisons d'menteux:** for **Ce sont les raisons d'un menteur,** " Those are the arguments of a liar ".
4. **se rongeait les sangs:** akin to " he bit his fingernails to the quick "; *tr.* " he worried himself sick over it " or " he fretted over it ".
7. **fait conter sa bataille au soldat:** " makes the soldier tell about his battle ". When both **faire** and its dependent infinitive govern objects, the one governed by **faire** becomes indirect in form.
13. **'tite ficelle . . . t'nez . . . m'sieu:** for **petite ficelle . . . tenez . . . monsieur.**

Page 25

3. **que ça vînt:** " that it came ". Expressions of emotion like **être content, être fier,** and the like, require the subjunctive in the dependent clause.
5. **cette Parisienne de la rue Jean-Jacques:** i.e., **cette lettre de la rue Jean-Jacques (à Paris).** This letter comes from the old couple's grandchild, Maurice, who lives on this street, named in honor of the great 18th century writer, Jean-Jacques Rousseau.
11. **une promenade:** i.e., **(rien qu') une promenade;** *tr.* " only a short stroll ".
13. **à volets gris:** " with gray shutters ".

Page 26

5. **hein?** " eh? ", " will you? "
6. **dont je suis toute la vie:** " to whom I am everything in life ".
7. **Mais que veux-tu!** " But what can I do! "
8. **c'est le grand âge:** i.e., **c'est le grand âge (qui les tient).**
8. **Ils sont si vieux:** i.e., **Ils sont si vieux (que).**
13. **Le diable soit de l'amitié!** " Friendship be hanged ", " The deuce take friendship ", " Plague take friendship ".
14. **ne valait rien:** " was worth nothing ", i.e., " was not suitable ".
18. **à boire:** this preposition might have here the flavor of the obsolete " a-rowing ", " a-Maying ", and the like; *tr.* " (a-)drinking ", " drinking in ".
19. **que voulez-vous faire?** " what could I do? "
21. **me voilà parti:** " (here) I was on my way ".
26. **mais personne:** i.e., **mais (il n'y avait) personne.**
27. **m'apparut:** " appeared before me ".

Page 27

3. **du temps de Sedaine:** the general atmosphere and furnishings of the house remind the author of the stage settings characteristic of the plays of Sedaine, a writer of drama and light-opera librettos of the 18th century.
14. **à pommettes roses:** " with rosy cheeks ", " rosy cheeked ". Cf. **à volets gris,** page 25, line 12.
22. **Il n'y avait d'éveillé . . . que:** " The only thing awake . . . was ".
38. **en faisant:** i.e., **en disant.**

Page 28

15. **c'était ce qu'on peut imaginer de plus touchant:** " was the most touching thing imaginable ".
17. **d'un mot:** " with a single word ".
21. **ça:** " they ". **Ça** is frequently used familiarly instead of a personal pronoun. Read « **ils n'ont qu'une . . .** »
22. **elle:** i.e., **la goutte de sang.**
26. **qu'on a ouverte toute grande:** " which had been opened wide ". Here the perfect tense replaces the pluperfect for the sake of vividness.
28. **les petites bleues:** i.e., **les petites filles habillées en bleu.**

Page 29

1. **faisait:** i.e., **disait.**
2. **un si brave enfant:** " such a good child ".
5. **c'étaient:** i.e., **il y avait.**
19. **Mais j'y pense:** " Now that, or since, I think of it ". Note that the preposition **à** of **penser à** plus its object **le,** " it ", change to **y.**
25. **il faut voir:** " you should have seen ".
27. **assiettes à fleurs:** " plates with floral designs ", " flowered plates ".
29. **Je crois bien:** " I should say ".
32. **Nous autres:** " As for us ". **Autres** is frequently added familiarly to **nous, vous,** to distinguish one group of people from the rest.
34. **à quelque heure qu'on les prenne:** " at whatever hour one comes upon them ".
36. **deux doigts de lait:** (" the height of two fingers of milk "); " a bit of milk ". The definite number **deux** of **deux doigts** is here used to indicate an indefinite number.

Page 30

1. **de quoi la nourrir elle et ses canaris:** " enough to feed her and her canaries ". Note that the disjunctive pronoun is required in composite subjects or objects.
2. **à moi seul:** " by myself alone ".
8. **occupé que j'étais:** " busy as I was ".
13. **où:** " when ", " in (*or* at) which ". **Où** frequently replaces **quand** as a relative.
26. **dont on voulait me faire l'ouverture:** " which they wished to open for me ", i.e., (in my honor).
27. **et, monté:** i.e., **et, (étant) monté.**
35. **avec lui:** " with it ", i.e., **(le bocal).**

Page 31

5. **Que voulez-vous!** " What can you expect! "
12. **que:** " as ".
18. **l'aidait à passer les manches:** " helped him into the sleeves ".
18. **tabac d'Espagne:** i.e., **(couleur de) tabac d'Espagne;** ***tr.*** " snuff-colored ".
26. **Entre nous:** " Between you and me ", " Between us ".
30. **à mon bras:** " at my side ".
32. **avait:** i.e., **faisait;** ***tr.*** " made " or " gave ".

Page 32

1. **on se bat depuis deux jours:** " they have been fighting for two days ". In French the present tense used with **depuis** is usually rendered into English by the present progressive tense.
1. **qu'ils:** " as they ". **Que** is generally used to vary the use of conjunctions such as **quand, lorsque, comme,** and the like.
3. **voilà . . . laisse:** " for three mortal hours they have been allowed ".
8. **tout debout:** " standing right up ". This use of **tout** strengthens and emphasizes the condition indicated by **debout.**
9. **se voient:** " are seen ", " can be seen ". An excellent example of the reflexive substituted for the English passive.
11. **pas de feu:** " no fire ". When the verb is omitted, but understood, **ne** is likewise omitted, and the correlative **pas** by itself denotes negation.
30. **soient partis:** " are gone ". The subjunctive is required after the conjunction **quoique.**

Page 33

3. **de si vilaine boue:** " such nasty mud ".
7. **sans:** " without ", i.e., " if it were not for ".
13. **promenant . . . son râteau:** " dragging his rake ". Here **promener** is a transitive verb.
15. **laisse voir:** " allows to be seen ", " reveals ". A transitive infinitive after **faire** or **laisser** has a passive force.
17. **toute une fin de repas . . . partis:** " the end of a meal with the guests gone ".
20. **voilà pourquoi:** " that is why ". **Voilà** is frequently used instead of **c'est** for added emphasis.
21. **saurait:** besides its usual meaning of " would know ", the conditional of **savoir** frequently has the same meaning as the present or conditional of **pouvoir.**
24. **sa faiblesse à ce grand homme:** " the one weakness of this great man ". The idea contained in the possessive adjective **sa** is emphasized and made clearer by means of this indirect object construction.
39. **ganté de clair:** " wearing light-colored gloves ".
39. **qui est de première force au billard:** " who ranks high *or* excels at billiards ".

Page 34

5. **Attention:** i.e., **(Faites) attention:** " Be careful ".
9. **vous étiez dehors . . . à salir . . . à ternir:** " you were outside . . . soiling . . . tarnishing ". The preposition **à** is governed by **étiez.** For the value of this **à** see Note to page 26, line 18.
12. **Les billes . . . croisent leurs couleurs:** i.e., " The (colored) billiard balls flash by ".
12. **Les bandes rendent bien:** " The cushions are lively ".
21. **Est-ce que les Prussiens attaqueraient?** " Could the Prussians be attacking? " The conditional is frequently used in French to express probability or conjecture.
22. **qu'ils attaquent:** " let them attack ". A good example of the so-called independent use of the subjunctive, i.e., subjunctive used as an imperative.

23. **A vous de jouer:** i.e., (**C'est**) **à vous de jouer,** " (It's) your turn to play ".
25. **Turenne endormi sur un affût:** the story goes that the famous general, Henri de La Tour d'Auvergne, vicomte de Turenne (1611–1675), when a child was found asleep on a gun-carriage.
35. **Quand je vous disais:** " Haven't I told you ", " Just as I have told you ".
39. **Ce que c'est pourtant que d'être jeune!** " That's what it is to be young, though! "
39. **Le voilà qui perd la tête:** " And see how he loses his head ".

Page 35

1. **deux séries, qui lui donnent presque partie gagnée:** " two runs, which nearly give him the game ".
6. **Il faut voir:** " You should see ".
13. **nom de . . . D . . .!** i.e., **nom de Dieu,** a forcible French oath; *tr.* " dash it! "
19. **Rien à faire:** i.e., (**Il n'y a**) **rien à faire.**
25. **cela chauffe:** " things are getting warm ", i.e., the game is getting exciting.
30. **ne joue plus que pour un:** i.e., **ne joue plus que pour un (point),** " has only one more point to win ".

Page 36

1. **vous m'en direz des nouvelles:** " you will give me your impression of it ", i.e., " you will tell me what you think of it ".
3. **deux doigts:** in familiar speech a definite number is frequently used to indicate an indefinite number; *tr.* " a little *or* a bit ".
5. **J'en eus l'estomac tout ensoleillé:** (" My stomach was entirely filled with sunshine from it "). *Tr.* " My stomach glowed from it ".
9. **votre moulin:** many of Daudet's stories contain references to the mill where he lived when writing the *Lettres de mon Moulin*, of which *L'élixir du Révérend Père Gaucher* is one.
12. **sans y entendre malice:** " with no malicious intention in mind ".
14. **Chemin de la croix:** " Way of the Cross ", " Stations of the Cross ", a series of fourteen scenes representing the principal incidents in the passion and death of Christ.
22. **s'en allaient en morceaux:** " were crumbling to pieces ".
25. **debout:** " standing ", " intact ", " left whole ".
25. **pas une porte qui tînt:** " not a door which held, *or* was fast, on its hinges ".

Page 37

9. **Les étourneaux vont maigres . . . troupe:** " Starlings fare poorly when they travel in flocks ". Evidently a proverb of the locality described in the story.
11. **en étaient arrivés eux-mêmes à se demander:** " had themselves come to the point of wondering ".
11. **s'ils ne feraient pas mieux:** " whether they would not be better off ". When **si** is followed by the future or conditional it generally has the meaning of " whether ".
13. **que:** " when ". **Que** frequently replaces another conjunction such as **quand, lorsque,** and the like.
24. **fin comme une dague de plomb:** " sharp as a lead dagger ", i.e., with no power of penetration.

26. **et des bras!** " and such, *or* what, arms! "
33. **fit-il:** i.e., **dit-il.**
38. **Vous savez bien tante Bégon:** i.e., **Vous savez bien (qui était) tante Bégon.**
39. **Dieu ait son âme:** i.e., (que) **Dieu ait son âme;** *tr.* " God rest her soul ".

Page 38

1. **après boire:** more usual **après avoir bu.**
7. **Il y a belles années de cela:** " It is many a year since that (time) ", " That was many a long year ago ".
26. **pas une grange qui n'eût:** " not a barn which did not have ". The subjunctive is required in a clause introduced by a relative pronoun when the principal clause contains a general negation.
36. **il n'en fut plus question:** " one no longer spoke of, *or* referred to, him (as **Frère Gaucher**).

Page 39

18. **Il fallait voir:** " You should have seen ".
31. **se disait le Révérend en lui-même:** " the Reverend would say to himself ".

Page 40

3. **en coup de vent:** " like a gust of wind ".
7. **Qu'a donc . . .?** " What in the world is the matter with . . .?
11. **allaient toujours:** " kept on going ", " continued on ".
30. **séchera:** " will dry up ", i.e., " will vanish ", " will be forgotten ". Verbs with the stem-vowel **é** (as **sécher**) change the **é** to **è** regularly whenever the next syllable contains a mute **e**, except in the future and conditional. Here the **é** is always retained in spelling, but the pronunciation is regularly **è**.
36. **Vous aurez eu la main trop lourde:** " Your hand must have been too heavy ", i.e., You must have poured out too much cordial. A good example of the future perfect of probability or conjecture.

Page 41

9. **écoutez encore un peu que je vous dise:** " listen a bit more so that I may tell you (what you should do) ".
12. **Voilà deux soirs que je lui trouve:** " During the last two nights I have found in it ".
16. **si elle ne fait pas assez la perle:** " if it does not bead sufficiently ", i.e., does not form little bubbles when poured into a glass.
19. **maintenant que vous voilà prévenu:** " now that you are, *or* have been, warned ".
21. **pour vous rendre compte:** " in order to make your test ".
22. **mettons vingt gouttes:** " (let us) say, twenty drops ".
24. **tout accident:** " any mishap whatsoever ".
31. **Le jour:** i.e., **(Pendant) le jour.**
34. **brûlées de parfums et de soleil:** (" browned by the sun and by their essential oils "); *tr.* " suffused with perfume and sunlight ".

Page 42

3. **Il n'y avait que la vingt et unième:** " It was only the twenty-first one ".
6. **il montait:** " there arose ".
7. **venait rôder:** " came and hovered ".

9. **Penché dessus:** " Leaning over (it)."
17. **le corps abandonné:** " his body relaxed, *or* limp ".
22. **par je ne sais quel sortilège:** " by means of I know not what sort of sorcery ".
24. **s'en va-t-au bois:** on the analogy of **a-t-il, a-t-elle,** and similar forms, the illiterate sometimes insert a **t** where it does not belong, in order to avoid hiatus. This frequently occurs also in songs: cf. *Malbrough s'en va-t-en guerre.*
25. **la fameuse:** i.e., **la fameuse (chanson).**
28. **faisaient:** i.e., **disaient.**
29. **vous aviez des cigales en tête:** " you had crickets in your head ", i.e., " you were full of cheer ".
32. **rien ne pouvait:** " nothing availed ".
34. **pleuvaient:** i.e., **pleuvaient (en si grand nombre) que . . .** *Tr.* " flowed in so copiously ".
35. **Il en venait:** " Some came ".
37. **un petit air de:** " somewhat the appearance of ".

Page 43

4. **je vous en réponds:** " I give you my word for it ".
6. **son inventaire de fin d'année:** " his report for the year ".
13. **Ce qu'il y a?** i.e., **(vous voulez savoir) ce qu'il y a?** " (You want to know) what the matter is? "
13. **Il y a que:** " The matter is that ".
19. **j'en suis là:** " I have come to that (condition)."
21. **faites faire l'élixir par qui vous voudrez:** " let the cordial be made by whomever you may wish ".
32. **j'en ai . . . qui me prennent:** " I get into a cold sweat from it ", i.e., " I become frightened because of it."

Page 44

1. **sans en demander davantage:** " without asking any more about it ".
19. **si:** " what if ", " suppose ".

Page 45

4. **aux poings énormes:** " with enormous fists ".
7. **veux-tu en être?** " Do you want to be one of it? " i.e., of the conspiracy; *tr.* " Do you want to be one of us? "
9. **flatté d'être de quelque chose avec:** " flattered to belong to something with ", or " flattered to be noticed by ".

Page 46

4. **Aussi . . . étais-je en admiration devant lui:** " And so . . . I stood in admiration before him ".
10. **prendre nos rangs:** " to take our places in line ".
12. **au moins:** this expression, when used colloquially in southern France, is practically meaningless; *tr.* here, " I hope ".
20. **du diable:** " the devil take me ".
24. **Son père . . . avait fait le coup de feu en 51:** " His father . . . had taken part in the fighting of 1851 ". The coup d'état resulting in the election of Louis-Napoleon as President of the French Republic in 1851 was followed by uprisings in the provinces as well as in Paris.

31. **il le voulait savant:** construction for **il voulait qu'il fût savant;** *tr.* " he wanted him to be well educated ".

Page 47

1. **en quatrième:** " in the fourth-year class ". After completing their primary school work at about the age of twelve, the young French pupils enter the *lycée* or *collège* and remain there for seven years, when they are ready to take the examinations for the Bachelor's degree. This training represents approximately the equivalent of that given in our elementary schools, high school, and the first two years in college. Michu, at the age of eighteen, was at least two years behind his comrades.

4. **comme taillé à coups de hache:** " rough hewn (as with an axe) ".

11. **De bonne heure, son père avait dû en faire un homme:** " Early in life, his father must have made a man out of him ".

18. **il allait . . . des comédies humiliantes:** " sometimes he even went so far as to play humiliating rôles ".

22. **C'était là:** " That was ". This use of **là,** after **ce + être,** is an extension of its more common use after nouns modified by a demonstrative adjective: **ce livre-là.**

35. **Aussi . . . fallait-il voir:** " Hence . . . you should have seen ".

36. **s'allongeaient:** " lay ".

Page 48

2. **Il ne laisse rien, va; il n'en a pas de trop:** " He leaves nothing, either; he has none too much ".

8. **mettre leur appétit en grève:** " put their appetites on strike "; *tr.* " go on a hunger-strike ".

29. **Il alla . . . manger de pain:** " He even went so far as not to eat bread ". Cf. Note to page 47, line 18.

Page 49

1. **le gringalet de pion:** " this weakling of a monitor ".

5. **on nous envoya simplement coucher:** " they merely sent us to bed ". When preceded by **faire, laisser, entendre, voir,** or as here by **envoyer,** the infinitives of certain reflexive verbs regularly omit the reflexive pronoun object.

8. **l'avaient frappé au cœur:** " had struck him in the heart ", i.e., " had cut him to the quick ".

22. **dont une faim atroce devait troubler la tête:** " whose mind must have been confused by a gnawing hunger ".

34. **tonnait toujours:** " kept on thundering (booming *or* ringing out) ".

Page 50

23. **N'importe . . . les haricots!** " All the same, you left me in the lurch, me, who just adored codfish and beans! "

Page 51

2. **en grande fête:** " decked out as for a holiday ", " in holiday attire ".

7. **tant il avait bon air:** " so good looking was he ".

8. **se trouvait:** " was ". Another good example of the reflexive verb **se trouver** being used instead of **être.**

13. **ombrages:** " shade ". In French, the plural of certain nouns is used where in English the singular is required.

Page 52

3. **de longs rideaux . . . bruissantes:** " long rows of poplars form curtains of rustling tapestry ".
7. **un fond de parterre:** " a garden plot ", " a stretch of flower garden ".
16. **Elle trempait à moitié dans la Morelle:** " A part of it stood in the Morelle ".
16. **arrondit . . . un clair bassin:** " rounds out . . . into a clear pond ".
24. **en:** " on account of this ".
25. **son profil devenu étrange:** i.e., **son profil (qui était) devenu étrange.**
36. **avec des lenteurs d'escadre:** " with the majestic *or* stately movement of a squadron of ships ".
39. **Des fenêtres s'ouvraient:** " Windows opened ", i.e., " There were window openings ".

Page 53

18. **su:** " been able ". **Savoir** replaces **pouvoir** when mental ability is involved.
19. **On lui donnait . . . francs:** " He was believed to be worth something like eighty thousand francs ".
27. **Il travaillait toujours:** " He kept on working ".
33. **venait d'avoir dix-huit ans:** " had just reached her eighteenth birthday ".
35. **Jusqu'à quinze ans:** i.e., **Jusqu'à (l'âge de) quinze ans.**
38. **poussait mal et d'un air de regret:** " grew slowly and as if unwillingly ".
39. **elle prit une petite figure:** " she developed a nice little figure ".

Page 54

4. **loin de là:** " far from it ", or " far from that ".
21. **et lui dresser:** i.e., **et (faillirent) lui dresser.**
26. **il aurait dû travailler:** " he should have been working ".
30. **Il aurait eu un commerce . . . les vieilles femmes:** i.e., **S'il avait eu un commerce . . . cela n'aurait point surpris les vieilles femmes.**
37. **On pense:** " One can imagine ".
38. **Il avait son visage réfléchi:** " His usual thoughtful expression showed in his face ".

Page 55

1. **On se bouda:** " They sulked ".
7. **ils avaient dû s'aimer:** " they must have fallen in love ".
19. **su:** " found out ", " learned ". A frequent use of **savoir** in the perfect tense.
20. **Ce qu'il y a de certain:** " What is certain ", " One thing certain ".
23. **pour se faire aimer des filles:** " in order to make girls fall in love with him ".
27. **Lui non plus ne possédait pas:** i.e., **Lui non plus (il) ne possédait pas;** *tr.* " Neither did he possess ".
36. **avait son rire silencieux:** " laughed in his usual quiet way ".

Page 56

7. **que:** " when ". Another good example of **que** replacing a repetition of **quand.**
13. **Ça se doit:** " That is due ", " That is the proper thing ".

19. **l'empereur:** Napoleon III (Charles-Louis-Napoléon Bonaparte) son of Louis Bonaparte, a brother of Napoleon I. He was emperor of France from 1852 to 1870, when he declared war against Prussia. As a result of this war France was defeated and Napoleon III lost his throne.
22. **On allait se cogner dur:** " There was going to be some rough fighting ".
34. **les yeux perdus:** " staring into vacancy ".

Page 57

16. **à entendre dire:** " on account of hearing people say ".
18. **Bien sûr:** i.e., **(Il était) bien sûr.**
25. **des pantalons rouges:** " red trousers ". Red trousers were part of the uniform of the privates in the French army until the adoption of khaki in 1914.

Page 58

14. **allait et venait:** " was going back and forth ", " wandered about ".
15. **ce dont ils avaient besoin:** " what they needed ".
27. **un trou où elle tient:** " an opening into which it will fit ".

Page 59

1. **mais je loge:** i.e., **je peux loger.**
23. **s'était porté sur la route:** " had gone out on the highway ".
30. **Ils nous savent ici:** i.e., **Ils savent que nous sommes ici.**

Page 60

6. **on se laissait aller à sourire:** " they even permitted themselves to smile ".
8. **tourna sur lui-même:** " wheeled round ".
16. **tombait en se balançant:** " fell swaying to the ground ".
26. **Voilà le grand coup:** " Here comes the main volley ".
28. **que:** " when ", " before ".

Page 61

11. **à craindre:** " to be feared ".
22. **Ils y mirent beaucoup de prudence:** " They exercised a great deal of caution (in it) ".
27. **Allez!** " Now! " or " Fire! "

Page 62

9. **dont les craquements lui allaient au cœur:** " the splintering of which cut him to the quick ".

Page 63

15. **Une dernière décharge . . . le moulin:** " A final volley threatened to blow the mill away ".
31. **devaient avoir trouvé:** " must have found ".

Page 64

1. **Amusez-les:** " Detain them ", " Keep them occupied ".
12. **se fit remettre le prisonnier:** " had the prisoner turned over to him ".
18. **compagnies franches:** " free *or* home-guard companies ". These organizations were made up of volunteers and did not belong to the regular militia or army as did the **compagnies belligérantes.** They were not therefore entitled to receive the treatment accorded to uniformed soldiers.
28. **ne doit pas vous regarder:** " must be no business of yours."

Page 65

6. **les jambes brisées:** " unable to stand up ".
19. **reprise d'espoir:** " taking new hope ", lit., " revived by hope ".
37. **On ne fusillait . . . Il fallait voir:** " People were not shot down like that. It would be necessary to see about it ".

Page 66

2. **Il se chargeait de tout:** " He would take charge of everything ".
22. **C'en était donc fait:** " So everything was all over ".
34. **il fera jour:** " it will be daylight ", " will be a new day "; i.e., " we'll see clearly then ".
35. **Il avait pour principe:** " It was one of his principles, *or* firm convictions ".

Page 67

9. **Il devait marcher:** (She imagined that) " he must be walking ".
11. **il se fit un grand silence:** " there was a long period of silence ".
22. **avaient dû poster:** " must have stationed ".
30. **la maison n'avait plus un souffle:** i.e., **il n'y avait plus un souffle dans la maison.**
34. **l'heure lui sembla venue:** i.e., **l'heure lui sembla (être) venue.**

Page 68

2. **disparaissait:** i.e., **avait disparu.**
15. **elle:** i.e., **la fenêtre.**
25. **ouvrit:** i.e., **ouvrit (la fenêtre).**
34. **avait dû se coucher:** " must have lain down ".
39. **lui:** disjunctive form of pronoun used for emphasis.

Page 69

1. **que:** i.e., **comme,** " how ".
2. **Vous pouviez vous tuer:** i.e., **Vous auriez pu vous tuer:** " You might have killed yourself ", " You might have been killed ".
14. **nous voilà:** " here we are ".
30. **il doit y avoir des sentinelles:** " there must be sentinels there ".
32. **elle:** i.e., **la sentinelle.**
39. **sont:** i.e., **seront.**

Page 70

13. **le savoir en sûreté:** i.e., **savoir qu'il était en sûreté.**
14. **le soleil:** i.e., **le (lever du) soleil.**
16. **le voulait vivant:** " demanded that he should live ".
24. **Ils eurent chacun un soupir étouffé:** " Each smothered *or* stifled a sigh (of relief) ".
31. **avant de la savoir dans sa chambre:** i.e., **avant de savoir qu'elle était dans sa chambre.**
32. **elle laissa tomber:** " she called down ".

Page 71

25. **Il nous faut:** " We must have ".
27. **Tout ce que vous voudrez:** " Anything you like ".

Page 72

2. **il se sera fait son affaire:** " he probably killed himself ". **Another good** example of the future of probability and conjecture.
2. **Ça se voit:** " That's evident ", " Such things occur ".
6. **Elle avait dû s'asseoir:** " She had been obliged to sit down ".
17. **se rendit sur les lieux:** " he went to the place "; see Note to page 51, line 13, for explanation of the plural form of the noun.
24. **nous voilà propres:** " we're in a pretty fix ", " we're in a fine mess ".
26. **Il aura gagné les bois:** " He must have reached the woods ".

Page 73

21. **S'il vous en faut un absolument:** " If you absolutely must have one ".
36. **finissons-en:** " let's make an end of the matter ", " let's get it over with ".

Page 74

6. **je ne sais plus:** " I know no more about it ", " that's all I know about it ".
9. **je saurais . . . que je ne pourrais pas choisir!** " even if I knew where Dominic is, I should be unable to choose! "
11. **ce serait plus tôt fait:** " it would be over with sooner ".
14. **En voilà assez!** " Enough of this! "
24. **lui jetaient des mots:** " made remarks to her ".
32. **elle marcha devant elle:** " she walked straight ahead ".
32. **Où aller? i.e., Où (devrait-elle) aller?**

Page 75

21. **pour qu'il la sût près de lui: i.e., pour qu'il sût qu'elle était près de lui.**
24. **elle s'imagina le voir: i.e., elle s'imagina qu'elle le voyait.**
31. **pourquoi suis-je là!** " why am I here! "
37. **Elle restait debout:** " She was standing there ".

Page 76

13. **pour dans huit hours, voilà tout:** " a week later, that's all ".
15. **qu'as-tu?** " what is the matter with you? "
16. **J'ai couru pour venir:** " I ran to get here ", i.e., " I ran on the way "; she says this in order to explain her agitation.
32. **il y avait deux heures . . . le moulin:** this may also be expressed **elle avait quitté le moulin depuis deux heures,** " it was two hours since she had left the mill ".
33. **si nous avions besoin de toi:** " if we should need you ".

Page 77

17. **laisser . . . assassiner son père:** " allow her father to be murdered ". Another good example of the passive use of the infinitive after **laisser.**
23. **C'est mal:** " That's wrong ", " You did wrong ".

Page 78

33. **Ce fut: i.e., Il y eut.**

Page 79

2. **debout:** " standing ", i.e., " alive ".
11. **avait: i.e., faisait.**
16. **Autant valait-il:** " One might just as well ".
21. **canon:** i.e., artillery.

Page 80

3. **prenaient des bruits de sanglots:** " took on the sound of **sobs** ".
7. **que:** used instead of repeating **comme,** " as ".

Page 81

1. **Le capitaine Ledoux:** the author gives the captain this name, " Sweet ", in order to strike an ironic note at the very beginning of his cruel story.
4. **il fut amputé, et congédié:** " the hand was amputated, and he was discharged ".
12. **La paix:** i.e., The Second Treaty of Paris, 1815.
14. **Force lui fut:** an Old French construction still frequently used in modern French. The same idea may be expressed by **Il fut forcé.**

Page 82

1. **la traite . . . fut défendue:** in 1807.
5. **trafiquants de bois d'ébène:** " slave dealers ", " dealers in human ebony ". Author's Note—Nom que se donnent eux-mêmes les gens qui font la traite.
19. ***l'Espérance:*** the author gives an added touch of irony by naming the slave-ship " Hope ".
19. **Il voulut que:** " He required *or* stipulated that ".
23. **Arrivés:** i.e., **(Aussitôt qu'ils seront) arrivés.**
33. **cinq pieds en longueur et deux en largeur:** i.e., a space of those dimensions.

Page 83

2. **que l'on nomme:** " which are called ". The euphonic **l'** is placed before **on** to avoid hiatus, i.e., the coming together of two vowels which do not form a diphthong.
7. **que deviendrait-on?** " what would become of one, *or* of them? "
11. **il n'eut point à s'en plaindre:** " he had no reason to complain of them ".
15. **on ne peut plus:** " most ". This idiomatic way of expressing the absolute superlative is used very frequently by French writers; the same idea may also be expressed thus: **le moment était des plus favorables.**
18. **qui se sent la force:** i.e., **qui se sent (avoir) la force** *or* **qui sent qu'il a la force.**
29. **que:** " as ". **Que** is used here to vary the use of the conjunction **comme.**
31. **toile de Guinée:** coarse blue cotton cloth which white traders used to offer for sale or barter to the negroes in Guinea.

Page 84

21. **et ainsi des autres:** " and so (it was) with the rest ".
21. **S'agit-il de:** i.e., **S'il s'agit de.** This inversion is often employed in hypothetical sentences.

Page 85

8. **le faire rasseoir:** " in making him sit down again ". When preceded by **faire,** the infinitives of reflexive verbs such as **s'asseoir, se rasseoir,** and the like regularly omit the reflexive pronoun object.
15. **à la fin du panier:** i.e., when all the bottles had been emptied.
19. **frappa dans la main:** i.e., as a sign of agreement.
24. **Restait:** i.e., **(Il) restait;** *tr.* " There remained ".

Page 86

1. **je la tue:** in French, as in English, the present tense of the verb is frequently used instead of the future, to add greater force.
5. **à un autre!** " now another! ", " who's next! "
22. **où bon leur semblerait:** " wherever they wished ".

Page 87

6. **Bien donné ne se reprend plus:** i.e., **(Ce qui est) bien donné ne se reprend plus,** " What is given in good faith is not returned again "; *tr.* " A bargain is a bargain ".
20. **Il nous est mort cette nuit trois esclaves:** " Three slaves died on our hands last night ", " We had three slaves die on our hands last night ".
25. **et lui renonçant:** i.e., **et comme il renonçait.**
26. **peu lui importait:** i.e., **il lui importait peu.**
29. **il eût:** i.e., **il aurait.**
37. **Revenu:** i.e., **(Étant) revenu.**

Page 88

22. **lui vit-on ouvrir les yeux:** the verbs **laisser, voir, entendre** may follow the principle of causative constructions (**faire** + infinitive) and employ an indirect personal object, when the infinitive has a direct object. The same idea may be expressed **le vit-on ouvrir les yeux;** *tr.* " was he seen to ", etc.

Page 90

2. **comme c'est simple, cela ne comprend rien:** " as they are simple, they understand nothing ". **Ce** and **cela** are sometimes used instead of a personal pronoun in familiar or contemptuous reference to persons.
10. **un air à porter le diable en terre:** " a tune sufficiently hideous to drive the devil to his grave ". For the value of this use of preposition **à**, see Note to page 16, line 17.
12. **ce qui leur pendait à l'oreille:** (" what was hanging on their ears "), " what they had to expect ", " what sort of music they were going to face ".
13. **sort:** i.e., **(il) sort,** " there comes out ".
25 **les battaient comme plâtre:** " beat them to a pulp ".
26. **qu'est-ce que c'était donc que:** " what was ", " what was the meaning of? "
30. **Cela n'est pas plus malin:** " That is not more clever ", i.e., " That's all it is ".

Page 91

1. **la petite mère que voici:** " this little woman here ", i.e., Ayché.
14. **dans tout:** " throughout ".

Page 92

14. **il avait vu faire à des matelots:** " he had seen sailors make ".
18. **bien hardi celui qui:** i.e., **bien hardi (serait) celui qui.**
34. **Il fit toucher la lime à ses voisins:** " He had his neighbors touch the file ".
35. **toute grossière qu'elle était:** " obvious *or* elementary though it was ".

Page 93

26. **le chant guerrier:** " Author's Note—Chaque capitaine nègre a le sien.

Page 94

7. **il aurait bon marché de ses complices:** " he would make short work of his confederates ".

33. **l'on**: another good example of the euphonic **l'** placed before **on** to avoid hiatus.

Page 95

5. **Rien n'est donc fait**: " Nothing is settled then ", " We are then no better off than before ".
23. **si stupide qu'il fût**: " however stupid he was ".
36. **eût dit**: another good example of the pluperfect subjunctive replacing the conditional perfect.

Page 96

9. **ne trouvait plus de prise**: " had nothing against which to blow "; i.e., because the masts and sails were down.
36. **qu'on se représente**: " let one picture to himself ", " let one visualize ".

Page 98

4. **ces grandes maisons de bois**: i.e., these large ships.
16. **il avait entendu dire à sa mère**: " he had heard his mother say ".
30. **Le canot**: i.e., The people in the boat.
32. **montaient la chaloupe**: " were in the longboat ".
35. **ce qu'il devint**: " what became of it ".

Page 99

14. **qui lui restait**: " which he still had ".
20. **l'air de sa famille**: see Note to page 93, line 26.

Page 101

1. **de ne savoir**: " of not knowing ". The negative particle **pas** of **ne . . . pas** is generally omitted after **pouvoir, savoir,** and **oser.**
14. **En attendant que . . . résolve**: " While waiting until . . . settles ". The subjunctive is required after conjunctions expressing time before which or up to which, such as **avant que, jusqu'à ce que, en attendant que,** and the like.
20. **Certain jour**: " A certain day ". In French, the indefinite article is generally omitted before this adjective, which, when it precedes a noun, is equivalent to **un.**

Page 102

2. **que**: " when ", " before ", is the usual correlative with **à peine.**
5. **Il était impossible**: i.e., **Il aurait été impossible.**
5. **un lieu qui promît**: " a spot which promised ". The subjunctive is required when the antecedent of the relative is indefinite.
8. **Cinq à six**: i.e., **Cinq ou six.**
12. **qu'on n'en eût trouvé**: i.e., **qu'on n'en aurait trouvé.** The untranslated **ne** is generally used in clauses introduced by **que** when the latter has the sense of English " than ".
13. **A moi n'appartenait pas l'honneur**: the author employs an unusual word order here to emphasize the pronoun **moi**; *tr.* " Mine was not the honor ", " The honor . . . was not mine ".
19. **au regard sombre et fier**: " with a somber and proud look ".
19. **avait dû être beau**: " must have been fine (once) ".
24. **d'en entendre parler**: " of hearing them talked about ". When verbs of

perception such as **entendre, voir,** and **sentir** are followed by an infinitive, the pronoun object of the infinitive is placed before the first verb. Furthermore, the infinitive is rendered into English by the passive.

24. **de n'en rencontrer jamais:** the more frequently used order would be: **de ne jamais en rencontrer.**
29. **l'homme à l'espingole:** " the man with the blunderbuss ". The preposition **à**, introducing an adjectival phrase, has the sense of " with ". See Note to line 19, above.
39. **les mauvais soldats de Gédéon:** Gideon, conqueror of the Midianites, refused to accept for service any man who drank in this unsoldierly manner. See *Judges*, vii, 4 ff.

Page 103

2. **n'avoir pas:** the more usual order is **ne pas avoir.**
6. **Ne croyant pas devoir:** i.e., **Ne croyant pas que je devais.**
7. **de ma personne:** i.e., **de moi.**
16. **qu'il faisait entendre:** " that he uttered ".
17. **à la manière andalouse:** Author's Note—Les Andalous aspirent l'*s*, et la confondent dans la prononciation avec le *c* doux et le *z*, que les Espagnols prononcent comme le *th* anglais. Sur le seul mot Señor on peut reconnaître un Andalous.
26. **comme il y avait longtemps que je n'avais fumé!** " how long it has been since I have smoked! " The negative particle **pas** is omitted in compound tenses used after **il y a** + *expressions of time* + **que** *with negative;* it is required in simple tenses.
29. **ne:** a good example of the redundant **ne** required in the second member of a comparison of inequality when the first member is not negative.
30. **bien qu'il se dît:** " although he said he was ". It is more customary to express the same idea thus: **bien qu'il dît qu'il était.** The subjunctive is required after conjunctions of concessive nature such as **bien que** and **quoique.**
37. **ce qui:** " which ". This compound relative is required here because the reference is to the entire preceding clause—**Il critiqua le mien.**

Page 104

3. **en:** " about the matter ", i.e., **qu'il avait fait trente lieues dans un jour . . .**
19. **sans que j'en devinasse . . .:** " without my guessing . . ." The subjunctive is required after conjunctions of negative force.
38. **Je ne doutai pas que je n'eusse:** negative verbs of doubting are usually followed by the subjunctive and redundant **ne.**
39. **que m'importait?** i.e., **que m'importait-il?** The impersonal subject of **importer** is frequently omitted.

Page 105

4. **ce que c'est qu'un brigand:** " what a brigand is (like) ".
6. **on le sent:** i.e., **on sent qu'il est.**
9. **Bien entendu que:** i.e., **(Il est) bien entendu que;** *tr.* " Of course ".
12. **dont les exploits . . . bouches:** " about whose deeds everybody was speaking ".
12. **Si j'étais?** " What if I were? ", " Suppose I were? " **Si** is frequently

used with the imperfect tense to introduce a suppositional and exclamatory statement when the result is not expressed.

24. **Plus de doute!** i.e., **(Il n'y a) plus de doute!**
28. **une des plus misérables . . . rencontrées:** " one of the most wretched that I had yet encountered ". The subjunctive is required in a clause introduced by a relative pronoun when the antecedent is qualified by a superlative.

Page 106

2. **que!** " how! " **Que** is frequently used instead of **comme** to introduce an exclamatory statement. The adjective involved stands at the end of the clause, instead of at the beginning, as in English.
5. **seigneur don José!** Merimée is here obviously translating the Spanish *Señor don José.* Omit **seigneur** in translation.
10. **meilleur que je ne m'y attendais:** " better than I was expecting ".
18. **en jouer:** " to play it ". Note that **jouer de** is used with a musical instrument, but **jouer à** with a game.
23. **de si excellents cigares:** " such excellent cigars ".
24. **s'étant fait donner la mandoline:** " (after) having had the mandoline turned over to him ".
27. **Si je ne me trompe:** " If I am not mistaken ". The particle **pas** of **ne . . . pas** is frequently omitted in the so-called " if clause " of conditional sentences.
29. **les *Provinces:*** Author's Note—*Les Provinces privilégiées*, jouissant de *fueros* particuliers, c'est-à-dire l'Alava, la Biscaïe, la Guipuzcoa, et une partie de la Navarre.
39. **absorbé qu'il était:** (" absorbed that (*or* as) he was "), " so absorbed was he ".

Page 107

7. **Couche ici:** " Sleep here ", " Spend the night here ". Distinguish from **se coucher,** " to lie down ", " to go to bed ".
9. **Je crains que le cheval . . . ne soit malade:** the subjunctive is required after an expression of fear; redundant **ne** is required if the subsequent clause is affirmative.
10. **je voudrais que Monsieur le vît:** " I should like you, sir, to see him ". The subjunctive is required after a verb of volition. Note the use of the polite third person instead of the direct address.
11. **ce qu'il faut lui faire:** " what to do for him ".
14. **au point où nous en étions:** (" at the point where we were regarding the matter "), " as matters stood ".
16. **je n'entendais rien aux chevaux:** " I knew nothing about horses ".
18. **le cheval n'avait rien:** " nothing was the matter with the horse ".
19. **le trouvait . . . si précieux:** i.e., **le trouvait (être) . . . si précieux.**
29. **Je me croyais:** i.e., **Je croyais que j'étais.**
35. **dormait du sommeil:** " was sleeping the sleep ".
36. **je fis si bien:** (" I did so well "), " I was so careful ".
37. **je m'étendis dessus:** " I stretched out on it ".

Page 108

14. **de:** " in ". **De** after a superlative is usually rendered in English by " in ".
16. **que m'importe?** see Note to page 104, line 39.

19. **pour qui le livrera**: i.e., **pour (celui) qui le livrera**; *tr.* "for the person who will hand him over (to the law)".
19. **Je sais un poste de lanciers**: i.e., **Je sais (où est) un poste de lanciers.**
22. **le Navarro**: a good example of the colloquial use of the definite article with a proper name.
23. **Que le diable vous emporte!** "May the deuce take you!" A good example of the use of the so-called independent subjunctive, or modified imperative, in exclamatory statements.
24. **pour le dénoncer**: it would be more exact to say here: **pour que vous le dénonciez**; *tr.* "that you should give information against him".
30. **Tant qu'il vous saura là**: "As long as he knows that you are there". French regularly uses the future after such conjunctions as **quand, lorsque, tant que,** and the like when futurity is implied, while English uses the present.
35. **J'essayai prières et menaces**: i.e., **J'essayai (des) prières et (des) menaces.**
37. **deux cents ducats ne sont pas à perdre**: "two hundred ducats are not to be lost", i.e., not to be refused.
39. **il sautera sur son espingole**: "he will seize his blunderbuss".

Page 109

1. **Moi, je suis trop avancé**: "*I* have ventured too far".
3. **il piqua des deux**: i.e., **il piqua des deux (éperons),** "he dug both spurs in", "he fiercely spurred his horse".
14. **j'ai une sotte question à vous faire**: "I have a foolish question to ask you".
18. **Peu importe**: i.e., **Il importe peu.**
19. **il me le payera**: "he will pay me for it", i.e., "I'll get even with him for it".
22. **Ce ne peut être**: another good example of the omission of **pas** with the verb **pouvoir.**
28. **son compte est bon!** "his account is good!", i.e., "I'll pay him back sometime!"
29. **Dieu vous rende**: i.e., **(Que) Dieu vous rende**; *tr.* "May God repay you (for)".

Page 110

11. **est-ce un préjugé que cet instinct . . .**: i.e., **est-ce que cet instinct . . . est un préjugé . . .,** "is that impulse . . . a prejudice". Note that in this so-called emphatic inversion **que** introduces the real subject of the sentence.
21. **son habitude**: i.e., **l'habitude de Don José.**

Page 111

7. **ce sont**: i.e., **il y a,** "there are".
15. **graisser la patte au sonneur**: "to bribe the bell-ringer".
17. **grand jour**: "broad daylight".
19. **des plus simples**: "most *or* extremely simple". Cf. Note to page 83, line 15.
20. **De mon temps**: "In my day".
28. **vêtue, tout en noir**: "dressed, all in black". The adverb **tout** remains invariable except before a feminine adjective beginning with a consonant or aspirate **h,** when it becomes **toute.**

29. **Les femmes comme il faut:** " Well-bred women ", " Respectable *or* reputable women ".
33. **bien faite:** " well formed ".
37. **j'en avais de tels:** " I had some such ", " I had some of that kind ".

Page 112

4. ***nevería:*** Author's Note—Café pourvu d'une glacière, ou plutôt d'un dépôt de neige. En Espagne, il n'y a guère de village qui n'ait sa *nevería*.
6. **Je fis sonner ma montre:** " I made my watch strike the time ".
8. **chez vous:** " in your countries ".
9. **Anglais sans doute?** Author's Note—En Espagne, tout voyageur qui ne porte pas avec lui des échantillons de calicot ou de soieries passe pour un Anglais, *Inglesito*. Il en est de même en Orient.
14. **à votre doux parler:** " by your soft speech ". A good example of the verbal noun, i.e., infinitive used as noun.
16. **qui je suis:** " what I am ". **Qui** refers to her race and not to her name.
22. **vous seriez . . . Mauresque:** " you must be Moorish ". A good example of the conditional of probability or conjecture.
25. ***la baji:*** Author's Note—La bonne aventure.
27. **il y a de cela quinze ans:** " it is fifteen years since then "; ***tr.*** " fifteen years ago ".
32. **Sortant:** i.e., **(En) sortant.**
36. **je n'en conservais pas moins:** " I kept nevertheless ".

Page 113

4. **en si bonne compagnie:** i.e., **en si mauvaise compagnie.** A good example of Mérimée's characteristic irony.
7. **que j'aie:** the subjunctive is required here after the superlative force of the preceding clause.
16. **laissant voir:** " allowing to be seen ", i.e., " revealing ", " displaying ". After **faire** and **laisser** the English passive is expressed by an infinitive.
30. **il eût été:** " it would have been ". Another good example of the pluperfect subjunctive used instead of the conditional perfect.

Page 114

2. **nous ouvrit:** i.e., **nous ouvrit (la porte).**
3. **sus:** " learned ", " found out ". **Savoir,** in the perfect and preterite tenses, often has this meaning.
25. **le seul mot que je comprisse:** " the only word that I understood ". The subjunctive is required in a clause introduced by a relative pronoun when the antecedent is qualified by a superlative or an expression of superlative force, like **le seul, le premier, le dernier.**
29. **à part moi:** " within myself ", " secretly ".
38. **Toujours la même!** i.e., **(Tu es) toujours la même!**

Page 115

8. **ne fût:** the subjunctive and redundant **ne** are used here because the preceding clause has the force of a verb of fearing.
25. **pour qu'il voulût bien la faire chercher:** " to please have it looked for ". The subjunctive is required after such conjunctions as **pour que** and **afin que.**

32. **l'antique capitale des princes musulmans:** Cordova, which was the capital and richest city of the Moslem caliphate from 756 to 1031.
39. **des *Pater* et des *Ave:*** Latin words such as *Pater* and *Ave* do not take the plural *s*.

Page 116

2. **car pour volé nous savons que vous l'êtes:** literally "for, as for having been robbed, we know you were"; *tr*. "though we knew that you had been robbed".
11. **homme à tirer un coup de fusil à un chrétien:** "a man capable of shooting a Christian". For the value of the preposition **à**, see Note to page 16, line 17.
12. **de peur qu'il ne vous eût tué:** the subjunctive and redundant **ne** are required after an expression of fear in the preceding clause.
14. **là-bas:** "over there", i.e., in France.
19. **il est bien recommandé:** ("he is well recommended"), "the charges against him are conclusive".
21. ***garrotté:*** Author's Note—En 1830, la noblesse jouissait encore de ce privilège. Aujourd'hui sous le régime constitutionnel, les vilains ont conquis le droit au *garrote.*
23. **Plût à Dieu qu'il n'eût que volé!** "Would to God that he had only robbed!" The second subjunctive **eût** is required after the idea of wishing contained in the first verb.
29. **ni vous ni moi ne prononcerons jamais:** i.e., because Basque family names are so difficult to pronounce.
29. **homme à voir:** "man worthy of being seen".
32. **Il est en chapelle:** "He is in the death-chamber". Formerly in Spain, a criminal about to be executed was "sent to prayers", i.e., **mis en chapelle.**
34. **«*petit pendement pien choli*»:** i.e., **petit pendement bien joli.** This quotation is taken from one of Molière's plays, *Monsieur de Pourceaugnac*, Act III, Scene 3. Mérimée finds it applicable in this instance to ridicule the pronunciation of this Dominican, who is probably of foreign birth.

Page 117

10. **personne, que je sache:** "nobody, so far as I know". The subjunctive is used here because the antecedent **personne** is both indefinite and of superlative force.
14. **Oserai-je:** "May *or* might I venture". The future of **oser** is frequently used as the equivalent of some tense of **pouvoir** followed by an infinitive.
37. **On voulait que je fusse d'église:** "They wanted me to be a priest".

Page 118

3. **nous autres Navarrais:** "we Navarrese". **Autres** is often added familiarly to **nous, vous,** to distinguish one group of people from the rest.
3. **que:** "when". **Que** frequently occurs as a substitute for **quand.**
4. ***maquilas:*** Author's Note—Bâtons ferrés des Basques.
11. **vous aurez vu:** "you must have seen". Another good example of the future perfect of probability or conjecture.
18. **Vous saurez:** i.e., **Vous devez savoir;** *tr*. "You probably know".
21. **le *vingt-quatre:*** Author's Note—Magistrat chargé de la police et de l'administration municipale.

24. **leur en content de toutes les couleurs:** " tell them all sorts of things ".
28. **je pensais toujours au pays:** " I was always thinking of my old home ".
30. **jupes bleues . . . les épaules:** Author's Note—Costume ordinaire des paysannes de la Navarre et des provinces basques.
31. **je n'étais pas encore fait à leurs manières:** " I was not yet accustomed to their manners ".
32. **toujours à railler:** " always joking ". See Note to page 26, line 18, for value of **à.**
33. **J'étais donc le nez sur ma chaîne:** " I was, then, deeply engrossed in my chain ".

Page 119

21. **épinglier de mon âme!** " Mérimée is obviously translating the common Spanish phrase: *de mi alma,* " of my soul "; *tr.* " my dear pin-maker ".
34. **d'y aller voir:** " to go there and investigate ".
35. **qu'entré:** i.e., **qu'étant entré.**
38. **un vacarme à ne pas entendre Dieu tonner:** " an uproar loud enough to drown out God's own thunder ".
39. **les quatre fers en l'air:** as if describing a horse which lay on its back " its four shoes in the air "; *tr.* " sprawled out on her back ".

Page 120

3. **Confession!** i.e., " I wish to make my confession before dying "; *tr.* " A priest! "
4. **je suis morte:** i.e., **je meurs.**
10. **une langue:** i.e., **une (mauvaise) langue,** " a wicked *or* sharp tongue ".
10. **tu n'as donc pas assez d'un balai?** " isn't a broom sufficient? " i.e., (since you are a witch and witches usually ride broom-sticks).
14. **avec son âne:** referring to the custom of placing criminals on an ass to take them to the place of execution.
36. **Mon officier:** " Officer ". Carmen realizes that a corporal would feel deeply flattered to be addressed as an officer. Note that a few lines below she addresses him as **Seigneur officier,** " Mr. Officer ".

Page 121

4. **vous fera aimer de toutes les femmes:** " make you beloved by all the women ".
8. **Faites-en boire . . . elle ne résiste plus:** " Have a woman drink a bit of it sprinkled in a glass of white wine, and she will no longer resist you ".
14. ***baï, jaona:*** Author's Note—Oui, monsieur.
18. **en Portugal:** as the gender of Portugal is masculine this is more properly written: **au Portugal.** However, on the analogy with **en France, en Allemagne, en Angleterre, en Catalogne,** and by far the larger number of European countries, the illiterate frequently use **en Portugal.**
22. **êtes-vous du pays?** " do you come from the (Basque) country? "
34. ***barratcea:*** Author's Note—Enclos, jardin.
35. **si j'étais au pays!** " if I were only at home! "
37. **se sont mises toutes contre moi:** " all united against me ".
38. ***jaques:*** Author's Note—Braves, fanfarons.

Page 122

7. **la disaient:** i.e., **disaient qu'elle était;** *tr.* " showed her to be ".
9. **mal parler:** the more usual order is **parler mal.**
16. **m'amie:** archaic form of **mon amie,** " my dear ", but more affectionate and familiar.
23. **les siennes en valaient bien d'autres:** " hers were worthy of (all others mentioned in) the proverb ".
25. **lance:** Author's Note—Toute la cavalerie espagnole est armée de lances.
30. **En moins de temps . . . le dire:** " In less time than I take in telling you about it ". The redundant **ne** is required in the second member of a comparison, when the first member is affirmative.
33. **nous en revenir:** " come *or* go back ". Compare the form **s'en revenir** with the very common verb **s'en aller.**
37. **d'une tant petite fille:** " of such a small girl ".

Page 123

6. **tout au moins:** " at the very least ".
7. **un négro:** term originally applied in Spain to a member of the Liberal party of 1820–1823; *tr.* " a liberal ".
12. **il te faudra travailler:** " you will have to work ".
15. **est à voler:** " is in the act of stealing ". For value of the preposition **à** see Note to page 26, line 18.
21. **je n'en voyais pas une seule qui valût:** the subjunctive is required after **seule,** a word of superlative force.
21. **cette diable de fille-là:** " that devilish girl ". The demonstrative adjective here agrees with **fille** because the phrase **diable de** has the value of an adjective.
25. **pain d'Alcalà:** Author's Note—Alcalà de los Panaderos, bourg à deux lieues de Séville, où l'on fait des petits pains délicieux. On prétend que c'est à l'eau d'Alcalà qu'ils doivent leur qualité et l'on en apporte tous les jours une grande quantité à Séville.
37. **on se moquait . . . était scié . . . je changeais:** " one could laugh at . . . could be sawed . . . could change ".

Page 124

2. **Vous pensez bien:** " You may believe ".
5. **mon honneur de soldat:** " my honor as a soldier ".
8. **vous:** this pronoun refers to the preceding **on.**
13. **on me commanda de service:** " I was ordered to go on duty ".
17. **on se sent quelque chose:** i.e., **on se sent (être) quelque chose.**
22. **à ce qu'on disait:** " according to what was said ".
25. **Qu'est-ce que?:** " What? " **Qui est-ce que?,** " Whom? ", would be more usual.
36. **Je ne sais:** i.e., **Je ne sais (pourquoi).**
38. ***Agur laguna:*** Author's Note—Bonjour, camarade.

Page 125

4. **la grille:** Author's Note—La plupart des maisons de Séville ont une cour intérieure entourée de portiques. On s'y tient en été. Cette cour est couverte d'une toile qu'on arrose pendant le jour et qu'on retire le soir. La

porte de la rue est presque toujours ouverte, et le passage qui conduit à la cour, *zaguán*, est fermé par une grille en fer très élégamment ouvragée.

8. **me faisaient monter le rouge à la figure:** (" made the blood leap to my face "), " made me blush ".
16. **on en va manger:** i.e., **on va en manger.** In modern French the usual position of the object pronoun is before the verb which governs it. Mérimée gives an archaic touch here by placing the object pronoun before the first verb; *tr.* " you go and eat it ".
19. **s'en fut:** " went away ". **Être** is frequently used in the perfect and the preterite tenses instead of **aller.** Cf. **j'ai été à l'église.**
20. **Vous devinez bien:** " You may indeed guess ".
20. **en descendant ma garde:** " upon going off guard ", " as soon as I was off guard ".
23. **chez qui:** " at whose place ".
27. **Demain il fera jour!** " Tomorrow will be another day! ", i.e., " Today is not the only day that we'll have! " Author's Note—*Mañana será otro dia.* Proverbe espagnol. Cf. English " Sufficient unto the day are the sorrows thereof ".
28. **nous voilà:** " there we were ", " we were already ".
36. **chien qui . . . famine:** Author's Note—Proverbe bohémien.

Page 126

9. ***yemas:*** Author's Note—Jaunes d'œufs sucrés.
9. ***turon:*** Author's Note—Espèce de nougat.
12. **don Pedro le Justicier:** Author's Note—Le roi don Pèdre, que nous nommons *le Cruel*, et que la reine Isabelle la Catholique n'appelait jamais que *le Justicier*, aimait à se promener le soir dans les rues de Séville, cherchant les aventures, comme le calife Haroûn-al-Raschid. Certaine nuit, il se prit de querelle, dans une rue écartée, avec un homme qui donnait une sérénade. On se battit, et le roi tua le cavalier amoureux. Au bruit des épées, une vieille femme mit la tête à la fenêtre, et éclaira la scène avec la petite lampe, *candilejo*, qu'elle tenait à la main. Il faut savoir que le roi don Pèdre, d'ailleurs leste et vigoureux, avait un défaut de conformation singulier. Quand il marchait, ses rotules craquaient fortement. La vieille, à ce craquement, n'eut pas de peine à le reconnaître. Le lendemain, le Vingt-quatre en charge vint faire son rapport au roi. " Sire, on s'est battu en duel, cette nuit, dans telle rue. Un des combattants est mort.—Avez-vous découvert le meurtrier?—Oui, sire.—Pourquoi n'est-il pas déjà puni?—Sire, j'attends vos ordres.—Exécutez la loi." Or le roi venait de publier un décret portant que tout duelliste serait décapité, et que sa tête demeurerait exposée sur le lieu du combat. Le Vingt-quatre se tira d'affaire en homme d'esprit. Il fit scier la tête d'une statue du roi, et l'exposa dans une niche au milieu de la rue, théâtre du meurtre. Le roi et tous les Sévillans le trouvèrent fort bon. La rue prit son nom de la lampe de la vieille, seul témoin de l'aventure.
12. **Elle:** i.e., **La tête du roi don Pedro le Justicier.**
15. **nous ouvrir:** i.e., **nous ouvrir (la porte).**
22. ***romi:*** Author's Note—*Rom*, mari; *romi*, femme.

26. **calés!** Author's Note—*calo;* féminin, *calli;* pluriel, *calés.* Mot à mot: *noir,*—nom que les bohémiens se donnent dans leur langue.
37. **Il n'y a pas de tour . . . qu'elle ne fît:** " There is no trick or nonsense that she did not do ". The subjunctive is used because of a preceding negative. Note also that the negative particle **pas** is omitted because both the principal and the dependent clauses are negative.

Page 127

8. **un vrai canari:** Author's Note—Les dragons espagnols sont habillés de jaune.
10. **à la salle de police:** " to imprisonment in the guard-house ".
12. **t'ai-je payé?** i.e., **ne t'ai-je pas payé?** " Haven't I paid off my debt to you? "
20. **cela ne se peut pas:** " that cannot be ".
24. **Je suis habillée de laine . . . mouton:** Author's Note—Proverbe bohémien.
24. **Majari:** Author's Note—La sainte.—La sainte Vierge.
26. **elle te ferait épouser . . . bois:** " she would make you marry a widow with wooden legs ". Author's Note—La potence qui est veuve du dernier pendu.
33. **J'en demandais des nouvelles:** " I asked for news about her ". Note that " of *or* about her " is generally rendered by **d'elle; en** usually refers to things.
35. **Lalorò:** Author's Note—La (terre) rouge.

Page 128

11. **je vis venir à moi une femme:** " I saw a woman coming towards me ".
15. **en se faisant connaître à moi:** " upon making herself known to me ". In the case of two pronoun objects, if the direct pronoun object is not **le, la,** or **les,** the indirect must be a disjunctive.
18. **Il va venir des gens:** " Some people are going to come ".
18. **laisse-les faire:** " let them do (it)," i.e., " let them pass ".
37. **à deux pas:** " two steps away "; *tr.* " a short distance away ". A good example of the definite number **deux** being used for an indefinite number.
38. **dont était Pastia:** " one of whom was Pastia ".

Page 129

2. **firent leur affaire:** " did their work ".
3. **se fit attendre:** " had to be waited for ".
10. **Peu s'en fallut . . . à la tête:** " A little more and I should have flung the coin in her face ".
20. **malgré que j'en aie:** " in spite of my feeling toward you "; " in spite of myself ".
21. **je ne sais ce que j'ai:** " I don't know what is the matter with me ".
24. **chez nous:** i.e., in José's country.

Page 130

9. **Moi-même je me sauvai:** i.e., **(Quant à) moi-même je me sauvai;** *tr.* " I, too, escaped ".
15. **une flamande de Rome:** Author's Note—*Flamenco de Roma.* Terme d'argot qui désigne les bohémiennes. *Roma* ne veut pas dire ici la ville éternelle,

mais la nation des Romi ou des *gens mariés*, nom que se donnent les bohémiens. Les premiers qu'on vit en Espagne venaient probablement des Pays-Bas, d'où est venu leur nom de *Flamands*.

16. **Je reviens**: in French, the present tense of the verb is frequently used instead of the future, to add greater force to the statement; *tr.* " I'll be back ".
22. **comme il y en a**: i.e., **comme il y en a (beaucoup)**; *tr.* " of whom there are many ".
23. ***chufas:*** Author's Note—Racine bulbeuse dont on fait une boisson assez agréable.
26. **que n'eût pu . . . un chirurgien-major**: i.e., **qu'un chirurgien-major n'eût pu.**

Page 131

2. **riz . . . merluche**: Author's Note—Nourriture ordinaire du soldat espagnol.
4. ***à pastesas:*** Author's Note—*Ustilar à pastesas*, voler avec adresse, dérober sans violence.
8. **les miñons**: Author's Note—Espèce de corps franc.
9. **cette diable de fille**: see Note to page 123, line 21.
19. **elle riait à se tenir les côtes**: (" she laughed up to the point of holding her sides "); *tr.* " she laughed uproariously ".
36. **et de meilleur il n'y en eut jamais**: " and a better one there never was ".

Page 132

23. **ne se réunissait guère que**: " rarely met except ".
35. **ce mot de rom**: " this word: rom ".
37. **Comment!** " What! "

Page 133

4. **Il y a . . . à le faire évader**: " For two years she has been trying to bring about his escape ". See Note to page 49, line 5, for explanation concerning the omission of the reflexive pronoun.
11. **il fallait voir**: " you should have seen ".
13. **de la nuit**: " during that night ", " all that night ".
28. **cela ne me fit pas grand'chose**: " it did not make much of an impression on me ".
37. **Bien habile qui le reconnaîtrait**: i.e., **Bien habile (sera celui) qui le reconnaîtrait**; *tr.* " It would take a clever man to recognize him ".

Page 134

6. **j'aimerais autant être**: **aimer** generally requires the preposition **à** before a following infinitive. However, it is frequently omitted in the case of the conditional; *tr.* " I should just as soon be ".
13. **elle s'en fut**: " she went away ". See Note to page 125, line 19, for explanation of **être** used instead of **aller.**
19. **paraissait sa domestique**: i.e., **paraissait (être) sa domestique.**
22. **j'en fais mon affaire**: " I'll attend to them ", " I'll take care of them ".
28. **fait un grand éclat de rire**: " bursts into a great peal of laughter ".
29. **les *lillipendi* . . . une *erani!*** Author's Note—Les imbéciles qui me prennent pour une femme comme il faut!

31. **parlant:** "had she been speaking".
34. **nous nous reverrons:** "we shall see each other again". A good example of a reflexive verb with reciprocal value; **l'un l'autre** might have been added.

Page 135

5. **Nous ne leur prîmes que l'argent:** "We took only money from them".
17. **Il était toujours à courir:** "He was always running". For this value of the preposition **à** see Note to page 26, line 18.
19. **elle ne l'en aimait que davantage:** "she only loved him the more on account of it".
33. **Écrevisses:** Author's Note—Nom que le peuple en Espagne donne aux Anglais à cause de la couleur de leur uniforme.
37. **Fais tant que de:** "Manage to", "Do your utmost to".

Page 136

1. **la Rollona:** another good example of the colloquial use of the definite article with a proper name.
10. **à** ***finibus terræ:*** Author's Note—Aux galères, ou bien à tous les diables.
16. **saurait:** see Note to page 33, line 21.
29. **la bonne pièce:** "the bold hussy".

Page 137

2. **On dirait un chat surpris:** i.e., **On dirait (que c'est) un chat (qui a été) surpris;** *tr.* "He looks like", etc.
16. **qu'as-tu à y voir?** "what have you to do about it?", "what difference does it make to you?"
17. **le seul qui se puisse dire:** "the only one who can call himself".
17. **mon** ***minchorrô:*** Author's Note—Mon amant, ou plutôt, mon caprice.

Page 138

8. **que l'Anglais me criait:** "while the Englishman was yelling to me".
21. **et moi fait:** "and I dressed".
31. **que je te ferai dire:** "of which I will have you informed", "of which I will have word sent to you".
32. **Vous tombez sur lui:** "You will attack him". An idiomatic use of the present instead of the imperative.

Page 139

13. **me venir voir:** "to come and see me". For position of object pronoun see Note to page 125, line 16.

Page 140

11. **comment ferons-nous demain?** "how shall we get along *or* manage to-morrow?"
20. **il me tuait:** i.e., **il m'aurait tué.**
21. **sut:** see Note to page 114, line 3; *tr.* "found out".
25. **il en a mis à l'ombre de plus habiles que toi:** "he has killed more skillful men than you".
30. **arrive qui plante!** "let happen what may!"; a variant of the idea "As ye sow, shall ye reap".
34. **j'ai bientôt fini:** i.e., **j'aurai bientôt fini,** "I shall soon have finished."

Page 141

18. **Prends garde de me pousser à bout:** " Take care lest you drive me too far ", " Take care not to drive me too far ".

25. **sans mon bon cheval, je demeurais entre . . .:** " if I had not had my good horse, I should have remained in . . ." This conditional sentence is more usually expressed: **si je n'avais pas eu mon bon cheval, j'aurais demeuré entre . . .** Note that Mérimée has substituted **sans** for the " if " clause and used the imperfect instead of the conditional perfect in the result clause for greater vividness.

29. **un lièvre qui a reçu du plomb:** " a rabbit which has been wounded ".

34. **eues:** " had ". Note that all past participles conjugated with **avoir** agree with their preceding direct objects.

Page 142

4. **planter des choux:** (" to plant cabbages "), i.e., " to live quietly ".

7. **passer:** i.e., **passer (la frontière).**

20. **Rivière . . . des cailloux:** Author's Note—Proverbe bohémien.

Page 143

9. **je saurai les gens qui s'en vont avec de l'argent:** " I shall learn *or* find out what people are leaving there with money ".

11. **Il faut qu'elle se soit vengée déjà:** " She must already have taken vengeance ".

18. **la cocarde:** Author's Note—*La divisa,* nœud de rubans dont la couleur indique les pâturages d'où viennent les taureaux. Ce nœud est fixé dans la peau du taureau au moyen d'un crochet, et c'est le comble de la galanterie que de l'arracher à l'animal vivant, pour l'offrir à une femme.

33. **j'oublie:** i.e., **j'oublierai** *or* **je veux bien oublier.**

39. **pour faire de vieux os:** " to live to be old ", " to live long ".

Page 144

7. **C'est écrit:** " It is written (in the Book of Stars or Fate) ".

Page 145

1. **jusqu'à ce que j'entendisse la cloche:** " until I should hear the bell ". The subjunctive is required after conjunctions expressing time before which or up to which.

6. **pour en retirer le plomb:** " in order to remove from it the leaden weights ". These are pieces of lead sewn into the hem to make the skirt hang better.

12. **Marie Padilla:** Author's Note—On a accusé Marie Padilla d'avoir ensorcelé le roi don Pèdre. Une tradition populaire rapporte qu'elle avait fait présent à la reine Blanche de Bourbon d'une ceinture d'or, qui parut aux yeux fascinés du roi comme un serpent vivant. De là la répugnance qu'il montra toujours pour la malheureuse princesse.

15. **voulez-vous venir:** note that the formal **vous** is used here by Mérimée in order to indicate that José has come to a very important decision.

Page 146

23. **elle aimerait à être:** cf. Note to page 134, line 6.

INFINITIVE FUTURE	PRES. PART. IMPF. INDIC. PRES. SUBJ.	PAST PARTICIPLE PAST INDEFINITE	PRES. INDIC.	PAST DEF. IMPF. SUBJ.
abattre *knock down*, see **battre** **accourir** *run up*, see **courir** **accueillir** *welcome*, see **cueillir** **adjoindre** *adjoin*, see **joindre** **admettre** *admit*, see **mettre** **advenir** *befall*, see **venir**				
aller *go* **irai**	**allant** **allais** **aille** **ailles** **aille** **allions** **alliez** **aillent**	**allé** **suis allé**	**vais** **vas** **va** **allons** **allez** **vont** IMPERATIVE **va** **allons** **allez**	**allai** **allas** **alla** **allâmes** **allâtes** **allèrent** **allasse**
apercevoir *discern*, see **recevoir** **apparaître** *appear*, see **paraître** **appartenir** *belong to*, see **tenir** **apprendre** *learn*, see **prendre**				
asseoir *seat* **assiérai**	**asseyant** **asseyais** **asseye** **asseyes** **asseye** **asseyions** **asseyiez** **asseyent**	**assis** **ai assis**	**assieds** **assieds** **assied** **asseyons** **asseyez** **asseyent**	**assis** **assis** **assit** **assîmes** **assîtes** **assirent** **assisse**
astreindre *compel*, see **peindre** **atteindre** *attain*, see **peindre**				
avoir *have* **aurai**	**ayant** **avais** **aie** **aies** **ait** **ayons** **ayez** **aient**	**eu** **ai eu**	**ai** **as** **a** **avons** **avez** **ont** IMPERATIVE **aie** **ayons** **ayez**	**eus** **eus** **eut** **eûmes** **eûtes** **eurent** **eusse**

battre *beat*. Irregular only in singular of Present Indicative, **bats, bats, bat,** otherwise regular like **rompre.**

[1] Reprinted from *Le Roi Louis XVII* edited by Gilbert H. C. Hawtrey. F. S. Crofts & Co., publishers.

INFINITIVE FUTURE	PRES. PART. IMPF. INDIC. PRES. SUBJ.	PAST PARTICIPLE PAST INDEFINITE	PRES. INDIC.	PAST DEF. IMPF. SUBJ.
boire *drink* **boirai**	**buvant** **buvais** **boive** **boives** **boive** **buvions** **buviez** **boivent**	**bu** **ai bu**	**bois** **bois** **boit** **buvons** **buvez** **boivent**	**bus** **bus** **but** **bûmes** **bûtes** **burent** **busse**
clore *close* **clorai**	— — **close** **closes** **close** **closions** **closiez** **closent**	**clos** **ai clos**	**clos** **clos** **clôt** — — — IMPERATIVE —	— —
commettre *commit*, see **mettre** **comparaître** *appear*, see **paraître** **comprendre** *understand*, see **prendre** **compromettre** *compromise*, see **mettre** **concevoir** *imagine*, see **recevoir**				
conclure *conclude* **conclurai**	**concluant** **concluais** **conclue** **conclues** **conclue** **concluions** **concluiez** **concluent**	**conclu** **ai conclu**	**conclus** **conclus** **conclut** **concluons** **concluez** **concluent**	**conclus** **conclus** **conclut** **conclûmes** **conclûtes** **conclurent** **conclusse**
concourir *coöperate*, see **courir**				
conduire *lead* **conduirai**	**conduisant** **conduisais** **conduise** **conduises** **conduise** **conduisions** **conduisiez** **conduisent**	**conduit** **ai conduit**	**conduis** **conduis** **conduit** **conduisons** **conduisez** **conduisent**	**conduisis** **conduisis** **conduisit** **conduisîmes** **conduisîtes** **conduisirent** **conduisisse**
connaître *know* **connaîtrai**	**connaissant** **connaissais** **connaisse** **connaisses** **connaisse** **connaissions** **connaissiez** **connaissent**	**connu** **ai connu**	**connais** **connais** **connaît** **connaissons** **connaissez** **connaissent**	**connus** **connus** **connut** **connûmes** **connûtes** **connurent** **connusse**

INFINITIVE FUTURE	PRES. PART. IMPF. INDIC. PRES. SUBJ.	PAST PARTICIPLE PAST INDEFINITE	PRES. INDIC.	PAST DEF. IMPF. SUBJ.
conquérir *conquer* **conquerrai**	**conquérant** **conquérais** **conquière** **conquières** **conquière** **conquérions** **conquériez** **conquièrent**	**conquis** **ai conquis**	**conquiers** **conquiers** **conquiert** **conquérons** **conquérez** **conquièrent**	**conquis** **conquis** **conquit** **conquîmes** **conquîtes** **conquirent** **conquisse**
consentir *consent*, see **dormir** **contenir** *contain*, see **tenir** **convenir** *agree*, see **venir**				
courir *run* **courrai**	**courant** **courais** **coure** **coures** **coure** **courions** **couriez** **courent**	**couru** **ai couru**	**cours** **cours** **court** **courons** **courez** **courent**	**courus** **courus** **courut** **courûmes** **courûtes** **coururent** **courusse**
couvrir *cover*, see **ouvrir**				
craindre *fear* **craindrai**	**craignant** **craignais** **craigne** **craignes** **craigne** **craignions** **craigniez** **craignent**	**craint** **ai craint**	**crains** **crains** **craint** **craignons** **craignez** **craignent**	**craignis** **craignis** **craignit** **craignîmes** **craignîtes** **craignirent** **craignisse**
croire *believe* **croirai**	**croyant** **croyais** **croie** **croies** **croie** **croyions** **croyiez** **croient**	**cru** **ai cru**	**crois** **crois** **croit** **croyons** **croyez** **croient**	**crus** **crus** **crut** **crûmes** **crûtes** **crurent** **crusse**
cueillir *gather* **cueillerai**	**cueillant** **cueillais** **cueille** **cueilles** **cueille** **cueillions** **cueilliez** **cueillent**	**cueilli** **ai cueilli**	**cueille** **cueilles** **cueille** **cueillons** **cueillez** **cueillent**	**cueillis** **cueillis** **cueillit** **cueillîmes** **cueillîtes** **cueillirent** **cueillisse**

Infinitive Future	Pres. Part. Impf. Indic. Pres. Subj.	Past Participle Past Indefinite	Pres. Indic.	Past Def. Impf. Subj.
débattre *debate*, **see battre** **décevoir** *disappoint*, **see recevoir** **découvrir** *discover*, **see ouvrir** **déduire** *deduct*, **see conduire** **défaire** *undo*, **see faire** **dépeindre** *depict*, **see peindre** **déplaire** *displease*, **see plaire** **détenir** *confine*, **see tenir** **détruire** *destroy*, **see conduire** **devenir** *become*, **see venir**				
devoir *owe* **devrai**	**devant** **devais** **doive** **doives** **doive** **devions** **deviez** **doivent**	**dû** **ai dû**	**dois** **dois** **doit** **devons** **devez** **doivent**	**dus** **dus** **dut** **dûmes** **dûtes** **durent** **dusse**
dire *say* **dirai**	**disant** **disais** **dise** **dises** **dise** **disions** **disiez** **disent**	**dit** **ai dit**	**dis** **dis** **dit** **disons** **dites** **disent**	**dis** **dis** **dit** **dîmes** **dîtes** **dirent** **disse**
disparaître *disappear*, **see connaître**				
distraire *divert* **distrairai**	**distrayant** **distrayais** **distraie** **distraies** **distraie** **distrayions** **distrayiez** **distraient**	**distrait** **ai distrait**	**distrais** **distrais** **distrait** **distrayons** **distrayez** **distraient**	—— ——
dormir *sleep* **dormirai**	**dormant** **dormais** **dorme** **dormes** **dorme** **dormions** **dormiez** **dorment**	**dormi** **ai dormi**	**dors** **dors** **dort** **dormons** **dormez** **dorment**	**dormis** **dormis** **dormit** **dormîmes** **dormîtes** **dormirent** **dormisse**

INFINITIVE FUTURE	PRES. PART. IMPF. INDIC. PRES. SUBJ.	PAST PARTICIPLE PAST INDEFINITE	PRES. INDIC.	PAST DEF. IMPF. SUBJ.
échoir *fall to the lot (of)* **il écherra** *or* **échoira**	**échéant** **il échoyait** **il échoie**	**échu** **il est échu**	— — **il échoit** *or* **échet** — — **échoient** *or* **échéent**	— — **il échut** — — **échurent** **il échût**
éconduire *show out*, see **conduire**				
écrire *write* **écrirai**	**écrivant** **écrivais** **écrive** **écrives** **écrive** **écrivions** **écriviez** **écrivent**	**écrit** **ai écrit**	**écris** **écris** **écrit** **écrivons** **écrivez** **écrivent**	**écrivis** **écrivis** **écrivit** **écrivîmes** **écrivîtes** **écrivirent** **écrivisse**
élire *elect*, see **lire**				
émouvoir *move* **émouvrai**	**émouvant** **émouvais** **émeuve** **émeuves** **émeuve** **émouvions** **émouviez** **émeuvent**	**ému** **ai ému**	**émeus** **émeus** **émeut** **émouvons** **émouvez** **émouvent**	**émus** **émus** **émut** **émûmes** **émûtes** **émurent** **émusse**
empreindre *stamp*, see **peindre** **endormir** *lull to sleep*, see **dormir** **s'enfuir** *flee*, see **fuir** **enjoindre** *order*, see **joindre** **entreprendre** *undertake*, see **prendre** **entretenir** *talk with*, see **tenir** **entrevoir** *catch a glimpse of*, see **voir**				
envoyer *send* **enverrai**	**envoyant** **envoyais** **envoie** **envoies** **envoie** **envoyions** **envoyiez** **envoient**	**envoyé** **ai envoyé**	**envoie** **envoies** **envoie** **envoyons** **envoyez** **envoient**	**envoyai** **envoyas** **envoya** **envoyâmes** **envoyâtes** **envoyèrent** **envoyasse**

Infinitive Future	Pres. Part. Impf. Indic. Pres. Subj.	Past Participle Past Indefinite	Pres. Indic.	Past. Def. Impf. Subj.
être *be* **serai**	**étant** **étais** **sois** **sois** **soit** **soyons** **soyez** **soient**	**été** **ai été**	**suis** **es** **est** **sommes** **êtes** **sont** Imperative **sois** **soyons** **soyez**	**fus** **fus** **fut** **fûmes** **fûtes** **furent** **fusse**
extraire *take out*, see **distraire**				
faillir *fail* **faudrai**	**faillant** **faillais** **faille** **failles** **faille** **faillions** **failliez** **faillent**	**failli** **ai failli**	**faux** **faux** **faut** **faillons** **faillez** **faillent** Imperative —	**faillis** **faillis** **faillit** **faillîmes** **faillîtes** **faillirent** **faillisse**
faire *make* **ferai**	**faisant** **faisais** **fasse** **fasses** **fasse** **fassions** **fassiez** **fassent**	**fait** **ai fait**	**fais** **fais** **fait** **faisons** **faites** **font**	**fis** **fis** **fit** **fîmes** **fîtes** **firent** **fisse**
falloir *must* **il faudra**	— **il fallait** — — **il faille** — — —	**fallu** **il a fallu**	— — **il faut** — — —	— — **il fallut** — — — **il fallût**
fuir *flee* **fuirai**	**fuyant** **fuyais** **fuie** **fuies** **fuie** **fuyions** **fuyiez** **fuient**	**fui** **ai fui**	**fuis** **fuis** **fuit** **fuyons** **fuyez** **fuient**	**fuis** **fuis** **fuit** **fuîmes** **fuîtes** **fuirent** **fuisse**

INFINITIVE FUTURE	PRES. PART. IMPF. INDIC. PRES. SUBJ.	PAST PARTICIPLE PAST INDEFINITE	PRES. INDIC.	PAST. DEF. IMPF. SUBJ.
geindre *complain*, see **peindre** **inscrire** *write down*, see **écrire** **instruire** *teach*, see **conduire** **interdire** *forbid*. 2nd pl. Imperat., **interdisez.** For all other forms see **dire** **intervenir** *interpose*, see **venir** **introduire** *bring in*, see **conduire**				
joindre *join* **joindrai**	**joignant** **joignais** **joigne** **joignes** **joigne** **joignions** **joigniez** **joignent**	**joint** **ai joint**	**joins** **joins** **joint** **joignons** **joignez** **joignent**	**joignis** **joignis** **joignit** **joignîmes** **joignîtes** **joignirent** **joignisse**
lire *read* **lirai**	**lisant** **lisais** **lise** **lises** **lise** **lisions** **lisiez** **lisent**	**lu** **ai lu**	**lis** **lis** **lit** **lisons** **lisez** **lisent**	**lus** **lus** **lut** **lûmes** **lûtes** **lurent** **lusse**
maintenir *sustain*, see **tenir** **méconnaître** *disregard*, see **connaître** **mentir** *lie*, see **dormir**				
mettre *put* **mettrai**	**mettant** **mettais** **mette** **mettes** **mette** **mettions** **mettiez** **mettent**	**mis** **ai mis**	**mets** **mets** **met** **mettons** **mettez** **mettent**	**mis** **mis** **mit** **mîmes** **mîtes** **mirent** **misse**
mourir *die* **mourrai**	**mourant** **mourais** **meure** **meures** **meure** **mourions** **mouriez** **meurent**	**mort** **suis mort**	**meurs** **meurs** **meurt** **mourons** **mourez** **meurent**	**mourus** **mourus** **mourut** **mourûmes** **mourûtes** **moururent** **mourusse**

Infinitive Future	Pres. Part. Impf. Indic. Pres. Subj.	Past Participle Past Indefinite	Pres. Indic.	Past Def. Impf. Subj.
naître *be born* **naîtrai**	**naissant** **naissais** **naisse** **naisses** **naisse** **naissions** **naissiez** **naissent**	**né** **suis né**	**nais** **nais** **naît** **naissons** **naissez** **naissent**	**naquis** **naquis** **naquit** **naquîmes** **naquîtes** **naquirent** **naquisse**
obtenir *obtain*, see **tenir** **offrir** *offer*, see **ouvrir**				
ouvrir *open* **ouvrirai**	**ouvrant** **ouvrais** **ouvre** **ouvres** **ouvre** **ouvrions** **ouvriez** **ouvrent**	**ouvert** **ai ouvert**	**ouvre** **ouvres** **ouvre** **ouvrons** **ouvrez** **ouvrent**	**ouvris** **ouvris** **ouvrit** **ouvrîmes** **ouvrîtes** **ouvrirent** **ouvrisse**
paraître *appear*, see **connaître** **parcourir** *travel* (*over*), see **courir** **partir** *depart*, see **dormir** **parvenir** *attain*, see **venir**				
peindre *paint* **peindrai**	**peignant** **peignais** **peigne** **peignes** **peigne** **peignions** **peigniez** **peignent**	**peint** **ai peint**	**peins** **peins** **peint** **peignons** **peignez** **peignent**	**peignis** **peignis** **peignit** **peignîmes** **peignîtes** **peignirent** **peignisse**
percevoir *perceive*, *collect* (taxes), see **recevoir** **permettre** *allow*, see **mettre** **plaindre** *pity*, see **craindre**				
plaire *please* **plairai**	**plaisant** **plaisais** **plaise** **plaises** **plaise** **plaisions** **plaisiez** **plaisent**	**plu** **ai plu**	**plais** **plais** **plaît** **plaisons** **plaisez** **plaisent**	**plus** **plus** **plut** **plûmes** **plûtes** **plurent** **plusse**

poursuivre *pursue*, see **suivre**
pourvoir *provide*. Fut. **pourvoirai**. Past Definite, **pourvus**. Imperfect Subj., **pourvusse**. For other forms see **voir**

Infinitive Future	Pres. Part. Impf. Indic. Pres. Subj.	Past Participle Past Indefinite	Pres. Indic.	Past Def. Impf. Subj.
pouvoir *be able* **pourrai**	**pouvant** **pouvais** **puisse** **puisses** **puisse** **puissions** **puissiez** **puissent**	**pu** **ai pu**	**peux** *or* **puis** **peux** **peut** **pouvons** **pouvez** **peuvent**	**pus** **pus** **put** **pûmes** **pûtes** **purent** **pusse**
prendre *take* **prendrai**	**prenant** **prenais** **prenne** **prennes** **prenne** **prenions** **preniez** **prennent**	**pris** **ai pris**	**prends** **prends** **prend** **prenons** **prenez** **prennent**	**pris** **pris** **prit** **prîmes** **prîtes** **prirent** **prisse**
préscrire *order*, see **écrire** **prévenir** *warn*, see **venir** **prévoir** *foresee*, **prévoirai.** For other forms see **voir** **produire** *produce*, see **conduire** **promettre** *promise*, see **mettre** **provenir** *proceed (from)*, see **venir.** **querir** *fetch* (written also **quérir**) has only Infinitive form				
recevoir *receive* **recevrai**	**recevant** **recevais** **reçoive** **reçoives** **reçoive** **recevions** **receviez** **reçoivent**	**reçu** **ai reçu**	**reçois** **reçois** **reçoit** **recevons** **recevez** **reçoivent**	**reçus** **reçus** **reçut** **reçûmes** **reçûtes** **reçurent** **reçusse**
reconnaître *recognize*, see **connaître** **recouvrir** *cover (again)*, see **couvrir** **recueillir** *gather*, see **cueillir** **redevenir** *become again*, see **devenir** **réduire** *reduce*, see **conduire** **rejoindre** *rejoin*, see **joindre** **remettre** *put back*, see **mettre** **rendormir** *fall asleep again*, see **dormir** **renvoyer** *send back*, see **envoyer** **repaître** *feed*, see **connaître** **reparaître** *reappear*, see **connaître** **reprendre** *take back*, see **prendre** **reproduire** *reproduce*, see **conduire** **requérir** *demand*, see **conquérir**				

INFINITIVE FUTURE	PRES. PART. IMPF. INDIC. PRES. SUBJ.	PAST PARTICIPLE PAST INDEFINITE	PRES. INDIC.	PAST. DEF IMPF. SUBJ.
résoudre *resolve* **résoudrai**	**résolvant** **résolvais** **résolve** **résolves** **résolve** **résolvions** **résolviez** **résolvent**	**résolu** **ai résolu**	**résous** **résous** **résout** **résolvons** **résolvez** **résolvent**	**résolus** **résolus** **résolut** **résolûmes** **résolûtes** **résolurent** **résolusse**
ressortir *be evident*, see **sortir** **restreindre** *restrict*, see **peindre** **retenir** *hold back*, see **tenir** **revenir** *come back*, see **venir** **revêtir** *dress*, see **vêtir** **revoir** *see again*, see **voir**				
rire *laugh* **rirai**	**riant** **riais** **rie** **ries** **rie** **riions** **riiez** **rient**	**ri** **ai ri**	**ris** **ris** **rit** **rions** **riez** **rient**	**ris** **ris** **rit** **rîmes** **rîtes** **rirent** **risse**
rouvrir *open again*, see **ouvrir** **satisfaire** *satisfy*, see **faire**				
savoir *know* **saurai**	**sachant** **savais** **sache** **saches** **sache** **sachions** **sachiez** **sachent**	**su** **ai su**	**sais** **sais** **sait** **savons** **savez** **savent** IMPERATIVE **sache** **sachons** **sachez**	**sus** **sus** **sut** **sûmes** **sûtes** **surent** **susse**
séduire *charm*, see **conduire** **sentir** *feel*, see **dormir** **servir** *serve*, see **dormir** **sortir** *go out (from)*, see **dormir** **souffrir** *suffer*, see **ouvrir** **soumettre** *submit*, see **mettre** **sourire** *smile*, see **rire** **soustraire** *take away*, see **distraire** **souvenir (se)** *remember*, see **venir** **subvenir** *supply*, see **venir**				

INFINITIVE FUTURE	PRES. PART. IMPF. INDIC. PRES. SUBJ.	PAST PARTICIPLE PAST INDEFINITE	PRES. INDIC.	PAST DEF. IMPF. SUBJ.
suffire *be enough* **suffirai**	suffisant suffisais suffise suffises suffise suffisions suffisiez suffisent	suffi ai suffi	suffis suffis suffit suffisons suffisez suffisent	suffis suffis suffit suffîmes suffîtes suffirent suffisse
suivre *follow* **suivrai**	suivant suivais suive suives suive suivions suiviez suivent	suivi ai suivi	suis suis suit suivons suivez suivent	suivis suivis suivit suivîmes suivîtes suivirent suivisse
surprendre *surprise*, see **prendre** **survenir** *happen*, see **venir** **taire (se)** *say nothing*. **Il se tait,** no circumflex; otherwise like **plaire**				
tenir *hold* **tiendrai**	tenant tenais tienne tiennes tienne tenions teniez tiennent	tenu ai tenu	tiens tiens tient tenons tenez tiennent	tins tins tint tînmes tîntes tinrent tinsse
transcrire *copy*, see **écrire** **transmettre** *convey*, see **mettre**				
valoir *be worth* **vaudrai**	valant valais vaille vailles vaille valions valiez vaillent	valu ai valu	vaux vaux vaut valons valez valent	valus valus valut valûmes valûtes valurent valusse
venir *come* **viendrai**	venant venais vienne viennes vienne venions veniez viennent	venu suis venu	viens viens vient venons venez viennent	vins vins vint vînmes vîntes vinrent vinsse

Infinitive Future	Pres. Part. Impf. Indic. Pres. Subj.	Past Participle Past Indefinite	Pres. Indic.	Past Def. Impf. Subj.
vêtir *clothe* vêtirai	vêtant vêtais vête vêtes vête vêtions vêtiez vêtent	vêtu ai vêtu	vêts vêts vêt vêtons vêtez vêtent	vêtis vêtis vêtit vêtîmes vêtîtes vêtirent vêtisse
vivre *live* vivrai	vivant vivais vive vives vive vivions viviez vivent	vécu ai vécu	vis vis vit vivons vivez vivent	vécus vécus vécut vécûmes vécûtes vécurent vécusse
voir *see* verrai	voyant voyais voie voies voie voyions voyiez voient	vu ai vu	vois vois voit voyons voyez voient	vis vis vit vîmes vîtes virent visse
vouloir *wish* voudrai	voulant voulais veuille veuilles veuille voulions vouliez veuillent	voulu ai voulu	veux veux veut voulons voulez veulent Imperative veux voulons voulez } (these forms are rare) veuillez = *have the kindness to*	voulus voulus voulut voulûmes voulûtes voulurent voulusse

VOCABULARY

In this Vocabulary the following are omitted: *articles*, most *pronouns*, and also a number of words having the same spelling and meaning in both French and English, e.g., *accumulation*, *prince*, etc. Compound nouns and phrases are given under both headings, e.g., *avoir chaud*, *corps de garde*, etc.

The feminine form of the adjective is given in full when it offers some special difficulty; otherwise, the ending alone is indicated.

Irregular verbs are indicated by means of an asterisk (*) and their conjugation is given in the Tables on pages 179–190. (In the few instances that an irregular verb is not listed in the Tables, its principal parts and peculiarities are given under its proper heading in the Vocabulary.)

The following abbreviations are used:

adj.	adjective	*int.*	interrogative
adv.	adverb	*interj.*	interjection
art.	article	*intrans.*	intransitive
condl.	conditional	*m.* (*masc.*)	masculine
conj.	conjunction	*neut.*	neuter
conjt.	conjunctive	*obj.*	object
def.	definite	*part.*	participle
dem.	demonstrative	*pl.*	plural
disjt.	disjunctive	*pop.*	popular
excl.	exclamatory	*poss.*	possessive
f. (*fem.*)	feminine	*prep.*	preposition
fam.	familiar	*pres.*	present
fig.	figurative	*pron.*	pronoun
fut.	future	*pt.*	past
imp.	imperfect	*refl.*	reflexive
impve.	imperative	*rel.*	relative
ind.	indicative	*sg.*	singular
indef.	indefinite	*subj.*	subjunctive
inf.	infinitive	*tr.*	translate
trans.	transitive		

A

to, at, in, into, on, upon, with, about, by, from, of, for, up to, toward, to the point of, according to, against, so as (to), enough (to); (*denoting a characteristic*) with; **— ce que** as, according to what

abandon *m.* abandonment, desertion

abandonner to abandon, forsake, let go

abâtardissement *m.* degeneracy, deterioration

abattement *m.* dejection, depression, prostration

***abattre** to fell, bring down; **s'—**, collapse, sink down, fall down, come down (upon), swoop; **abattue sur une chaise** sitting dejectedly; **à bride abattue** at headlong speed

abbaye *f.* abbey

abbé *m.* abbot, priest

abîmer to ingulf, injure, spoil; **s'—**, sink, go to the bottom; lose oneself, become absorbed

abnégation *f.* renunciation, self-denial, self-sacrifice
abominable horrible, vile, abominable
abord *m.* approach; **aux —s** at the edge, in the vicinity; **d'—,** at first, first (of all); **de prime —,** at the very first
aborder to accost, come alongside, approach, land; **— à** reach, put in at, draw near to
aboyer to bark
abreuvoir *m.* watering trough; **— à mouches** watering trough for flies
abri *m.* shelter; **à l'— de** safe from, in the shelter of, sheltered by *or* from
abriter to shelter
absence *f.* absence, lack
absent, -e absent, away, missing
absolument absolutely, completely
absolution *f.* absolution, release from punishment
absorber to absorb, imbibe, engross
accabler to overwhelm, overcome, crush
accélérer to accelerate; **au pas accéléré** rapidly, in quick time
accent *m.* accent, tone
accepter to accept, consent, agree
accident *m.* mishap, accident, incident
accompagner to accompany, go with; **accompagné de** accompanied by *or* with, attended by; **s'—,** accompany oneself
accomplir to accomplish, perform, carry out; **accompli, -e** finished, thorough, complete
accord *m.* agreement, accord; **tomber d'—,** to come to an agreement, agree
accorder to accord, grant, give; tune
accouder: s'—, to lean *or* rest on one's elbows, lean out; **accoudé, -e** leaning *or* resting on one's elbows
***accourir** to run up *or* towards, come running up, hasten up *or* towards
accoutrer to fit out, equip, dress up, accouter
accrocher to hook, fasten, attach, hang up; **s'— à** grapple with, cling to, take hold of, clutch
***accroire** to believe; **faire — à** cause to believe, persuade; (*conjugated like* croire)
accroupir: s'—, to crouch, squat, huddle; **accroupi, -e** crouching, squatting, seated on one's heels
accueil *m.* welcome
***accueillir** to receive, greet, welcome
accuser to accuse; **— de** charge with, accuse of
achat *m.* purchase, buying; **faire l'— de** to purchase, buy
acheter to buy, purchase
achever to finish, end, complete, make an end of; **s'—,** be ended
acier *m.* steel
acquitter to acquit, pay; **s'—,** pay one's debts
Actéon Acteon (*the hunter who was transformed into a stag and devoured by his own dogs in punishment for having surprised the goddess Diana at her bath*)
acti-f, -ve active
action *f.* action, deed, act
actrice *f.* actress
adieu *adv. and noun m.* good-by, farewell; leave-taking
adjectif *m.* adjective
adjudant *m.* adjutant (*non-commissioned officer ranking just above a sergeant-major*)
***admettre** to admit, allow (of)
admirable admirable, wonderful
admirablement admirably
admiration *f.* admiration; *pl.* signs of admiration
admirer to admire, wonder at
adorable adorable, lovely, charming, entrancing
adorer to adore, worship; **s'—,** adore *or* worship one another
adosser to lean against; **adossé,-e à** resting against, leaning against, sitting against
adoucissement *m.* alleviation, mitigation
adresse *f.* address, skill; **avec —,** skillfully
adresser to address, direct, send; pay; speak; **— la parole** (à) address, speak (to); **s'— à** turn to, address, apply to
adroit, -e skillful, clever, adroit
adulation *f.* flattery, fawning, adulation
adversaire *m.* adversary, foe

affaiblir to weaken, enfeeble; **s'—,** grow *or* get weaker, become enfeebled; **affaibli, -e** weak, faint, weakened
affaire *f.* affair, thing, matter, business, business transaction, case; *pl.* affairs, things, business; **avoir — à** to have dealings with, have to do with; **avoir — de** have need of, need; **c'est mon —,** that's my business, that suits me; **d'—s** *adj.* business; **faire une —,** do *or* carry on business; **se faire son —,** make away with oneself; **se tirer d'—,** get out of a difficulty
affamer to famish, starve; **affamé, -e** starved, starving, famished
affecter to affect, feign, pretend, assume
afficher to post (up)
affiler to sharpen
affirmation *f.* affirmation, assertion, statement
affliger to afflict, distress, trouble; **un affligé** an afflicted person
afflux *m.* afflux, flowing-in
affoler to strike with panic, madden; **affolé, -e** panic-stricken, frantic, half-crazed
affreu-x, -se frightful, terrible, hideous
affubler (de) to rig out (in), deck out (in), dress (in)
affût *m.* gun-carriage, watch; **se mettre à l'—,** to lie in wait, lie in ambush
afin: — de *prep.* in order to, to; **— que** *conj.* in order that, so that
africain, -e (A—) African
Afrique *f.* Africa
âge *m.* age; **quel — avez-vous?** how old are you? **avec l'—,** with age
âgé, -e aged, old; **— de cinquante ans** fifty years old
agenouiller: s'—, to kneel (down), fall on one's knees
agile agile, nimble, active
agilité *f.* agility
agir to act; **s'— de** be a question *or* matter of, have reference to
agitation *f.* agitation, commotion, excitement, stir, disturbance
agiter to agitate, shake, stir (up), wave, disturb; **s'—,** be agitated, move, stir, struggle, writhe; **agité, -e** stirred, churned, trembling, shaking, excited, quivering; **agité d'un tremblement** trembling with agitation, quivering with excitement
agonie *f.* death agony, death struggle
agoniser to be dying, be in the death throes, agonize
agrandi, -e enlarged, wide open, staring open
agréable agreeable, pleasing, pleasant
agur laguna (*Basque*) = **bonjour, camarade**
ah *interj.* ah! oh! ha!
aide *f.* help, aid, assistance; **être en — à** to aid, help, assist
aide *m.* helper, assistant; **— de camp** aid-de-camp, staff officer
aider to aid, help, assist; **s'—,** help *or* assist oneself; **s'— de** make use of, avail oneself of
aide-timonier *m.* helmsman's mate
aiglon *m.* eaglet
aigre sour, sharp, acrid
aigu, -ë sharp, acute, shrill
aiguillette *f.* shoulder knot
aile *f.* wing
ailleurs elsewhere, else; **d'—,** besides, moreover, however, otherwise
aimable kindly, amiable, pleasing, gracious
aimant *m.* magnet; **pierre d'—,** loadstone
aimer to love, like, be fond of; **— mieux** prefer; **s'—,** love one another, fall in love with one another; **aimé, -e** beloved
ainsi thus, so, in this *or* that way; **— que** as well as, as, like, just as
air *m.* air, look, appearance, manner, way, tune, melody, atmosphere; **avoir bon —,** to be good looking, be handsome; **avoir l'— de** look like, appear, seem; **avoir l'— pauvre** look poor; **d'un — de bonne humeur** good naturedly; **d'un — froissé** with an offended look; **d'un — malin** roguishly, with a sly look; **en l'—,** up, upward, in the air; **en plein —,** out of doors; **l'— riant** smiling; **un — entendu** an understanding air, a knowing look
aise *f.* ease, convenience, content, delight, gladness, joy; **à l'—,** at (one's) ease, comfortable, at home

aise glad
aisé, -e easy, convenient
aisément easily, unceremoniously
Aix *a city of about 30,000 inhabitants in southern France some twenty miles north of Marseilles. It was founded by the Romans before the Christian era*
ajouter to add
alambic *m.* alembic, still
alarme *f.* alarm
alarmer to alarm, startle; **alarmé, -e** alarmed, startled
Alava *a province in the north of Spain. Vitoria is its principal town*
album *m.* album, sketchbook
alcade *m.* alcaid (*a magistrate or judge in Spain*)
Alcalâ de los Panaderos *a suburb of Seville that is noted for its delicious pastry.* (*Spanish* **de los panaderos** = " of the bakers ")
alcool *m.* alcohol
alentour *adv.* around, about, round about; **alentours** *m. pl.* neighborhood, vicinity
alerte *f.* alarm
alignement *m.* alignment, ranging in line
aligner to form into a straight line, line up
aliter: s'—, to take to one's bed
allée *f.* walk, driveway, passage, alley
Allemagne *f.* Germany
allemand, -e (A—) German
***aller** to go, go on, be going to, be about to, walk; be (well); **— au-devant de** go to meet; **— chercher** go for, go and get; **— prendre** go and get; **s'en —,** go away, depart, leave; **allez!** now! **allons!** come! now! come now!
allonger to lengthen, stretch (out); **s'—,** grow longer, lengthen out, stretch out, lie; **— la tête** thrust out one's head, peer out
allumer to light (up), kindle, brighten; **s'—,** light up, catch fire, be set off; **allumé, -e** lighted, kindled, flooded with light
Almanza *a small town in eastern Spain*
alors then, so, thereupon, in that case, at this *or* that time
alouette *f.* lark
alourdir to make *or* render heavy *or* dull; **alourdi, -e** sultry, heavy, drowsy
Alpilles *f. pl. the lower spur of the Alps in southern France*
altération *f.* change; deterioration
amande *f.* almond
amandier *m.* almond tree
amant *m.* lover, sweetheart
amarrer to moor, make fast
amasser to amass, lay up, accumulate, save
amateur *m.* amateur, devotee, enthusiast
âme *f.* soul, mind
améliorer to improve, better
amen *interj.* amen!
amener to lead, conduct, bring along
am-er, -ère bitter
Amérique *f.* America
ameublement *m.* furniture, furnishings
ami, -e *m., f.* friend; **m'amie,** sweetheart, darling; **mon —,** my dear, my friend; **bonne —e** sweetheart
amitié *f.* friendship, affection
amorce *f.* bait, priming, percussion-cap
amour *m.* love; *f. pl.* **—s** love affairs; **par — pour moi** for my sake
amourette *f.* love affair, flirtation
amoureu-x, -se (de) in love (with), loving; *noun* sweetheart, lover
amputer to amputate
amusant, -e amusing, entertaining be
amuser to amuse, entertain, beguile, detain; **s'—,** amuse oneself, be amused, have a good time, entertain oneself; **s'— à** enjoy, find entertainment in
an *m.* year; **avoir dix —s** to be ten years old
ancien, -ne ancient, past, former, old, old-fashioned; **soie —ne** rich old silk; **l'—ne** the old one
ancre *f.* anchor; **la maîtresse —,** the sheet anchor (*the largest anchor of a ship*)
andalous, -e (A—) Andalusian
Andalousie *f.* Andalusia (*a large province in the southern part of Spain*)
André Andrew
âne *m.* donkey, ass
anéantir to annihilate, dumbfound, overcome

angélus *m.* angelus (*the prayer said morning, noon and sunset in Catholic countries; also applied to the bell announcing it*)
anglais, -e (**A—**) English, Englishman, Englishwoman; *m. pl.* the English
Angleterre *f.* England
angoisse *f.* anguish, anxiety, agony of fear
anguille *f.* eel
animal *m.* animal, creature
animation *f.* animation, bustle, stir
animer to animate, excite, quicken; **s'—,** become animated, work oneself up; **animé, -e** animated, lively, spirited
anisette *f.* anisette (*a cordial flavored with anise*)
anneau *m.* ring, finger ring
année *f.* year
annoncer to announce, report, show, foretell, give promise of; **s'—,** announce itself, present itself, be announced
anonyme *adj.* anonymous; *noun* anonymous writer *or* person
anse *f.* handle, loop; inlet, cove, creek
antichambre *f.* anteroom, antechamber
antique antique, ancient, old-fashioned
Antonio (*Spanish*) Anthony
anxiété *f.* anxiety, dread, fear, dreadfulness; **avec —,** anxiously
anxieu-x, -se anxious
août *m.* August
apaiser to appease, soothe
***apercevoir** to perceive, notice, observe, catch sight of; **s'— (de)** notice, become aware (of), observe, discover
apeuré, -e frightened
aplomb *m.* self-possession, assurance; equilibrium, perpendicularity; **d'—,** plumb, perpendicularly, straight down; **prendre un — solide** to get a firm footing *or* foothold
apostropher to address sharply, speak sharply to, reproach
***apparaître** to appear, be visible
appareiller to set sail, weigh anchor
apparence *f.* appearance, semblance, look; **en —,** apparently, seemingly
***appartenir** to belong
appel *m.* call, roll call; **faire l'—,** to call the roll
appeler to call, summon, name, address, call forth, call for; require; **faire —,** send for, summon; **s'—,** call oneself, be named, one's name . . . to be
appétissant, -e appetizing, tempting
appétit *m.* appetite
applicable applicable
appliquer to apply, place, put, fit; **s'— à** apply oneself to, make it a point to
apporter to bring (along), carry, fetch
***apprendre** to learn, hear of, teach
apprenti *m.* apprentice, beginner, novice
apprêt *m.* preparation
apprivoiser to tame, make sociable
approbation *f.* approval, approbation
approcher to bring (draw, move) nearer, approach; **s'— (de)** approach
approvisionner to stock up, stock with supplies
appuyer to support, prop, lean, rest; **s'— sur** lean on, support oneself on; **appuyé, -e (à)** resting (on), leaning (against)
après after, afterward; **— coup** afterwards, later, as an afterthought; **— que** *conj.* after; **d'—,** according to, from; **peu —,** shortly after
après-demain *adv.* the day after tomorrow
après-midi *m. or f.* afternoon
aquilin, -e aquiline, curved, hooked
arabe (**A—**) Arabian, Arab
arbre *m.* tree
arcade *f.* arcade, arch; **d'— en —,** from arcade to arcade
arche *f.* ark
archéologique archeological
archéologue *m.* archeologist
archivieux very old
ardemment ardently, fervently
ardent, -e ardent, burning, fiery, glowing
ardeur *f.* ardor, passion, eagerness
argent *m.* silver, money; **— blanc,** silver money
argenterie *f.* silverware, silver
argentier (*archaic*) *m.* treasurer, keeper of the exchequer

argot *m.* slang, argot, gibberish
argumentation *f.* arguments, line of reasoning
aristocratie *f.* aristocracy
aristocratique aristocratic
Arles *a very old city in southern France some sixty miles northwest of Marseilles*
armateur *m.* ship-owner
arme *f.* arm, firearm, weapon; *pl.* **—s** arms, firearms, coat of arms; **— à feu** firearm, gun; **à l'— blanche** with sword and bayonet; **l'— au bras** at shoulder arms; **l'— au pied** with arms grounded; **prendre les —s** to take up arms
armée *f.* army
armer (de) to arm (with), provide (with); cock (*a gun*); **s'—,** arm oneself
armoire *f.* wardrobe, closet, cupboard; **— à glace** wardrobe with glass door
aromate *m.* aromatic substance, spice, flavoring
arome *m.* aroma
arracher to pull (pluck, tear) out *or* away, snatch, wrest; **s'—,** tear out, pull out
arranger to arrange, settle, make right, " fix "; **s'—,** arrange oneself, make arrangements, manage, fix oneself
arrêter to stop, arrest, halt; decide on; **s'— (à)** stop (at), cease, linger (over)
arrière *adv.* back, behind; **— de moi!** get behind me! go back of me! **en —,** behind (one), drawn back; **posé en —,** (*of a hat*) tilted backward; *noun m.* back part, rear, stern; **à l'—,** aft, to the stern; **gaillard d'—,** quarter-deck
arrière-garde *f.* rear-guard, rear
arriver (à) to arrive (at), happen, manage, succeed, get *or* come (to), reach, strike
arrondir to round out, make round
arroser to water, sprinkle, moisten, bathe
art *m.* art, craft; **l'— magique** magic, sorcery
article *m.* article, point in question
asile *m.* asylum, refuge
aspect *m.* aspect, look, appearance
aspirer to aspire, aspirate
***assaillir** to assail, attack; (*conjugated like* **cueillir** *except that the fut. and condl. are regular:* **assaillirai; assaillirais**)
assassin *m.* assassin, murderer
assassiner to assassinate, murder
assaut *m.* assault, attack: **donner l'—,** to charge
assavoir [= **à savoir**]: **il est fait —,** be it known, notice is given
assemblée *f.* assembly, gathering, throng
***asseoir** to seat; **s'—,** sit down, seat oneself; **assis, -e** seated, sitting
assez enough, sufficient(ly), quite, rather; **— de,** enough
assiette *f.* plate
assistance *f.* bystanders, (the) crowd, people present, audience
assister (à) to be present (at), witness, watch, stand by and watch
associer to associate; **s'—,** admit as partner(s), enter into partnership with
Assoucy, d' (Charles d'Assouci) *a burlesque poet who was born in Paris in 1605 and died in 1675*
assoupir to make drowsy *or* sleepy, hush up; **s'—,** grow *or* get drowsy, be *or* become stilled
assoupissant, -e soporific
assoupissement *m.* drowsiness
assurément assuredly
assurer to assure, make sure of; **s'—,** assure oneself, make certain, make sure; **assuré, -e** certain, safe, confident, steady
asthmatique asthmatic, wheezy
âtre *m.* hearth
atroce atrocious, fierce, excruciating
atrocité *f.* atrociousness, atrocity, cruelty
attablé, -e at table, seated (*at or around the table*)
attaché *m.* attaché (*of an embassy*)
attacher to tie, fasten, attach, join, fix
attaque *f.* attack
attaquer to attack
***atteindre** to attain, reach, touch, attack, hit, seize, overtake, catch up with; **atteint, -e (de)** afflicted (with), stricken (by)

atteinte *f.* reach, blow, attack, stroke
attendre to await, wait for, wait, expect; **— que** wait until; **s'— à** expect; **en attendant de manger** while waiting for meal time; **en attendant que** while waiting until
attendrir to move, stir, affect, touch
attendrissant, -e moving, touching
attente *f.* waiting, wait, expectation, period of waiting
attention *f.* attention, courtesy; **avoir l'—,** to take care; **faire — à** notice, pay attention to, mind; **prêter —,** pay *or* give attention; **—!** look out! attention!
atténuer to lessen, weaken, soften
atterrer to crush, cast down, overwhelm, astound; **atterré, -e** cast down, crushed, overwhelmed, astounded, dismayed
attester to attest, certify (to), call to witness, bear witness to, prove
attifer to adorn, bedeck, dress up ridiculously
attirer to attract, draw; **s'—,** draw upon oneself, bring down upon oneself, win for oneself
attitude *f.* attitude, posture
attrait *m.* attraction, charm; **— de curiosité** curious interest
attraper to catch, trap, take in, trick
attribuer to attribute
auberge *f.* inn, tavern
aubergiste *m.* innkeeper, landlord
aucun, -e no, not one, none; any; **ne . . . —,** no, not one, none
audace *f.* audacity, boldness
au-dessous (de) below, beneath, under
au-dessus (de) above, upon, over
au-devant (de) before; **aller — de** to go to meet
augmenter to increase
Augustin, Saint St. Augustine (*354–430 A.D.*) *for a number of years Bishop in North Africa, is considered to be the most celebrated of the Church Fathers. Among his best known works are the « Confessions » and the « Cité de Dieu »*)
aujourd'hui to-day, now, at the present time
aumône *f.* alms, charity; **faire l'—,** to give alms, be charitable
aune *f.* ell (*old-fashioned French measure of length equivalent to 1¼ yards*)
auparavant before, previously, beforehand
auprès near, nearby; **— de** near, close by, close to, with, among, alongside, in comparison with, in the estimation of, into the presence of
auréole *f.* halo
aussi also, too, likewise, as, so, therefore, consequently, accordingly; **— bien** moreover, anyhow, in any event; **— . . . que** as . . . as
aussitôt immediately, at once, forthwith; **— que** as soon as
autant so much, as much, as well; **— de** so much, so many; **— que** as much as, as well as; **d'— plus . . . que** so much the more . . . because, all the more . . . since; **en faire —,** to do likewise
autel *m.* altar
auteur *m.* author
automne *m.* autumn
autoriser to authorize
autorité *f.* authority
autour around *or* round (it, us, *etc.*), round about; **— de** round about, round, about, around
autre other, different, else, more; **— chose** something else; **nous —s** the rest of us, we; **rien —,** nothing else; **l'un et l'—,** both; **les uns les —s** each other; **les uns . . . les —s** some . . . (the) others; **l'— semaine** next week, last week; **de temps à —,** from time to time, every now and then; **d'un moment à l'—,** at any moment
autrefois formerly, in days gone by; **d'—,** of former times
autrement otherwise
avaler to swallow; **— d'un coup** *or* **— d'un trait** swallow in one gulp, gulp down
avance *f.* advance, lead, start; **à l'—** *or* **d'—,** in advance, beforehand
avancement *m.* advancement, promotion
avancer to advance, push forward, stretch out, hold out; **s'—,** advance, go *or* come forward

avant *prep.* before; **— de** before; **— peu** before long; **en —,** forward, thrust forward; **si —,** so far in; **— que** *conj.* before; *noun m.* front part, bow (*of a ship*); **gaillard d'—,** forecastle
avantage *m.* advantage, benefit; **avoir l'—,** to be the victor
avarie *f.* damage, injury; *pl.* damage; **sans —(s)** undamaged, uninjured
avec with; **— ça** besides, too, in addition; **— tout cela** for all that; **— l'âge** with age, as she grew older
Ave Maria *m.* Hail Mary (*Catholic prayer addressed to the Virgin Mary*)
avenir *m.* future
aventure *f.* adventure, occurrence, experience; **à l'—,** at random, haphazard; **la bonne —,** fortune; **par —,** perchance; **se faire tirer la bonne —,** to have one's fortune told
aventureu-x, -se adventurous
avenue *f.* avenue, driveway
avertir to warn, notify, give notice
aveu *m.* avowal, confession, admission
Ave verum Hail, true body (*the beginning words of a Latin hymn*)
avide avid, eager, greedy
Avignon *a very old city in Provence on the Rhône. Its most prosperous period was from 1305 to 1377 when it was the residence of the Popes, Clement V to Gregory XI*
avis *m.* opinion, impression, notice, mind, suggestion, (piece of) advice; **à mon —,** in my opinion
aviser to advise, notify, inform, notice, espy; **— à** consider, think about; **— à remplacer** consider how to replace; **s'— de** take it into one's head to, think of, bethink oneself of
aviver to freshen, intensify, quicken
avocat *m.* lawyer, attorney; **— général** attorney-general
***avoir** to have, get, contain, hold, be (*of age*), be the matter, be under obligation; **— affaire à** have dealings with, have to do with; **— affaire de** have need of, need; **— beau +** *inf.* be useless, be in vain; **— besoin de** be in need of, need; **— bon air** be good looking, be handsome; **— des distractions** be absent minded; **— dix ans** be ten years old; **— droit à** be entitled to; **— envie de** desire, want; **— faim** be hungry; **— l'air de** look like, appear, seem; **— la tête dure** be a poor student, be slow in learning; **— l'attention (de)** take care (to); **— le cœur gros** grieve, one's heart to be swollen; **— le dessous** be pinned to the floor *or* ground, get the worst of it; **— l'intention de** intend; **— l'oreille dure** be hard of hearing; **— lieu** take place; **— lieu de** have reason to; **— peur** fear, be afraid; **— raison** be right; **— soif** be thirsty; **— soin (de)** take care (to); **— tort** be wrong; **— un tressaillement** give a start; **il y a** there is, there are, ago; **il y a eu** there was, there were; **qu'as-tu?** *or* **qu'est-ce que tu as?** what is the matter with you?
avouer to confess, admit, acknowledge, own
Ayché Ayché
azur *m.* azure, sky-blue color
azuré, -e azure, sky-blue

B

Babel Babel; **tour de —,** tower of Babel
babine *f.* lip (*of animals*); (*fam.*) lip (*of persons*); chop
badigeonner to whitewash
bagage(s) *m.* baggage, luggage
bagarre *f.* fray, scuffle, hubbub
bagatelle *f.* trifle; **être —,** to be trivial, be almost nothing
bague *f.* ring
baguette *f.* rod, wand, stick, drumstick; **mener quelqu'un à la —,** to lead somebody arbitrarily, make somebody toe the line
bah *interj.* pooh! pshaw! nonsense!
bai, -e bay
baigneu-r, -se *m. and f.* bather
baï, jaona (*Basque*) yes, sir
bailli *m.* bailiff, resident magistrate
bain *m.* bath, bathing; **au —,** in bathing
baïonnette *f.* bayonet; **coup de —,** bayonet thrust
baiser to kiss; *noun m.* kiss; **échanger un —,** kiss one another

baisser to lower, decline, end; **se —,** stoop down, bend over; **baissé, -e** lowered, downcast
baji (*Gipsy*) *f.* fortune
bal *m.* ball, dance, dancing party
balafo *m.* *a musical instrument used by the natives of Guinea*
balafrer to slash, gash
balai *m.* broom
balancer to balance, swing, waft (away), blow; **se —,** swing, sway, balance oneself
balayer to sweep
balbutier to stammer
balcon *m.* balcony
baliverne *f.* silly remark, nonsense
balle *f.* ball, bullet, shot
ballon *m.* ball, balloon
ballot *m.* bale
ballotter to toss (about), swing, dangle
balourd, -e thick witted, somewhat stupid
balustrade *f.* balustrade, railing
banal, -e banal, commonplace, ordinary
banc *m.* bench, seat; **char à —s** wagonette, 'bus
bande *f.* band, strip; gang, crowd, shoal (*of fish*); side (*of a ship*); cushion (*of a billiard table*)
bander to bandage, bind up
bandit *m.* outlaw, bandit, villain, blackguard
bandoulière *f.* shoulder-belt; **en —,** slung over one's shoulder
bannière *f.* banner
banquet *m.* banquet, feast
baobab *m.* baobab *or* monkey tree (*a very large tree found in Africa and India*)
baragouiner to jabber, murder (*a language*)
barbare barbarous, barbaric, outlandish, wild
barbe *f.* beard; **— de chèvre** goatee
barbu, -e bearded, bewhiskered
Bari Crallisa (*Gipsy*) = **grande reine**
bar lachi (*Gipsy*) *f.* loadstone
barque *f.* boat, rowboat, bark
barquette *f.* dumpling
barratcea (*Basque*) *m.* garden
barre *f.* bar, rod, line, streak; **—s de justice** (*iron bars to which unruly or mutinous sailors were fastened by means of iron rings*)
barreau *m.* bar (*of a prison cell*)
barrer to bar, stripe, streak, mark, obstruct
barricader to barricade
barrière *f.* barrier, fence, rail
barrique *f.* cask
bas, -se low, down; **ciel —,** low-hanging sky; **la tête —se** with one's head down; **à voix —se** in a low tone
bas *adv.* low, down, in a low tone; **là- —,** (down) there, over there, yonder; **mettre —,** to put down; **tout —,** in very low tones
bas *m.* bottom, lower part; stocking; **au — de** at the bottom of, below; **de haut en —,** from top to bottom; **en —,** below, downstairs; **en — de** down from
basque (**B—**) Basque
bassin *m.* pool, pond, basin, reservoir
bassine *f.* preserving pan
bast *interj.* pshaw! pooh!
Bastia *the largest town and seaport in Corsica*
Bastuli-Poeni *the Bastuli were an ancient Iberian race on the southern coast of Spain*
bât *m.* packsaddle
bataille *f.* battle; **à la —,** in battle; **champ de —,** battlefield
bataillon *m.* battalion
bateau *m.* boat
bâtiment *m.* edifice, building; ship; **— négrier** negro slave ship; **— de guerre** warship
bâtir to build
bâtisse *f.* building, structure
bâton *m.* stick, staff, club
battement *m.* beating, roll, thumping, stamping
batterie *f.* battery
***battre** to beat, batter, strike, clap, throb, defeat; **— comme plâtre** beat to a pulp, trounce *or* wallop severely; **— des ailes** flap one's wings; **— des mains** clap one's hands; **— en retraite** retreat, beat a retreat; **— la montagne** scour the mountain slopes, go all over the mountain; **— la retraite** sound retreat *or* tattoo; **— les bois**

scour *or* search the woods; **se —**, fight, struggle
battue *f.* battue, search, hunt
Baux *a village some ten miles northeast of Arles*
bavard, -e talkative; *noun m. and f.* chatterer, chatterbox, talkative person
Baztan *a river and valley in the western Pyrenees, near France*
béant, -e gaping, yawning, wide-open; **bouche —e** mouth wide open, gaping
béat, -e blissful; **d'un air —**, blissfully
beau (**bel** *before vowels*) **belle** beautiful, fine, lovely, handsome, good-looking, fair, happy; **au — milieu de** in the very midst of, right in the middle of; **avoir —** + *inf.* be useless, be in vain; **à belles dents** ravenously, heartily; **de plus belle** in the finest manner, faster than ever, more forcibly than ever
beaucoup (de) much, a great deal (of), very much, a lot, plenty, many, very many
beauté *f.* beauty, loveliness
bêche *f.* spade
bégayer to stammer, stutter
beguin *m.* hood, close-fitting cap
beignet *m.* fritter
bel, belle *see* **beau**
belge (B—) Belgian
Belgique *f.* Belgium
belligérant, -e belligerent, warring
Bellone: la —, the Bellona
Bellum Hispaniense The Spanish War (*the title of one of the anonymous Latin histories supplementing Cæsar's "Commentaries." It describes the war that was waged in Spain by Cæsar and the followers of Pompey*)
bénédiction *f.* benediction, blessing
bénéfice *m.* profit
bénit, -e blessed, consecrated, holy; **eau —e** holy water
bénitier *m.* holy-water font
béquille *f.* crutch
berceau *m.* cradle
bercer to lull, rock
béret *m.* tam-o'-shanter, Basque woolen cap
bergamote *f.* bergamot
berger *m.* shepherd
bergerette *f.* little shepherdess
besace *f.* wallet, leather bag
besogne *f.* work, task, job; **se mettre à la —**, to set to work
besoin *m.* need; **au —**, in case of need; **avoir — de** to be in need of, need (to)
bestial, -e bestial, animal
bête *f.* animal, beast, small creature; fool, stupid fellow
bête *adj.* stupid, foolish
bêtise *f.* stupidity, nonsense, folly, stupid act *or* thing
Beuzeville *a very small town about six miles southeast of Goderville and northeast of Le Havre*
biais *m.* bias; **de —**, diagonally
bibelot *m.* trinket, knickknack
bibliothèque *f.* library
bidet *m.* nag
bien *adv.* well, very, quite, fully, exceedingly, indeed, certainly, comfortable, comfortably, to be sure, of course, proper(ly), all right; **— des** many; **— du (de la)** much; **— en face** straight, straight in one's face, squarely in the eye; **— entendu** of course; **— oui** of course, quite so; **— que** *conj.* although; **aussi —**, in any event, moreover; **eh —**, well then, well now; **être —**, be well, be comfortable, be all right; **c'est —**, all right, very well; **oh —**, oh well; **ou —**, or else, or indeed, or on the other hand; **elle me semble très —**, it strikes me as very good-looking
bien *m.* goods, property, piece of property
bientôt soon, very soon, quickly
bienveillant, -e benevolent, kind, well-disposed
bienvenu, -e *adj. and noun m.* welcome; **soyez le —**, welcome
bijou *m.* jewel
bijoutier *m.* jeweler
billard *m.* billiards; billiard table; billiard game
bille *f.* (billiard) ball; marble (*for games*)
billet *m.* ticket; note, promissory note; **faire des —s** to sign notes
Biscaïe *f.* Biscay (*province of northern*

Spain bordering the bay of the same name)
biscuit *m.* biscuit, cracker, cooky
bise *f.* north wind; **une petite —,** a light north wind
bivouac *m.* bivouac, camping ground; **au —,** in the open, before a camp fire
bizarre odd, queer, curious, strange
blafard, -e wan, dull, dim, leaden-hued
blâmer to blame, censure, criticize
blanc *m.* white; chalk (*at billiards*); **un —,** a white man
blanc, blanche white, fair; **argent —,** silver money
Blanche de Bourbon (*1335–1361*) *queen of Castile, became the wife of Pedro the Cruel in 1353. He abandoned her a few days after the marriage and according to rumor had her poisoned in 1361*
blancheur *f.* whiteness
blanchir to whiten, paint white, whitewash
blé *m.* wheat, grain; *pl.* grain
blesser to wound, hurt, injure; **blessé, -e** wounded, hurt, injured; **un blessé** a wounded *or* injured person
blessure *f.* wound, injury
bleu, -e blue; *noun m.* blue
bleuir to turn *or* become blue
blond, -e blond, golden, yellow, light-colored, flaxen, fair
blottir: se —, to squat, crouch
blouse *f.* blouse, smock
bocal *m.* (preserving) jar
bœuf *m.* ox; *pl.* oxen, cattle
Bohême *f.* Gipsydom, the Gipsies (*it was formerly believed that* **les Bohémiens,** Gipsies, *came from* **la Bohême,** *Bohemia*)
bohémien, -ne (B—) Gipsy
***boire** to drink, absorb; **— un coup** take *or* have a drink; **verser à —,** pour out a drink *or* drinks; **donne-moi à —,** give me a drink
bois *m.* wood(s), timber, forest; **— d'ébène** ebony; (*fig.*) black *or* negro slaves; **éclat de —,** splinter
boisé, -e wooded, wainscoted
boiserie *f.* wainscoting
boisseau *m.* bushel basket
boisson *m.* drink
boîte *f.* box; case (*of a watch*)
bon, -ne good(ly), kind(ly), good natured, fit, right, proper; **— nombre de** a goodly number of; **c'est —,** all right; **être — pour moi** to be good *or* kind to me; **faire —,** be comfortable, be safe; **trouver —,** be satisfied with; **à quoi —?** what is *or* was the use? **pour tout de —,** for good and all, in earnest; **tenez —,** keep *or* hold steady; **n'être — à rien** be good for nothing
bonasse soft, simple, amiable
bonbon *m.* candy, sweets
bond *m.* bound, leap, jump
bondir to bound, leap, spring, jump
bonheur *m.* happiness, good fortune, luck, good luck; **par —,** luckily
bonhomme *m.* old fellow, old boy, simple soul
bonjour *m.* good morning, good afternoon, good day, how do you do; **dire —,** to say "good morning", greet
bonne *f.* maid, maid servant, housemaid
bonnet *m.* cap, bonnet; **— à coques** cap with ribbon ties; **— de police** fatigue *or* forage cap
bonsoir *m.* good evening, good night
bord *m.* border, edge, brim, hem, side; rail (*of a ship*); **à — (de)** on board, **à son —,** on board his ship; **aux larges —s** wide-brimmed; **par-dessus le —,** overboard; **virer de —,** to tack, change the course (*of a ship*)
bordage *m.* planking, siding
border to border, skirt, hem
borgne *adj.* blind in one eye, one-eyed
borner to limit, confine; **se —,** limit oneself
bosselé, -e battered, dented
botte *f.* boot; bunch
bouche *f.* mouth; **— béante** gaping, mouth wide open
boucher to stop up, plug up, fill, close
boucher *m.* butcher
bouder to pout, sulk, be sulky, be vexed with; **se —,** pout, be sulky with each other
boudeu-r, -se sulky, pouting
boue *f.* mud
bouffant, -e puffing, puffy
bouffée *f.* puff, whiff

bouffir to puff out, inflate, bloat
bouger to budge, stir, move
bougie *f.* candle
bouillon *m.* broth; spurt, stream
bouillonner to bubble, boil
boulet *m.* cannon ball, solid shot
bouleverser to upset, turn topsy-turvy, agitate, overcome; **bouleversé, -e** completely upset, panic stricken
bouquet *m.* bunch (*of flowers*), bouquet; flavor, fragrance, aroma
bourdonnant, -e buzzing
bourdonner to buzz
bourg *m.* borough, market town
bourgeois, -e bourgeois, civilian, middle-class, plain; *noun* citizen, civilian, middle-class person
bourre *f.* wad (*of a gun*); (*pop.*) bullet
bourrelier *m.* harness maker
boussole *f.* compass
bout *m.* end, tip; piece, fragment, link (*of sausage*), parcel; **— de champ** bit of land; **— de jambe** stump; **à — de force**(s) exhausted, one's strength gone, with no strength left; **après un — de chemin** after (going) a short distance; **au — de** at the end of, after; **pousser à —**, to push *or* drive to the limit; **quelques —s de terre** several pieces *or* bits of land; **tout au —**, at the very end; **venir à — de** finish *or* accomplish, manage to, succeed in
bouteille *f.* bottle
boutique *f.* shop
bouton *m.* button
bouvier *m.* cowherd, herdsman, ox driver
bouvreuil *m.* bullfinch
braconnier *m.* poacher
brailler to bawl, cry, howl, whine
brancard *m.* shaft; stretcher
branche *f.* branch, limb, bough
branle *m.* swinging, movement; **— bras** commotion
Brantôme, Pierre de Bourdelles (*1535–1614*) *author of piquant short stories in which he gives revealing pictures of the life of his period*
bras *m.* arm; **l'arme au —**, at shoulder arms; **le fusil au —**, gun in hand; **le panier au —**, carrying a basket; **sur les —**, on one's hands
brave brave, good, fine, worthy; *noun m.* brave man, bully; **— garçon** worthy young fellow, good boy; **mon —**, my good fellow, old fellow
bravement bravely, courageously, boldly, valiantly
bravo *interj.* bravo! fine! *noun m. pl.* applause
bravoure *f.* bravery, daring
Bréauté *a Norman village near Goderville and Le Havre*
brèche *f.* breach, break, hole, gap
bref, brève brief, short, curt; **bref** *adv.* in short
breton, -ne Breton; *noun f.* Breton girl *or* woman
bréviaire *m.* breviary, (priest's) prayer book
brick *m.* brig
bride *f.* bridle; **à — abattue** at headlong speed
brider to bridle
brigadier *m.* (cavalry) corporal, (police) sergeant
brigand *m.* brigand, robber, scoundrel, ruffian
brillant, -e brilliant, shining, bright, shiny
brique *f.* brick
briquet *m.* flint and steel, steel (*for striking a light*), lighter
briser to break, shatter; **se —**, break, be broken, shatter, be shattered; **brisé, -e** broken, nerveless, weary
broc *m.* jug
broche *f.* spit
broder to embroider, border
broderie *f.* embroidery
brosser to brush; **se —**, brush oneself
brosseur *m.* hostler, groom, orderly, (officer's) servant
brouillard *m.* fog, mist
brouiller to embroil, mix up; **se —**, fall out, get into a row, have trouble
broussailles *f. pl.* brushwood, briars, brush
bruissant, -e rustling
bruit *m.* noise, rumor, sound, clashing; **sans —**, noiselessly, silently
brûler to burn, scorch
brume *f.* mist, haze

brumeu-x, -se misty, hazy
brun, -e brown, dark, brunette
brusque brusk, rough, gruff, abrupt, blunt, rude
brusquement brusquely, abruptly, bluntly, suddenly
brutal, -e rough, brutal, savage, wild
brutalement roughly, viciously, brutally
brutaliser to treat roughly, bully
bruyamment noisily
buée *f.* vapor, reek, mist, fume
buisson *m.* bush, thicket, clump
bulbeu-x, -se bulbous
bureau *m.* office, desk
but *m.* goal, purpose, object, idea, aim
butin *m.* booty

C

ça *shortened form of* **cela** that, it, the thing; **avec —,** besides, too, in addition
çà here, hither; **— et là** here and there
cabane *f.* cabin, hovel
cabaret *m.* inn, tavern, wine shop
cabestan *m.* capstan (*for raising anchors*)
cabinet *m.* study, library, office, cabinet
caboteur *m.* coasting sailor, coaster
Cabra (la sierra de) *a mountain chain about 40 miles southeast of Cordova*
cabrer: se —, to rear, prance
cabri *m.* kid
cabriolet *m.* gig, cab
Cachena (la plaine de) *a plateau and stream near Montilla*
cacher to hide, conceal; **se —,** hide *or* conceal oneself
cacheter to seal; **cacheté aux armes de Provence** sealed *or* stamped with the arms of Provence
cachette *f.* hiding place; **en —,** secretly
cachot *m.* dungeon, cell
cadavre *m.* cadaver, corpse, dead body
cadeau *m.* gift, present
cadence *f.* cadence, beat
cadencé, -e cadenced, rhythmic, measured, steady
cadran *m.* dial
café *m.* coffee; café, restaurant
cagnard *m.* shelter
cahot *m.* jolt
caille *f.* quail
caillou *m.* pebble
caisse *f.* box, chest; **— en fer** iron tank
calcul *m.* calculation; **— de tête** mental calculation
calé(s) (*Gipsy*) *m. pl.* Gipsies
calebasse *f.* calabash, gourd
caleçon *m.* drawers, " shorts "
calicot *m.* calico
calife *m.* caliph (*a Mohammedan ruler*)
calli (*Gipsy f. sg. of* **calés**) Gipsy
calme calm, quiet, tranquil; **d'une façon —,** quietly; *noun m.* calm, calmness, stillness
calmer to calm, quiet; **se —** calm oneself, become calm, compose oneself
calorifère *m.* heating apparatus, furnace, central heating system
camarade *m., f.* comrade, companion, chum, friend
Camargue *f.* *an island at the mouth of the Rhône*
cambuse *f.* (steward's) store room
caméléon *m.* chameleon
camionnage *m.* hauling, trucking, cartage
camp *m.* camp; **aide de —,** aid-de-camp, staff officer
campagnard *m.* countryman, peasant
campagne *f.* country, countryside, district, region, neighborhood, fields, landscape; campaign; **faire —,** to make a campaign, see active service; **se mettre en —,** begin a campaign, set to work, take the field
camper to camp, encamp
canaille *f.* rabble, riffraff
canapé *m.* sofa
canard *m.* duck
canarder to shoot at (from shelter), snipe
canari *m.* canary
cancan *m.* gossip, idle talk, idle stories
candide candid, frank, outspoken; white, spotless
candilejo (*Spanish*) *m.* little lamp
canne *f.* cane
canon *m.* cannon; gun-barrel; artillery; **coup de —,** cannon shot

canot *m.* small boat, yawl, canoe, cutter
capable capable, able
cape *f.* hood, cape, hooded cape
capitaine *m.* captain; **— général** general
capitale *f.* capital (*of a country*)
capitonner to stuff, pad, upholster, hang
Capitou (*Provençal*) chapter (*of a church*); **l'âne de —**, the chapter donkey (*of a Provençal proverb*)
caporal *m.* corporal
capote *f.* overcoat (*with a hood*), military overcoat
caprice *m.* caprice, whim
captivité *f.* captivity; **compagnon de —**, companion in captivity
capuche *f.* hood (*worn by monks*)
capuchon *m.* hood, cowl
car *conj.* for, because
caractère *m.* character, disposition; figure
carcan *m.* iron collar
carcasse *f.* carcass, skeleton, framework, hulk
caressant, -e caressing
caresse *f.* caress, flattery, endearment
caresser to caress, fondle, pet
cargaison *f.* cargo
carillonner to chime
carmélite *adj.* carmelite; **robe —**, carmelite dress *or* robe (*light brown garment worn by members of the religious order of the Carmelites*)
Carmencita (*Spanish*) *diminutive of* **Carmen**
carré, -e square
carreau *m.* flooring *or* floor (*of squares of stone or wood*); pane (*of glass*); square
carrément squarely, frankly, candidly
carrière *f.* career
carriole *f.* trap, light van, chaise
carte *f.* card, map
carton *m.* carton, pasteboard, cardboard
cartouche *f.* cartridge
cas *m.* case, event; side, story; **en — de** in the case *or* event of; **en tout —**, in any case, at any rate; **faire — de** attach importance to
cascade *f.* cascade, waterfall
case *f.* hut, cabin
casser to break, shatter; **se —**, break, break up; **cassé, -e**, broken, broken-down, wornout; **un vieillard cassé** a brokendown *or* wornout old man
casserole *f.* saucepan
cassie *f.* cassia (*a flower used for spicing*)
castagnettes *f. pl.* castanets
caste *f.* caste, social class, rank
castillan, -e (C—) Castilian
Catalogne *f.* Catalonia (*province in the northeastern part of Spain; its capital and principal city is Barcelona*)
catastrophe *f.* catastrophe, calamity
cathédrale *f.* cathedral
catholique (C—) Catholic
causant, -e talkative, loquacious
cause *f.* cause, reason; lawsuit, case; **à — de** because of, on account of
causer to cause, produce, give; chat, talk, confer
causerie *f.* talk, chat, conversation
cavalerie *f.* cavalry
cavalier *m.* rider, horseman, trooper, knight, cavalier
caveau *m.* cellar, (wine) vault
ce *dem. pron.* he, she, it, they; this, that, these, those; **— que** what, that which, which; **— qui** what, that which, which; **— que c'est que** what . . . is; **c'est cela** that is it; **c'est que** it is because, the fact is that; **c'est-à-dire** that is (to say); **sont-ce là . . .?** are those . . .?
ce (**cet** *before a vowel or mute* **h**), **cette** (**ces** *pl.*) *dem. adj.* this, that, these, those
ceci *dem. neut. pron.* this, this thing
céder to yield, give up, give way
ceinture *f.* belt, girdle
ceinturon *m.* sword-belt
cela *dem. neut. pron.* that, that thing; *frequently abbreviated to* **ça**; *used contemptuously of persons* that fellow, he, *etc.*; **— fait** that done *or* settled; **c'est —**, that's it
cellule *f.* cell; **de —**, *adj.* cell
celui, celle (ceux, celles, *pl.*) *dem. pron.* this, that, the one; **—-ci** this one, the latter; **—-là** that one, the former; **— que** the one whom *or* which; **— qui** the one who *or* which

censé, -e supposed, assumed, deemed, considered
cent *m.* a *or* one hundred
centaine *f.* about a hundred, a hundred or so
central, -e central, principal, chief
cependant however, nevertheless, yet
cerceau *m.* hoop
cérémonie *f.* ceremony
cerise *f.* cherry; **—s à l'eau-de-vie** brandied cherries
cerisier *m.* cherry tree
certain, -e (a) certain, sure, positive
certainement certainly, of course, surely
certes certainly, of course, surely
certificat *m.* certificate; **avec de bons —s** honorably
cervelle *f.* brain; **avoir la — dure** to be thick skulled, be slow witted; **se faire sauter la —**, blow one's brains out
César (Julius) Cæsar (*the celebrated Roman general and dictator*) (*100–44 B.C.*)
cesse *f.* ceasing; **sans —**, incessantly
cesser to cease, stop
chacun, -e each, each one, everyone
chagrin *m.* sorrow, grief, trouble
chaîne *f.* chain
chair *f.* flesh, meat
chaire *f.* pulpit, chair; (choir) stall (*in a church or chapel*)
chaise *f.* chair
châle *m.* shawl
chaleur *f.* heat, warmth
chaloupe *f.* longboat
chalumeau *m.* pipe, blowpipe; burette (*graduated glass tube for measuring liquids*)
chambre *f.* room; **— à coucher** bedroom; **valet de —**, man servant, valet
champ *m.* field, farmland, ground; **— de bataille** battlefield; **bout de —**, bit of land; **les gens des —s** countrymen, rustics, peasants
Champs-Élysées *m. pl. a celebrated boulevard in Paris, leading from the Place de la Concorde to the Arc de Triomphe*
chance *f.* chance, luck
chanceler to stagger, reel; **en chancelant** staggering
chandelle *f.* candle
changeant, -e changing, changeable, uncertain, fickle
changement *m.* change
changer to change; **— de logement** move; **— de vie** change one's way of living; **se — en** change itself into, be changed into, turn into
chanoine *m.* canon (*dignitary of the church*)
chanson *f.* song
chant *m.* canto, song, singing, crowing
chanter to sing, chant; sound, murmur
chantonner to hum
Chapalangarra *probably a fictitious anti-Carlist military leader of Basque origin invented by Mérimée*
chapeau *m.* hat; **— à longs poils** long napped hat
chapelet *m.* chaplet, rosary, beads, string (*of beads*)
chapelle *f.* chapel; death chamber
chapitre *m.* chapter, assembly (*of priests*); **en plein —**, before the whole chapter
chaque each
char *m.* wagon; **— à bancs** wagonette, 'bus
charcuterie *f.* pork meat *or* sausage; butcher shop
charge *f.* charge, task, load, duty, command
charger (de) to load (with), burden (with), commission (with), entrust (with); **se — de** take charge of, burden oneself with, undertake (to); **chargé, -e** laden, loaded down, entrusted
charitable kind-hearted, charitable
charmant, -e charming, delightful
charme *m.* charm, spell, delight
charmer to charm, captivate, delight
charmille *f.* arbor, bower
charogne *f.* carcass, carrion
charpente *f.* framework, frame
charrette *f.* cart, wagon
charrier to carry *or* bear away
charrue *f.* plow
chartreuse *f. a famous French cordial*
chasse *f.* hunt, hunting, chase; **de —** *adj.* hunting; **fusil de —**, hunting gun; **partie de —**, hunting trip *or*

party; **ustensiles de —**, hunting equipment
châsse *f.* shrine; **comme une —**, gorgeously, gaudily
chasser to hunt, chase, drive out *or* away; blow out
chat *m.* cat
châtaigne *f.* chestnut
châtaignier *m.* chestnut tree
château *m.* castle, mansion
chatière *f.* cat-hole (*in a door*)
chatte *f.* cat
chaud, -e hot, warm; *noun m.* heat, warmth; **avoir —**, to be warm; **faire —**, be warm (*of weather*)
chaudronnier *m.* tinker, mender of pots, *etc.*
chauffer to warm, heat, grow warm
chausser to put on one's shoes *or* stockings; **chaussé, -e de** with one's shoes on, wearing shoes *or* stockings; shod with
chef *m.* chief, head, leader, superior officer; **— de file** file leader
chemin *m.* way, road; **Chemin de la croix** Way *or* Stations of the Cross; **après un bout de —**, after (going) a short distance; **voleur de grand(s) —(s)** highwayman; **se mettre en —**, to start out, set out
cheminée *f.* chimney, fireplace, mantelpiece
cheminer to go on one's way, move along
chemise *f.* shirt, chemise
chêne *m.* oak; **— vert** live-oak
cher, chère dear, expensive
chercher to look for, seek, try to find, hunt for, try; get, procure; **— à** + *inf.* try to; **aller —**, go for, go and get; **— querelle à** try *or* seek to pick a quarrel with
chèrement dearly
chéri, -e dear, dearie, darling
chéti-f, -ve delicate, weakly, puny
cheval *m.* horse; **descendre de —**, to dismount; **monter à —**, mount, ride horseback
cheveu *m.* hair; *pl.* hair
chèvre *f.* she goat; **barbe de —**, goatee
chevreuil *m.* roebuck, deer
chevrier *m.* goatherd
chevrotine *f.* buckshot
chez *prep.* (to, at) in the house, home, shop, residence of; in; among; **— eux** (to, at) in their home *or* house; **— son oncle** at his uncle's
chic stylish, smart, chic
chien *m.* dog; **— de garde** watchdog
chipe calli (*Gipsy*) Gipsy language
chirurgical, -e surgical
chirurgien *m.* surgeon; **—-major** military surgeon, regimental surgeon
chocolat *m.* chocolate
chœur *m.* choir, chorus
choisir to choose, select, make a choice
choix *m.* choice, selection, pick
choquer to shock, clash, disturb; **se —**, clink (*of glasses*)
chose *f.* thing, matter, affair; **— publique** commonweal, *res publica;* **autre —**, something else; **peu de —**, little, nothing much; **quelque —**, something
chou *m.* cabbage
chrétien, -ne (C—) Christian; **mourir en —**, to die as *or* like a Christian
chuchoter to whisper; **chuchotant, -e** whispering
chufa (*Spanish*) *f.* *edible root of a sort of sedge*
chut *interj.* hush!
chute *f.* fall, falling, waterfall; **— d'eau** waterfall
-ci *shortened form of* **ici**; *used mainly to distinguish between* this *and* that *thus:* **ce livre-ci** this book, **ce livre-là** that book; **celui-ci** this one, **celui-là** that one; **par-ci . . . par-là** here and . . . there
cicatrice *f.* scar
cidre *m.* cider; **pommier à —**, cider apple tree
ciel *m.* sky, heaven
cierge *m.* candle, (wax) taper
cigale *f.* cicada, locust, cricket
cigare *m.* cigar; **étui à —s** cigar case
cilice *m.* haircloth; hair shirt (*worn by penitents for self-chastisement*)
cinq five
cinquantaine *f.* fifty or so, about fifty
cinquante fifty
circulation *f.* circulation, moving about, passing through, traffic

cirque *m.* amphitheater
citadelle *f.* citadel, fort, fortress
citer to cite, tell, mention, name
citre (*Provençal*) *m.* (*variety of*) watermelon
citrouille *f.* pumpkin
civilisation *f.* civilization
clabauder to rail at, rant, talk
clair, -e clear, bright, fair, light, light-colored, limpid, silvery
clairement clearly, distinctly, plainly
clairière *f.* clearing, glade
clamer to clamor, cry out, shriek
clameur *f.* clamor, din
clapotement *m.* splashing, swashing
clapoteu-x, -se choppy
claquer to clap, snap, crack; **faire —,** crack, click, clap
clarté *f.* brightness, light, clearness, glow
clef *f.* key
client, -e *m., f.* client, customer
clientèle *f.* clients, customers
clignement *m.* wink, winking; **—s d'yeux** winks
cligner to wink, blink; **— les** (*or* **des**) **yeux** blink (one's eyes)
clin *m.* wink; **en un — d'œil** in the twinkling of an eye
cliquetis *m.* click, clatter, clinking
cliquettes *f. pl.* clappers
cloche *f.* bell; **coup de —,** stroke of a bell
clocher *m.* steeple, belfry, bell tower
clochette *f.* little bell
cloître *m.* cloister
clopiner to limp, hobble
***clore** to close; **clos, -e** closed, shut; **nuit close** completely *or* quite dark, nightfall
clouer to nail, rivet, fix
cocarde *f.* cockade, bow of ribbon
cocher *m.* coachman, cab-driver, driver
cœur *m.* heart; courage, good will, affection; **de bon —,** heartily, gladly, freely, wholeheartedly; **d'un tel —,** so cheerfully, so wholeheartedly; **gaillard de —,** courageous fellow, fellow of spirit, proud fellow; **homme de —,** courageous man, man of spirit, proud man; **mon —,** darling, sweetheart; **avoir le — gros** to grieve, be heavy hearted, one's heart to be swollen; **faire le joli —,** play the lady's man; **rester sur le —,** rankle within, weigh on; **retourner le —,** make sick at the stomach
coffre *m.* chest, box, coffer; **—-fort** safe, strong box
coffret *m.* small box *or* chest; jewelry box
cogner to knock, strike, pound, thump; **se —,** fight, pound one another
cohue *f.* mob, noisy crowd
coi, -te quiet
coiffe *f.* headdress
coiffer to put on the head *or* in the hair, dress the hair, wear on the head; **coiffé, -e de** wearing on the head; **se — de** put in one's hair *or* on one's head
coin *m.* corner, nook
col *m.* collar; neck
colère *f.* anger, wrath, fit of passion; **en —,** angry
collation *f.* collation, lunch, light meal
collège *m.* college, junior college, school
collègue *m.* colleague, fellow employee
coller to stick, glue, paste, fasten tightly, lay close
collerette *f.* collar, fluted collar, frill
collet *m.* collar; **à — jaune** with a yellow collar; **au —,** by the collar
collier *m.* necklace, collar
colombier *m.* dovecote, pigeon-house
colonie *f.* colony
colonne *f.* column
colonnette *f.* small column
colossal, -e huge, vast, colossal
combat *m.* combat, struggle, fight, battle, conflict; **poste de —,** battle position
combattant *m.* combatant, fighter
combien how, how much; **— de** how much, how many; **— de temps** how long
combiner to combine, arrange, contrive, execute
comble *m.* top, height, last *or* finishing stroke, utmost, acme, climax; **pour —,** to cap the climax
comédie *f.* comedy, play, prank, fun
commande *f.* order

commander to command, order, order about, demand
comme as, like, just as, as if, as it were, how; **tout —,** just as, all the same
commencement *m.* beginning
commencer to begin, commence
comment *adv. and interj.* how; what! how is this? how is that? what do you mean? **— cela?** how so? how is that? **— s'appelle-t-il?** *or* **— se nomme-t-il?** what is his name?
commentaire *m.* commentary, comment; **les «Commentaires» de César** Cæsar's "Commentaries" (*dealing with the Gallic and Civil Wars of Rome*)
commerçant *m.* merchant, dealer, tradesman
commerce *m.* trade, business, commerce, dealings; **avoir un — avec** to have dealings with, associate with; **faire le — de** deal in, trade in
commère *f.* godmother, gossip, old woman, comrade
***commettre** to commit
commis *m.* clerk; **petit —,** underclerk
commission *f.* commission, errand
commode easy, convenient, comfortable
commodément comfortably; **être —,** to be comfortable
communauté *f.* (religious) community
commune *f.* parish, township, municipality
communiquer to communicate; **— de** run from, lead from
compagnie *f.* company, society, flock; breeding; **— de petites voitures** cab company; **la bonne —,** society
compagnon *m.* companion
compartiment *m.* compartment (*of a railway carriage*)
compatriote *m., f.* compatriot
compère *m.* crony, pal, friend, confederate, partner
Compiègne *a small city situated on the river Oise, some 40 miles from Beauvais. It contains a beautiful castle with park and forest*
complaisance *f.* complacency, kindness, benignity; **d'un air de —,** complacently
compl-et, -ète complete, full (*of 'busses*)
complètement completely, wholly, quite
compléter to complete
complice *m.* accomplice, confederate
complicité *f.* complicity
complies *f. pl.* compline (*last prayer said or sung after vespers*)
compliment *m.* compliment, polite remark; *pl.* formalities
complimenter to compliment
compliquer to complicate, involve
complot *m.* plot, conspiracy
composer to compose, make up; **se —,** be composed
composition *f.* composition, make-up, components
***comprendre** to understand, comprehend
compressibilité *f.* compressibility
***compromettre** to compromise, commit, put in jeopardy
compte *m.* account, reckoning; **à bon —,** cheaply, fully; **se rendre — de** to realize, understand, account for; **sur le — de** in regard to, concerning; **sur son —,** in regard to him *or* her, concerning him *or* her
compter to count, count upon, expect, intend; **à pas comptés** with measured steps, deliberately
comptoir *m.* counter
Comtat *m.* *a region made up of several districts near Avignon that belonged to the popes from 1274 until 1791*
concentrer to concentrate; **concentré, -e** concentrated, intense
***conclure** to conclude, end, come to a conclusion; infer
condamner to condemn, convict, blame; **se —,** condemn oneself
condition *f.* condition, station, position; **à cette —,** on this condition; **à la —,** on condition; **faire —,** to make a condition, stipulate
conducteur *m.* leader, guide, driver; **— d'esclaves** slave driver
***conduire** to conduct, lead, drive, escort
confection *f.* making, manufacture, preparation

conférence *f.* conference, assembly, meeting, lecture
confesser to confess, acknowledge, own
confesseur *m.* confessor
confiance *f.* confidence, trust
confidence *f.* confidential remark, secret, confidence, trust; **faire des —s** to confide secrets, be communicative
confier to entrust, confide
***confire** to preserve, pickle, candy; (*conjugated like* **suffire** *except that the pt. part. is* **confit**)
confiseur *m.* confectioner
confisquer to confiscate, appropriate
confiture *f.* preserves, jam
confondre to confound, confuse
conformation *f.* form, conformation; **défaut de —**, deformity, physical defect
conforme: — à in accordance with, conformable to
confrérie *f.* lay brotherhood, lay sisterhood
confronter to confront, bring face to face (with)
confus, -e confused, mixed up, at a loss
confusément confusedly, dimly
confusion *f.* confusion, perplexity, embarrassment, shame
congé *m.* leave; **prendre —**, to take leave, say good-by; **donner —**, dismiss, discharge
congédier to discharge, dismiss
conjecture *f.* conjecture, surmise
conjuration *f.* conspiracy; spell, incantation
conjuré *m.* conspirator
conjurer to conjure (up), call forth, summon, raise
connaissance *f.* acquaintance, knowledge; **avoir — de** to know about, be aware of; **faire — avec** become acquainted with; **figure de —**, familiar face; **sans —**, unconscious
connaisseur *m.* expert, judge, connoisseur
***connaître** to know, be *or* become acquainted with, understand, experience, know through experience, know about; **se —**, become acquainted, know one another; **se — à** *or* **en** be a good judge of, know all about
connu, -e (well) known
***conquérir** to conquer, win, acquire
conscience *f.* conscience, consciousness, sense, scruple; **en sûreté de —**, with clear conscience
conscrit *m.* conscript, recruit
conseil, *m.* advice, counsel, council; **tenir —**, to take counsel
conseiller to advise, counsel, urge
***consentir** to consent
conséquent *m.* consequent; **par —**, consequently
conserver to preserve, keep, store
considérable considerable, great, important
considérablement considerably, a good deal
considération *f.* consideration, reason, esteem, regard
considérer to consider, regard, look at, examine
consigne *f.* orders, password, instructions; **forcer la —**, to force one's way past the sentry
consister to consist; **— en** consist of
consolation *f.* solace, comfort, consolation
consoler to console, comfort
conspirateur *m.* conspirator
constant, -e constant, steady, faithful
constater to note, take note of, observe, establish
consternation *f.* consternation, dismay
constitutionnel, -le constitutional, legal
construction *f.* construction, building; building operation
consulter to consult, heed, look at
contagieu-x, -se contagious
conte *m.* story, tale, yarn
contempler to contemplate, look at, gaze at; **se —**, gaze at one another
contenance *f.* countenance, face, look, bearing; self-assurance
***contenir** to contain, hold
content, -e content, contented, happy, satisfied, pleased, glad
contenter to content, satisfy; **se — de** content oneself with, be satisfied with; to merely . . .
contenu *m.* contents
conter to relate, narrate, tell (about); **— fleurettes** make love, flirt

continu, -e continuous, sustained, uninterrupted
continuel, -le continual, constant
continuellement continually, constantly
continuer to continue, go on with, keep up, keep on
contractant, -e contracting
contracter to contract; **se —,** contract, draw together, become drawn
***contraindre** to compel, force, constrain; (*conjugated like* **craindre**)
contraire *m.* contrary; **au —,** on the contrary
contrarier to vex, annoy, provoke
contraste *m.* contrast
contre against, contrary to, close by, opposite; **l'un — l'autre** against each other, one against the other
contrebande *f.* smuggling, smuggled goods
contrebandier *m.* smuggler
contre-cœur: à —, reluctantly, unwillingly, against one's will
contrecoup *m.* jolt, jar, rebound
contrée *f.* country, district, region, neighborhood
contrefort *m.* buttress, spur (*of a mountain*)
contre-maître *m.* second mate, boatswain
contre-marche *f.* countermarch
contretemps *m.* wrong sense; **à —,** out of time, at the wrong time, the wrong way
contribution *f.* contribution, levy; **— de guerre** war levy
contusionner to bruise
***convaincre** to convince
convenable proper, suitable, fitting
***convenir** to agree, acknowledge; suit, become, befit, be proper, be suitable
conversation *f.* conversation; **mettre la — sur** to direct the conversation towards
convive *m., f.* guest
convoitise *f.* covetousness, greed
convulsi-f, -ve convulsive, jerky
convulsivement convulsively
copie *f.* copy; **faire de la —,** to do copying, copy (manuscripts)
copier to copy
coq *m.* cock, rooster; **rouge comme un —,** red as a rooster's comb
coque *f.* bow, frill, puff, roll (*of hair*); shell, hull (*of a ship*); **bonnet à —s,** cap with ribbon ties
coquet, -te coquettish, smart, stylish
coquetterie *f.* coquetry, coquettishness, vanity
coquin, -e *m., f.* rascal, beggar, wretch, hussy
corbeau *m.* raven, crow
corbeille *f.* flower basket; basket of flowers; flower bed
cordage *m.* rope
corde *f.* cord, rope, clothesline, twine, string
Cordoue Cordova (*a famous Spanish city on the Guadalquivir in Andalusia*)
Coriolan Coriolanus (*a Roman hero of the Vth century B.C., who was impeached and exiled by the Roman Commons. He took refuge among the Volscians, who soon appointed him general of their army. War having been declared against the Romans he advanced with his army until he was close by Rome. Here he encamped and the Romans sent embassy after embassy to influence him against attacking their city. He would listen to none until his mother, his wife and children interceded. He then withdrew with his army and lived in exile until his death*)
corne *f.* horn, point
cornue *f.* retort (*in chemistry*)
corporel, -le corporal, bodily, physical
corps *m.* body, corps, body of troops; **— de garde** guardhouse
correct, -e accurate, exact, right, correct
corrégidor (*Spanish*) *m.* corregidor, magistrate, presiding judge
correspondant *m.* correspondent, agent
correspondre to correspond
corriger to correct, punish; **se —,** correct oneself, reform
corsaire *m.* privateer
Corse *f.* Corsica
corse (**C—**) Corsican
Corte *a small town in the center of Corsica*
costume *m.* costume, dress, garb
côte *f.* coast, shore, hillside, hill, slope; rib, side; **— à —,** side by side; **à mi-—,** halfway up the hill; **rire à**

se tenir les —s to split one's sides laughing
côté *m.* side, direction; **à —,** alongside, to one side; **à — de** beside, along with, by the side of; **chacun de son —,** each in his own direction; **de —,** to one side, near by; **de ce —,** in this *or* that direction; **de l'autre —,** on the other side; **de son —,** on his *or* her side *or* part; **d'un autre —,** on another side, on the other hand; **des deux —s** on both sides; **du — de** in the direction of, on the side towards, towards
coteau *m.* hillock, little hill, hillside, slope
cotillon *m.* cotillion, dance
cotiser to assess; **se —,** club together
coton *m.* cotton
cotonnade(s) *f.* cotton goods, cotton cloth(s)
cou *m.* neck; **sauter** *or* **se jeter au — de** to throw one's arms around the neck of, fall on . . .'s neck
couche *f.* couch, bed, pallet, layer
coucher to put to bed, lay down, sleep; **— en joue** aim at; **chambre à —,** bedroom; **se —,** lie down, go to bed, retire, set; **couché, -e** lying down, in bed, stretched out; *noun m.* setting; **— du soleil** sunset
coucou *m.* cuckoo
coude *m.* elbow, bend, turn; **coup de —,** blow of the elbow, nudge; **se pousser du —,** to nudge one another
couler to flow, run, trickle, slide, course; **— (à fond)** go to the bottom, sink
couleur *f.* color, hue; **de —,** *adj.* colored
coulisse *f.* groove, side scene *or* wings (*of a theater*); **faire les yeux en —,** to glance sidewise, look out of the corner of the eyes
couloir *m.* corridor, passageway
coulpe: faire sa —, to acknowledge one's guilt, make one's confession
coup *m.* blow, stroke, thrust, jab, shot, crack, click, clap; sip, drink; job; **— de baïonnette** bayonet thrust; **— de canon** cannon shot; **— de cloche** stroke of a bell; **— de coude** blow of the elbow, nudge; **— de couteau** knife thrust, stab; **— d'état** overthrow of government; **— de feu** shot, gunshot; **— de foudre** thunderbolt; **— de fourche** jab of a pitch fork; **— de fusil** gunshot; **— de hache** stroke *or* blow of an axe; **— de massue** blow of a club, stunning blow; **— d'œil** glance, look; **— de poing** blow of the fist, punch; **— de stylet** dagger thrust; **— de théâtre** theatrical effect, dramatic turn; **— de tonnerre** clap of thunder; **— de vent** gust of wind; **— sur —,** shot after shot, one after the other; **avaler d'un —,** to gulp down; **boire un —,** take *or* have a drink; **donner un — de couteau** stab; **faire le — de feu** fire, take up arms, join in the firing; **après —,** after, later, as an afterthought; **des —s redoublés** blow after blow; **d'un seul —,** at a single stroke; **fusil à deux —s** double barreled (shot) gun; **par petits —s** in little sips, in little amounts; **pour le —,** for once; **tout à —,** suddenly, all at once; **tout d'un —,** all at once, all of a sudden; **un — sec** a sharp click
coupable guilty, culpable; *noun m.* culprit, guilty person
coupe-gorge *m.* death trap, horrible den
coupé *m.* brougham, coupé
couper to cut, cut across (off, out), intersect, cross, slash; **— court à** cut short, put a stop to
cour *f.* court, courtyard, yard, schoolyard
courage *m.* courage, fearlessness
courageu-x, -se courageous, brave
courant *m.* current, stream
courant, -e running, flowing
courber to curve, bend; **courbé, -e** bent over, bowed down, stooping; **— en deux** bent double
***courir** to run, run about, flit about, speed; **— les routes** run around on the country roads; **en courant** running, on a run
couronne *f.* crown, wreath; radiance
cours *m.* course, flow; avenue, promenade
course *f.* course, running, race, trip,

journey, running about, errand; fight; **— de taureaux** bullfight; **à la —**, by running, in a race
coursier *m.* steed, charger
court, -e short, brief; **—es paroles** few brief words; **couper — à** to cut short, put a stop to; **culotte —e,** knee breeches; **pour le faire —**, in short
courtier *m.* broker, middleman, agent, (slave) dealer
courtisan *m.* courtier; **de —s,** *adj.* courtier-like
courtiser to court, pay court to, make love to
cousin, -e *m., f.* cousin
couteau *m.* knife; **coup de —**, stab, knife thrust; **donner un coup de —**, to stab; **jouer du —**, use the knife
coûter to cost
coutume *f.* custom, habit
couvent *m.* convent, convent school, monastery
couvert *m.* cover; place (*at table*); plate, knife, fork and spoon; **à —** under cover, under protection, protected, safe
couverture *f.* covering, blanket
***couvrir** to cover, drown out (*of sounds*); **— de** cover with; **se —**, cover oneself, be covered; **couvert, -e** covered
cracher to spit, expectorate
craie *f.* chalk
***craindre** to fear
crainte *f.* fear, dread
crainti-f, -ve timorous, fearful, timid
cramponner: se — (à) to cling (to), lay hold (on)
craquement *m.* creaking, cracking, crackling (noise)
craquer to crack, crackle, creak, squeak
Crau *an arid and unfertile plain in southern Provence near Arles;* **en pleine —**, right in the heart of Crau
créance *f.* credence, belief, trust
créancier *m.* creditor
créateur *m.* creator
créature *f.* creature
crédit *m.* credit, influence
credo *m.* creed
crépu, -e frizzled, wooly, kinky
crépuscule *m.* twilight
crête *f.* crest, ridge, comb (*of a rooster*)
creuser to hollow (out), dig, scoop, rack; **se —**, deepen, stand out; **se — la tête** rack one's brains; **la figure creusée** one's face hollowed
creux *m.* hollow, hole, cavity, pit
creu-x, -se hollow, sunken, racked
crevasse *f.* crevice, crack, chink
crever to burst, split; (*pop.*) die
cri *m.* cry, shout, yell; **à grands —s** loud(ly)
criard, -e screaming, shrill, clamorous
cribler to riddle
crier to shout, cry (out), yell, make an outcry
crieur *m.* crier; **— public** town crier
crime *m.* crime, offense
Criquetot *a Norman village about 15 miles northeast of Le Havre*
crise *f.* fit, spell, attack; **— de larmes** fit of weeping
crispation *f.* contraction, grasp, clutch
cristal *m.* crystal, fine glass
cristallin, -e crystalline
critiquer to criticize, find flaws (in)
crochet *m.* hook
***croire** to believe, fancy, think; **— à** believe in, be confident of; **faire —**, make one think *or* believe; **se —**, believe oneself
croisement *m.* crossing, intersection
croiser to cross, meet, fold, pass
croiseur *m.* cruiser
croisière *f.* cruiser; cruise, course (of a vessel)
croissant *m.* crescent, crescent moon
croissant, -e increasing, growing
croix *f.* cross, jeweled cross, medal; **faire des signes de —**, to cross oneself, make signs of the cross; **faire la —**, cross oneself, make the sign of the cross
Croquemitaine, *m.* bugbear, bogey (*an imaginary monster which was supposed to eat children*)
crosse *f.* crosier (*cross mounted on a staff*), butt end (*of a gun*)
crotte *f.* dirt, dry mud
crouler to crumble, crumple, collapse, fall down, sink
croupe *f.* crupper, rump; **(porter) en —**, (to carry) on behind one *or* on horseback

croûte *f.* crust
croyable believable, likely, probable; **peu —**, not very likely
cru, -e raw; (*pop.*) alive
cruel, -le cruel
cruellement cruelly
cuarto *m. Spanish copper coin, no longer minted, worth about half a cent*
cucule *f.* cowl, monk's hood
***cueillir** to gather
cuervo (*Spanish*) *m.* crow, raven; **Venta del —**, Raven Inn, Crow Inn
cuir *m.* leather, hide; **en —**, (made) of leather
***cuire** to cook, bake, roast; **vin cuit** mulled wine; (*conjugated like* **conduire**)
cuisant, -e keen, smarting, sharp, cutting
cuisine *f.* kitchen, cooking, fare; **maigre —**, scanty food
cuisse *f.* thigh
cuivre *m.* copper; **— rouge** (red) copper; **en —**, (made) of copper, copper
cuivré, -e copper colored, coppery
culbuter to upset, overturn, pitch over
culotte *f.* breeches; **— courte** knee breeches
cultivateur *m.* cultivator, agriculturist, farmer
cultiver to cultivate, grow, till
curé *m.* priest, parish priest
curieu-x, -se curious, queer, inquisitive
curiosité *f.* curiosity; **attrait de —**, curious interest
cuver to sleep off (*drunkenness*)
cygne *m.* swan
cymbalier *m.* cymbalist, cymbal player

D

dague *f.* dagger
daigner to deign
daim *m.* deer, buck
dalle *f.* flagstone, stone slab
dame *f.* lady
damier *m.* checker-board
damner to damn, curse, condemn; **se —**, be damned, be doomed to perdition
dancaïre (*Spanish*) *m.* gambler (*who bets other people's money*)
danger *m.* danger, risk
dangereu-x, -se dangerous
dans in, into, within, inside, amid, among, on, at; **— peu (de temps)** shortly, within a short time
danse *f.* dance, dancing
danser to dance
dater to date; **— de loin** be of long standing, occur long in the past
datte *f.* date (*fruit*)
davantage (the) more, still more, further, longer
de of, from, about, concerning, with, in, at, by, for, since, to, on, as, than (*with numerals*), some *and* any (*partitive*); **— . . . en** from . . . to
débarrasser (de) to rid *or* free (of); **se — de** rid oneself of, get rid of
débat *m.* debate, dispute
***débattre** to debate, discuss; **se —**, be debated; struggle, fight, resist
débauche *f.* debauchery, dissoluteness
déboucher to uncork, open; **— dans** come out upon *or* into
debout standing, erect, upright; **se remettre —**, to stand up again, get up again; **se tenir —**, stand up, remain standing
débrider to unbridle
débris *m.* débris, remains, wreckage, rubbish, litter, wreck
deçà *adv.* (on) this side, here; **— . . . delà** hither and thither, here and there
décamper to clear out, be off, run off
décapiter to decapitate, behead
décembre *m.* December
déception *f.* disappointment
décharge *f.* discharge, volley
décharger to discharge, unload; **se —**, flow, empty; **déchargé, -e** discharged, empty
décharné, -e emaciated, gaunt
déchiqueter to cut up, slash to pieces, lacerate, tear
déchirement *m.* tearing, ripping, rending, ripping sound, rending noise
déchirer to tear, tear open *or* off, rend
décider to decide, determine, resolve; **— de** decide, determine; **— quelqu'un** win someone over; **se — (à)** be decided (to), make up one's mind (to), resolve (to)

décisi-f, -ve decisive
déclaration *f.* declaration, statement
déclarer to declare, state
déclassé, -e declassed, (who has) fallen from one's class, with no social standing
décontenancer to disconcert, abash
décorer to decorate, confer a medal on
découragement *m.* discouragement
décourager to discourage; **se —,** be *or* become discouraged
***découvrir** to discover, uncover, find; **découvert, -e** discovered, uncovered, exposed, open
décret *m.* decree
***décrire** to describe; (*conjugated like* **écrire**)
dédaigneusement disdainfully, scornfully
dedans inside, in, within, in it *or* them; **en —,** within, inside; **là-—,** inside, in there, in it *or* them; (*pop.*) **mettre —,** to take in, cheat, fool
***dédire** to gainsay, unsay, take back (what one has said); **s'en —,** take it back, go back on what has been said; (*conjugated like* **dire** *except that the 2d pl. pres. ind. and impve. is* **dédisez**)
dédoré, -e with its gilt worn off, tarnished
défaillant, -e failing, faltering, weakening, swooning, drooping, fainting
***défaire** to undo, take apart, raise, remove; **se — de** get rid of
défaut *m.* defect, flaw, shortcoming, lack
défendre to defend, forbid, protect, stand up for; **se —,** defend oneself; **je ne pus m'en —,** I could not refuse *or* help it
défense *f.* defense, resistance, self-defense; **sans —,** helpless, defenseless
défier to defy, dare, challenge
défiler to file by, march past, advance in file
définir to define, prescribe
déformer to deform, put out of shape; **déformé, -e** shapeless, misshapen, battered
défunt, -e deceased
dégager to release, set free, give off; **se —,** free oneself, break away; **dégagé, -e** unembarrassed, careless, free and easy
dégaîner to unsheathe (*a sword*)
dégénérer to degenerate, deteriorate
dégoûtant, -e disgusting, nauseating, repulsive
dégradation *f.* degradation, reducing to the ranks
dégrader to degrade, reduce to the ranks
degré *m.* degree, step, rung (*of a ladder*); **par —s** gradually
dégringoler to tumble down, come tumbling down, clamber down
dégrossi, -e less rough, coarse *or* crude; improved in manners
déguiser to disguise
déguster to taste, sip (*with enjoyment*)
dehors outside, out of doors; **au —,** outside; **en —,** on the outside
déjà already
déjeuner *m.* breakfast, lunch, luncheon
déjeuner to breakfast, lunch
delà beyond; **au-—,** beyond, farther on; **deçà . . . —,** hither and thither, here and there
délasser to refresh, divert, relax; **se —,** divert oneself, rest, refresh oneself
délectable delectable, enjoyable, delicious
délibération *f.* deliberation, reflection
délibérer to deliberate, reflect
délicat, -e delicate, refined, fastidious, not strong, hard to please; *noun* fastidious person, a person who is hard to please
délicatesse *f.* delicacy; **toutes les —s** all the elegant things in life
délicieu-x, -se delicious, delightful
délire *m.* delirium
délivrance *f.* deliverance, release
délivrer to deliver, set free, free, release
déloger to dislodge
demain to-morrow
demande *f.* demand, request
demander to ask, ask for, request; **— pardon** beg one's pardon, ask to be excused; **se —,** wonder; **je vous demande pardon** I beg your pardon
démangeaison *f.* itching

démanger to itch; hurt
démanteler to dismantle
démarche *f.* gait; step, action, plan
démâter to dismast
démêlé *m.* trouble, contention, difficulty, dispute, quarrel
démener to agitate, move about; **se —,** be waved frantically, be moved about wildly
démesurément excessively, inordinately
demeure *f.* dwelling, house
demeurer to reside, dwell, stay, remain
demi, -e half; **à —,** half, halfway, ordinary, average
demi-douzaine *f.* half a dozen
demi-encablure *f.* half a cable's length
demi-heure *f.* half an hour
demi-jour *m.* dim *or* subdued light
demi-lieue *f.* half a league (*about a mile and a half*); **à une — de** half a league away from
demi-mort, -e half dead
demi-place *f.* half a seat, half-fare seat
demi-voix: à —, in an undertone
demoiselle *f.* young lady, miss, girl
démon *m.* demon, devil, evil one
démonstration *f.* demonstration, display, exhibition; move
dénaturer to distort, misrepresent, pervert, slander, " fix "
dénicher to take out *or* drive out of the nest
dénoncer to denounce, inform against
dénoter to denote, indicate, show
dénouement *m.* dénouement, outcome, end, conclusion
dent *f.* tooth; **à belles —s** ravenously, heartily
dentelé, -e toothed, lace-like
dentelle *f.* lace, lacework, tracery, piece of lace
départ *m.* departure, leaving
dépêche *f.* dispatch, message, telegram
dépêcher: se —, to make haste, hurry (up), be quick
***dépeindre** to depict, describe
dépendre (de) to depend (on)
dépens *m. pl.* expense
dépense *f.* expense, outlay; larder, pantry
dépérir to waste away, pine away, decline
dépeupler to depopulate; **se —,** empty itself (*of people*)
dépit *m.* spite, vexation; **avec —,** petulantly
***déplaire (à)** to displease
déposer to lay down, put down, place
dépôt *m.* deposit, store, warehouse
depuis from, since, for; **— peu** for some time, lately; **— que** *conj.* since
déraisonnable unreasonable
déranger to disturb, trouble, interfere with
derni-er, -ère last, final; **ce —,** the latter
dérobée: à la —, stealthily, on the sly, by stealth, out of the corner of one's eye
dérober to steal, hide away from
dérouler to unroll, unfold, display; **se —,** stretch out, unfold itself
déroute *f.* rout, disorder
derrière behind; **par —,** (from) behind, in back, from the rear; *noun m.* back, rear
dès from, as early as, beginning with; **— lors** from that time on, after that; **— que** *conj.* as soon as, when
désagréable disagreeable, unpleasant
désarmer to disarm; **désarmé, -e** unarmed, disarmed
désastre *m.* disaster
désavantage *m.* disadvantage
descendre *intrans.* to descend, come down, go down, run down, fall, flow, lead; *trans.* take down, carry down; **— de cheval** dismount; **— la garde** go off guard; **se faire —,** have oneself landed *or* taken ashore
descente *f.* descent, alighting, getting down *or* out
désert, -e deserted, uninhabited
déserter to desert
désespéré, -e desperate, in despair, disheartened; *noun* despairing *or* desperate person *or* creature
désespoir *m.* despair
déshabiller to undress; **se —,** undress (oneself)
désigner to designate, point out; mean
désir *m.* desire, wish, longing; *pl.* fits of despair

désirer to desire, wish
désoler to distress, discourage, grieve; **désolé, -e** desolate, disconsolate, discouraged, sorrowful
désordre *m.* disorder
désormais henceforth
dessécher to dry up, wither, dry
dessein *m.* design, purpose, plan, intention
desservi, -e cleared off, removed, served
dessin *m.* pattern, drawing, outline
dessiner to draw, sketch, outline, frame; **se —,** be outlined, take form, become visible
dessous below, under, down, beneath, underneath; **au-— (de)** below, under, beneath; **en —,** below; *noun m.* under part, disadvantage; **avoir le —,** to get the worst of it, be pinned to the floor *or* ground
dessus above, over, on, upon, over *or* on it *or* them, *etc.;* **au-— (de)** above, over, on, upon; **là-—,** thereupon; **par-—,** over, above, upon; **penché —,** stooping over (it)
destin *m.* destiny, fate
destiner (à) to intend (for), destine (for)
détachement *m.* detachment
détacher to detach, take away; **se —,** break off, become detached, get loose
détail *m.* detail
détendre to relax, unbend
détente *f.* trigger
déterminer to determine, persuade, make . . . decide; **déterminé, -e** determined, resolute, settled
détester to detest, abhor
détour *m.* detour, way round, turn, winding, bend, side trip
détourner to turn aside, avert; **se —,** turn aside, be averted
détremper to soak, dampen, soften
détresse *f.* distress
***détruire** to destroy, ruin, do away with
dette *f.* debt
deuil *m.* mourning, grief, sorrow; **faire —,** to grieve, hurt
deux two; **— à —,** two by two, by twos; **— fois** twice; **tous (les) —,** both; **courbé en —,** bent double
deuxième second
devant before, in front of, in the presence of, at; **par —,** in front, in the presence of; *noun m.* front, forepart
***devenir** to become, grow, get, turn; **que deviendrai-je?** what will become of me?
***dévêtir** to undress (*conjugated like* **vêtir**)
dévier to deviate, swerve, turn aside; **faire —,** make crooked, warp
deviner to guess, divine, imagine, sense, perceive, know by intuition, understand, recognize the value of
dévisager to stare at, eye, look hard at
***devoir** to owe, ought to, must, be to, be obliged to, be destined to, have to; **se —,** be due, owe it to oneself; *noun m.* duty, task, exercise; **se mettre en — de** + *inf.* set about + *pres. part.;* **j'ai dû seulement fournir** I must have furnished merely; **tu aurais dû me la rendre** you should have returned it to me; **il doit y avoir** there must be
dévolu *m.* claim; **jeter son — sur** to have designs upon, be after
dévorer to devour, eat voraciously, swallow eagerly
dévouement *m.* devotion, self-sacrifice, act of devotion
diable *m.* devil, fiend; fellow; *interj.* the deuce! the dickens! **au —!** deuce take (you)! plague take (you)! **donner quelqu'un au —,** to send somebody to the devil, curse somebody, send somebody packing; **cette — de fille-là** that devilish girl; **que —!** what the deuce! **se donner au —,** be in despair, be beside oneself
diablerie *f.* deviltry
diabolique devilish, diabolical
dialecte *m.* dialect
diamant *m.* diamond; **rivière de —s** diamond necklace
Diane Diana (*daughter of Jupiter and Latona. She obtained permission from her father never to marry. Jupiter gave her arrows and a cortège of nymphs and made her queen of the forests. Her principal occupation was hunting which caused her to be regarded as the divinity of hunters*)

dictée *f.* dictation; **sous sa —,** at his dictation
dicton *m.* saying
Dieu *m.* God; **mon —!** dear me! heavens! gracious! **juste —!** merciful heavens! **grand —!** great heavens! **le bon —,** the (good) Lord, God; **le feu de —,** lightning; **le service de —,** divine worship
différent, -e different
difficile difficult, hard, hard to please
difficilement with difficulty, hardly
difficulté *f.* difficulty, obstacle
difforme deformed, shapeless, crippled
digérer to digest
digne worthy, deserving; **— de foi** worthy of trust, trustworthy
dignité *f.* dignity
dimanche *m.* Sunday
dimension *f.* dimension, size
diminuer to diminish, lessen
diminution *f.* decrease, reduction
dîner to dine; *noun m.* dinner
dîneur *m.* diner
***dire** to say, tell, tell about, declare, express, proclaim; **— à l'oreille** to whisper; **— bonjour** say "good morning", greet; **— vrai** tell the truth; **à vrai —,** to tell the truth; **c'est-à-—,** that is (to say); **entendre —,** hear it said; **laisser —,** let people talk; **vouloir —,** mean, signify; **se —,** say to oneself *or* to one another, be said, describe oneself as
direct, -e direct, straight, short
direction *f.* direction, bearing, line *or* course of direction
diriger to direct, turn, aim, steer; **se —,** go, direct oneself, proceed
discipline *f.* discipline, chastisement; whip (*used by members of certain religious orders to mortify the flesh*)
discrètement discreetly, cautiously
discrétion *f.* discretion; **à —,** without conditions, as much as one wants, *ad libitum*
discussion *f.* dispute, argument, debate, discussion
discuter to discuss, argue
***disparaître** to disappear, vanish, go away
disparition *f.* disappearance
dispenser to dispense, excuse
disperser to disperse, scatter
disposer to arrange; **se —,** prepare (oneself), get ready, be about; **disposé, -e** disposed, arranged, inclined
disposition *f.* arrangement; tendency, inclination
dispute *f.* dispute, contention, wrangle
disputer to dispute, wrangle, argue; **se —,** wrangle (about), quarrel (over), dispute with one another
dissertation *f.* dissertation, study, investigation
dissiper to dissipate, dispel, scatter; **se —,** pass away, clear away
distance *f.* distance; **à —,** at a distance
distillerie *f.* distillery, laboratory
distingué, -e distinguished, refined, elegant, genteel
distinguer to distinguish, discern, make out
distraction *f.* distraction, inattention, absent-mindedness; **avoir des —s** to be absent-minded
distrait, -e distracted, inattentive, absent-minded
distribuer to distribute, deal out
district *m.* district, neighborhood
divers, -e diverse, different; various
divisa (*Spanish*) = **cocarde** (cockade)
dix ten; **—-huit** eighteen; **—-neuf** nineteen; **—-sept** seventeen
dizaine *f.* half a score, ten or so, about ten
doigt *m.* finger
domestique *m. or f.* servant, maid
domicile *m.* domicile, dwelling, residence, abode
dominer to dominate, control, rule, govern; (*fig.*) rise above
Dominicain *m.* Dominican (*order of Catholic monks founded by Saint Dominic in 1215; a member of this order*)
Dominique *m.* Dominic
dompter to tame, conquer, master, overcome, subdue
don *m.* don (*a Spanish title that is used only before the first name*)
donc then, therefore, so, hence; pray, please; just; **songez —!** just think!
donner to give, attribute, ascribe;

— **quelqu'un au diable** to send somebody to the devil, send somebody packing, curse somebody; — **de son sabre** drive one's sword; — **des soins à** attend to, care for; — **des soupçons à** arouse suspicion in; — **des vertiges à** make dizzy; — **envie à** make envious; — **l'assaut** charge; — **le fouet** whip; — **sur** face on, overlook; — **tort à quelqu'un** lay the blame on somebody, say that somebody is wrong; — **un coup de couteau** stab; **se** —, give oneself, give to one another, devote oneself; **se — au diable** be in despair, be beside oneself; (**se**) — **rendez-vous** meet by appointment, agree to meet

dont *rel. pron.* of which, whose, with (in, on, at, by, from, among), which, *etc.*

doré, -e gilded, gilt, golden, golden-hued

dorénavant henceforth

***dormir** to sleep, slumber, be asleep

Dorothée Dorothea, Dorothy

dos *m.* back; **tourner le — à quelqu'un** to turn one's back on someone

dot *f.* dowry, marriage portion; **en** —, as a dowry

douanier *m.* customshouse officer

double double; *noun m.* double; **jouer quitte ou** — to play double or quits, stake everything

doubler to double; — **d'efforts** double one's efforts

douce *fem. of* **doux**

doucement sweetly, pleasantly, gently, slowly, quietly

doucettement very prettily, nicely, very gradually

douceur *f.* sweetness, gentleness, mildness, softness; **d'une — extrême** extremely gentle; *pl.* sweets, dainties

douleur *f.* pain, grief, sorrow

douleureu-x, -se painful, heartrending

douro (*Spanish* **duro**) *m.* silver dollar

doute *m.* doubt; **sans** —, no doubt, without doubt, doubtless(ly); **mettre en** —, to doubt, suspect, place under suspicion

douter to doubt; **se — de** to suspect, have an inkling of, have doubts as to

douteu-x, -se doubtful, questionable, in doubt

douve *f.* stave

doux, douce sweet, gentle, soft, pleasant, peaceful, mild

douzaine *f.* dozen, about a dozen, a dozen or so

douze twelve

dragon *m.* dragon, dragoon

drame *m.* drama, tragedy

drap *m.* cloth, sheet

drapeau *m.* flag

draper to drape, cover, wrap up

dresser to erect, raise, set up, draw up, make, station; **se** —, draw oneself up, straighten up, stand up, rise, rise up

drogue *f.* drug

droit, -e right, straight, erect, direct, straightforward, perpendicular; **tout** —, *adv.* straight ahead; *noun m.* right, law, privilege; **avoir — à** to be entitled to

droite *f.* right hand, right side; **à** —, to *or* on the right; **de** —, on the right

drôle droll, queer, odd, funny; *noun m.* scamp, rascal, rogue; **un — de** an odd *or* queer (person)

duc *m.* duke

ducat *m.* ducat (*old Spanish coin of the value of about $2.25*)

duelliste *m.* duellist

dur, -e hard, rough, hardened, difficult, tough, inured; **avoir la cervelle —e** to be thick skulled, be slow witted; **avoir la tête —e** be a poor student, be slow in learning; **avoir l'oreille —e** be hard of hearing

durant during; **une heure** —, during a whole hour

durer to last, continue, go on

E

eau *f.* water; **laver à grande** —, to scrub *or* wash (*a floor by throwing on pailfuls of water*); **pièce d'**—, pond

eau-de-vie *f.* brandy; **cerises à l'**—, brandied cherries

ébahir to amaze; **s'**—, **be amazed, be aghast**

***ébattre: s'—,** to romp, frolic; (*conjugated like* **battre**)
ébène *f.* ebony; **bois d'—,** ebony; (*fig.*) black slaves
éblouir to dazzle
ébranler to shake (violently), shatter, cause to totter, arouse, disturb
écarlate scarlet
écarquiller to open wide
écarter to turn *or* push aside, draw aside, throw back, remove; **— les genoux** spread the knees; **s'—,** withdraw to one side, be at some distance, be off to one side; **écarté, -e** out of the way, remote, lonely
échange *m.* exchange; **en — de** in exchange for
échanger to exchange; **— un baiser** kiss one another
échantillon *m.* sample, specimen
échapper (**à**) to escape (from), slip (from), elude; **s'—,** run away, escape, drop out
échaudé *m.* dumpling
échauffer to heat, excite, chafe; **s'—,** grow hot, warm up
échelle *f.* ladder
échelon *m.* rung, round
échelonner to post at regular intervals; **s'—,** be stationed at regular intervals
échine *f.* spine, backbone
échouer to run aground, be stranded
Ecija *a small industrial city 35 miles south of Cordova*
éclair *m.* flash (of lightning), lightning
éclaircir to clear up, throw light on, brighten; **s'—,** clear up, brighten
éclairer to light, light up, illuminate
éclat *m.* splinter, chip; burst (of laughter), outburst, crash, explosion, report; brilliance, splendor, distinction; **— de bois** splinter; **— de rire** burst *or* peal of laughter; **— de voix** outburst, loud ejaculation, shouting
éclatant, -e resounding, ringing; dazzling, shining, brilliant, striking; **— de blancheur** dazzling *or* glistening white
éclater to burst, burst forth, break out, ring out, crash, flash; **— de rire** burst out laughing
écluse *f.* sluice, lock, watergate
école *f.* school; **à l'—,** at *or* in school
économe economical, thrifty
écorcher to skin, tear the skin off; **s'—,** skin, rub the skin off
écouler to run, flow out; **s'—,** pass away *or* by, elapse, run, slip by *or* away
écouter to listen (to)
écoutille *f.* hatchway
écraser to crush, smash, overwhelm, annihilate, weigh heavily upon; **s'—,** be smashed, be crushed, flatten out, smash; **se faire —,** get *or* be crushed
écrevisse *f.* crawfish, small lobster; (*pop.*) Red Coat
écrier: s'—, to exclaim, cry out
écrin *m.* jewel box *or* case
***écrire** to write
écriture *f.* writing, handwriting; **—s** accounts, clerical work, bookkeeping, correspondence
écrouler to fall in, collapse; **s'—,** crumble, fall in, collapse, fall down
écu *m.* crown (*an old coin*); *pl.* money, wealth
écubier *m.* hawse hole (*for anchor chain and ship cables*)
écume *f.* foam
écurie *f.* stable
effacer to efface, rub out, erase; **s'—,** be *or* become obliterated
effaré, -e frightened, bewildered
effarement *m.* fright, terror, bewilderment
effectivement in truth, in fact, actually
effectuer to effect, carry out, bring about
effet *m.* effect, result, impression; **en —,** in fact, in truth; **— de recul** draw shot (*at billiards*)
effeurer to graze, just touch, touch lightly
efforcer: s'— (de) to endeavor, strive, exert oneself, seek (to)
effort *m.* effort, strain, exertion, resistance; **doubler d'—s** to double one's efforts; **redoubler d'—s** exert oneself *or* itself violently
effrangé, -e frayed, worn out (*on the edges*)
effrayant, -e frightful, terrifying
effrayer to frighten, terrify, alarm; **s'—,** be *or* become frightened

effroi *m.* fright, dread, terror, dismay
effronté, -e shameless, brazen, bold, impudent
effrontément shamelessly, boldly, impudently, brazenly
effroyable frightful, dreadful, horrible
égal, -e equal, regular
égarer to mislead, mislay, unsettle; **égaré, -e** distracted, bewildered, lost; **s'—,** stray, wander
égayer to enliven, amuse, cheer up
église *f.* church; **être d'—,** to go into the church, be *or* become a priest
égoïsme *m.* selfishness
égorger to cut the throat of, slay, slaughter, kill
Égypte *f.* Egypt; (*pop*). the Gipsies; **gens d'—,** Gipsies
égyptien, -ne (**É—**) Egyptian; (*pop.*) Gipsy
eh *interj.* ah! aha! well! I say! **— bien!** very well! well then! well now! all right! **— bien?** well?
élan *m.* spring, start, burst, outburst, impulse, spirit, ardor, soaring
élancer to throw; **s'—,** spring up *or* forward, leap forth, rush, dash, rise
élargir to widen; **s'—,** widen, spread (out), deepen
élégamment elegantly, gracefully
élégance *f.* elegance, daintiness, style
élégant, -e elegant, graceful, refined, stylish
élève *m. or f.* pupil, student
élever to raise, start, lift, elevate, rear, bring up, put up; **s'—,** rise, arise, be raised, grow louder, spring up; **élevé, -e** raised, elevated, lofty; **bien élevé** well bred
élixir *m.* elixir, cordial
Elizondo *a small village in the Basque country, about 30 miles north of Pampeluna*
éloigner to remove, drive away, keep away, put to flight; **s'— (de)** go away *or* off, move away *or* off, withdraw, go to a distance; **éloigné, -e** distant, far (away), remote
éloquence *f.* eloquence, oratory
Élysée Elysian; **Champs-Élysées** (*a celebrated boulevard in Paris*)
Elzévir *the name of a noted family of Dutch printers of the sixteenth and seventeenth centuries; noun m.* an Elzevir (*a book printed by this family*); *adj.* Elzevirian
émanation *f.* emanation, exhalation, fume(s)
emballeur *m.* packer; **frères —s** brothers who do *or* did the packing
embarcation *f.* (small) boat
embarquement *m.* embarking, embarcation; shipment
embarquer to embark, load on, put on board; **s'—,** embark
embarras *m.* embarrassment, trouble, perplexity
embarrasser to embarrass, perplex, puzzle, befuddle, confuse, be in the way; **s'—,** be *or* become embarrassed *or* bothered
embobeliner to wheedle, inveigle, get around, coax
embouchure *f.* mouth (*of a river*), end (*of a street or avenue*)
embrasé, -e kindled, on fire, aglow
embrasser to embrace, hug, kiss; **s'—** kiss (one another)
embrouiller to embroil, tangle, entangle, mix up, confuse
embuscade *f.* ambuscade, ambush
embusquer to place in ambush, ambush
émeraude *f.* emerald
émerger to emerge, rise out, come out
émerveiller to astonish, astound, amaze
émietter to crumble, break fragments from
emmener to take, take away *or* along, lead, lead away *or* along
émotion *f.* emotion, agitation, excitement, feeling
émoucher to keep the flies off, drive away the flies
***émouvoir** to move, affect, agitate, stir, excite; **s'—,** be *or* become moved *or* excited, be stirred up, grow anxious; **ému, -e** moved, excited, agitated, affected
empanacher to beplume, adorn *or* deck (with plumes)
emparer: s'— de to take *or* get possession of, take charge of
empêcher (**de**) to prevent (from), hinder (from), keep (from), keep

out; **s'— de** prevent oneself from, keep from
empereur *m.* emperor
empeser to starch
emphase *f.* emphasis, stress; **avec —,** emphatically, bombastically
emplacement *m.* site, situation
emplette *f.* purchase; **faire des —s** to make purchases, go shopping
emplir to fill; **s'—,** fill up, be filled
emploi *m.* employment, work, use; **faire l'— de** to put to use
employé *m.* employee, clerk
employer to employ, use, make use of
empoigner to grasp, seize, capture, catch, take, nab
emportement *m.* excitement, frenzy, rapture, fit of passion; **avec —,** excitedly, passionately
emporter to carry away, carry off, take away, blow away, sweep away; **s'—,** go wild (*as with joy or anger*)
empresser: s'— (de) to be eager (to), lose no time (in), hasten (to); **empressé, -e** obliging, zealous, eagerly polite
emprunter to borrow
en *prep.* in, into, within, to, at, by, while, with, like (a), as (a), in the capacity of, upon, on; **— avant** forward, thrust forward; **— cuivre** of copper, copper; **— homme** like *or* as a man; **— maître** like *or* as a master; **— même temps** at the same time; **— velours** *adj.* velvet: **de . . . —,** from . . . to; **mourir — chrétien** die as *or* like a Christian
en *adv. and pron.* of (from, by, about, for, on, with, account of) it (him, her, them); some, any
encablure *f.* cable's length (*100 fathoms or about 600 feet*)
enceinte *f.* enclosure, circuit; **mur d'—,** inclosing wall, city wall
enchaîner to chain, fetter, shackle
enchanté, -e delighted, enchanted
enclos *m.* inclosure
encoignure *f.* corner, angle
encombrement *m.* agglomeration, litter, clutter
encombrer to encumber, be in the way, clutter
encore again, yet, still, even, more, also, besides, longer, furthermore; **— une fois** once more; **une fois —,** once again
***encourir** to incur, draw on oneself, undergo; (*conjugated like* **courir**)
encre *f.* ink
***endormir** to put to sleep, lull to sleep; **s'—,** fall asleep, go to sleep; **endormi, -e** asleep, sleeping, sleepy, slumbering, drowsy, fallen asleep
endroit *m.* place, spot, locality
endurant, -e patient, long-suffering
énergie *f.* energy, force, vigor, strength
énergique energetic, forceful, vigorous, active
enfant *m., f.* child, infant, boy, girl; **bon —,** good fellow
enfantin, -e childish, childlike
enfermer to shut up, lock up *or* in, inclose, hide; **s'—,** shut oneself up, closet oneself
enferrer to run through (*with a sword*); **s'—,** run oneself through
enfiévré, -e feverish; frantic
enfin finally, at last, in short, anyhow; well, after all
enflammer to inflame; **enflammé, -e** flaming, flushed, aglow
enfler to swell; **enflé, -e** swollen, puffed out, bulging
enfoncement *m.* recess, nook
enfoncer to sink, thrust, burst open *or* in, drive *or* knock in; **s'—,** sink *or* plunge in, penetrate, go deep, settle down
enfouir to bury; **enfoui, -e** covered, buried, hidden
enfourcher to bestride, straddle
***enfuir: s'—,** to flee escape, run away, take to flight
engageant, -e engaging, alluring
engagement *m.* engagement, obligation, pledge, mortgage
engager to engage, hire, pledge, enlist; **s'—,** enter, enlist
engloutir to swallow up, engulf; **s'—,** sink to the bottom (*of the sea*)
enhardir to embolden; **s'—,** become *or* grow bold
enivrant, -e intoxicating
enivrer to intoxicate; **s'—,** get intoxicated *or* drunk

enjamber to stride *or* climb over, step over
enjôleu-r, -se wheedling, winning, coaxing
enlever to take away, carry off, sweep away
ennemi *m.* enemy, foe
ennuyer to bore, tire, weary, annoy; **s'—,** become bored, be *or* become tired
énorme enormous, huge
enrager to enrage, drive wild, be *or* become mad; **dont il enrageait** at which he was furious
enrichir to enrich, make rich; **s'—,** get *or* become rich
enrôler to enroll, enlist
enseigner to teach
ensemble *adv.* together, at the same time; *noun m.* ensemble, whole, harmony, accord, unity
ensoleillé, -e flooded with sunshine, sunny, aglow
ensommeillé, -e slumbering, drowsy, half-asleep
ensorceler to bewitch
ensuite then, next, afterwards, after that
entamer to graze, slash, cut; begin, broach
entasser to pile up, heap up
entendeur *m.* hearer, understander; **à bon —, salut** a word to the wise is sufficient
entendre to hear, understand, intend; **s'—,** understand one another, come to an understanding *or* agreement; **— dire** hear it said; **— parler de** hear about; **faire —,** make heard, utter; **se faire —,** be heard, make oneself understood; **sans y — malice** with no mischievous intention, without meaning any harm; **bien entendu (que)** to be sure, of course; **c'est entendu** it's agreed; **un air entendu** an understanding air, a knowing look
enterrer to bury
entêter: s'— (à) to persist (in), be stubborn, hold stubbornly
enthousiasme *m.* enthusiasm; **avec —,** enthusiastically
enthousiaste enthusiastic
entiché, -e (de) tainted (with), infatuated (with)
enti-er, -ère entire, whole; **tout —,** wholly, whole
entièrement entirely, wholly, altogether
entonner to start singing, strike up (*a tune*)
entourer to surround, envelop, wrap
entrain *m.* zest, life, vigor, spirit
entraîner to drag away *or* out, lead (to); persuade, influence
entre between, among, in; **un d'— eux** one of them; **deux d'— nous** two of us
entrecoupé, -e broken, disconnected, inarticulate
entrée *f.* entrance, entry
entrepont *m.* between-decks, steerage
entreprise *f.* undertaking, enterprise
entrer to enter; **— dans (à *or* en)** enter; **— en gare** enter the station
***entretenir** to entertain
entretien *m.* maintenance; conversation, interview
entrevue *f.* interview
***entr'ouvrir** to open a little, half open, set ajar; **entr'ouvert, -e** half-open, ajar; (*conjugated like* **ouvrir**)
énumérer to enumerate, list
envahir to invade, pour into, overrun
enveloppe *f.* envelope
envelopper to envelop, wrap (up), cover; **s'—,** wrap oneself up
envers towards, to
envie *f.* desire, inclination, longing; envy; **avoir — de** to desire, want (to); **donner — à quelqu'un** make somebody envious; **faire — à quelqu'un** fill somebody with longing, tempt somebody
envier to envy
environ *adv.* about, approximately
environner to surround
environs *m. pl.* neighborhood, vicinity
envoler: s'—, to fly away, float away, be wafted away
***envoyer** to send, send forth, dispatch
épais, -se thick, dense
épancher to pour out, flow, gush; **s'—,** overflow, spread out, expand
épargner to spare, save; **s'—,** save *or* spare oneself, escape

épars, -e scattered, stray, wandering, miscellaneous
épaule *f.* shoulder; **hausser les —s** to shrug one's shoulders
épauler to raise one's gun to the shoulder, take aim
épaulette *f.* epaulet, shoulder strap
épée *f.* sword
éperdu, -e distracted, desperate, wild, frantic, bewildered
éperon *m.* spur
épeuré, -e frightened
épicer to spice, season
épicier *m.* grocer
épier to spy, watch closely, observe secretly
épingle *f.* pin
épingler to pin on
épinglette *f.* priming wire (*used in cleaning parts of an old-fashioned gun*)
épinglier *m.* pin maker
éponger to mop, sponge; **s'— le front** mop one's brow
épouser to marry
épouvantable frightful, terrible, fearful
épouvante *f.* fright, terror, horror, dismay; **être dans l'—,** to be terror stricken; **plein d'—,** quite dismayed *or* horrified
épouvanter to frighten, terrify, dismay
***éprendre: s'—,** to fall in love, be smitten; **épris, -e** in love, smitten; (*conjugated like* **prendre**)
épreuve *f.* test, proof
éprouver to experience, test, try, feel
éprouvette *f.* gauge, test tube, testing instrument
épuiser to exhaust, wear out, use up
équipage *m.* crew; **vingt hommes d'—,** a crew of twenty men
équiper to equip, fit out, supply
éraflure *f.* cut, scratch, slight wound
érailler to fray, ravel, tear; **s'—,** shatter, splinter
erani (*Gipsy*) *f.* = **femme comme il faut** lady, gentlewoman
Érasme Erasmus (*the Dutch philosopher and humanist (1467–1536), celebrated both for his learning and his wit, displayed throughout the pages of his "Anecdotes"*)
ermitage *m.* hermitage
ermite *m.* hermit
errant, -e wandering, errant
errer to wander, stray about
erreur *f.* error, mistake
escadre *f.* squadron (*of ships*)
escalier *m.* staircase, stairway, stairs
escarpement *m.* steepness, steep bank
esclavage *m.* slavery
esclave *m., f.* slave; **conducteur d'—s** slave driver
escofier (*pop.*) to kill, put out of the way
escopette *f.* carbine, musket, rifle
escroquer to steal, pilfer, rob, obtain by swindling
espace *m.* space
Espagne *f.* Spain
espagnol, -e (E—) Spanish; Spaniard, Spanish woman
espèce *f.* kind, sort, species
espérance *f.* hope, expectation, prospect (*of inheritance*)
espérer to hope, expect
espingole *f.* blunderbuss
espion *m.* spy
espoir *m.* hope
esprit *m.* spirit, sense, mind, intellect, wit, cleverness
essai *m.* trial, test; **en faire l'—,** to try *or* test it
essayer to try, try on, test, attempt; **— de** try to; **s'—,** try oneself out
essoufflé, -e breathless, out of breath, winded
essuyer to wipe, wipe off, dry, mop; **s'—,** dry oneself, mop oneself *or* one's brow
estafette *f.* courier, messenger
Estepona *a small Mediterranean port some 25 miles northeast of Gibraltar*
estimer to esteem, respect, estimate
estomac *m.* stomach
estropier to maim, cripple; murder (*a language*)
et and; **— . . . —,** both . . . and
étable *f.* stable, sty, cattle shed
établir to establish, settle, place; **— ses comptes** reckon up one's accounts
étage *m.* floor, story
étaler to display, spread out; **s'—,** display oneself, stretch out, extend, spread out

état *m.* state, condition, government; **en — de** in a position *or* condition to; **hors d'—,** unfit, not in condition; **coup d'État** overthrow of government

état-major *m.* (general) staff

Etchalar *a small mountain town a few miles from the French border and about ten miles northwest of Elizondo*

été *m.* summer

***éteindre** to put out, extinguish; **s'—,** be put out, go out, die out, **éteint, -e** extinct, out, lifeless, inaudible; (*conjugated like* **craindre**)

étendre to spread (out), stretch (out); **s'—,** stretch *or* spread out; **étendu, -e** extended, extensive, stretched out

étendue *f.* extent, stretch, expanse

éternel, -le eternal, everlasting

éternité *f.* eternity

étincelant, -e sparkling, blazing

étinceler to sparkle, gleam

étincelle *f.* spark

étique lank, sickly, underfed

étiqueteur *m.* labeler; **frères —s** brothers who do *or* did the labeling

étiquette *f.* tag, label; etiquette

étoffe *f.* stuff, cloth, material, fabric, drapery

étoile *f.* star; **à la belle —,** in the open air

étoilé, -e starry, starlit

étonnement *m.* astonishment, surprise

étonner to astonish, surprise; **s'—,** be astonished, be surprised

étouffer to stifle, choke, suffocate, smother

étourneau *m.* starling; rattlebrained fellow

étrange strange, queer, odd

étrangement strangely, queerly, oddly

étrange-er, -ère strange, foreign; *noun* stranger, foreigner

étrangler to strangle, choke; **étranglé, -e** strangling, choking, choked

***être** to be; (*as auxiliary*) have; (*in past tense*) go; **— à** belong to, be associated with; **— à** + *inf.* be occupied in *or* at, be one's turn, belong to; **c'est que** the fact is, the reason is; **n'est-ce pas?** isn't it? won't you? *etc.;* **soit!** well and good! all right! **soit . . . soit** whether . . . or, either . . . or

être *m.* being, creature

***étreindre** to clasp, squeeze, hold tightly; (*conjugated like* **craindre**)

étreinte *f.* clasp, grasp, embrace

étrier *m.* stirrup

étriqué, -e scanty, narrow

étroit, -e narrow, cramped

étude *f.* study, study hall; **maître d'—,** study hall master

étudier to study

étui *m.* case; **— à cigares** cigar case

européen, -ne European

évader to escape, slip away

évanouir: s'—, to faint, swoon

évasion *f.* escape, flight

éveiller to awaken, wake up, arouse; **s'—,** wake up, waken; **éveillé, -e** awake, awakened, aroused, wide-awake

événement *m.* event, occurrence, incident

éventré, -e ripped open, disemboweled, smashed

évidemment evidently, obviously

évident, -e evident, obvious, clear, plain

éviter to avoid, dodge

évoquer to evoke, call up, conjure up, suggest

examen *m.* examination, scrutiny

examiner to examine, inspect, scrutinize

exaspération *f.* exasperation, rage

exaspérer to exasperate, drive frantic; **s'—,** become exasperated

excepté except

excès *m.* excess; **avec —,** to excess

excessi-f, -ve excessive, extreme

excuser to excuse; **s'—,** excuse oneself, apologize

exécuter to execute, perform, carry out, do

exécution *f.* execution, performance, carrying out

exemple *m.* example; **par —,** for instance

exercer to exercise, practice, train

exercice *m.* exercise, drill; **faire l'—,** to drill

exhaler to exhale, breathe out, give

out; **s'—,** be exhaled, be breathed out, pass away
exhiber to exhibit, show, display
exhorter to exhort, urge, beseech
exil *m.* exile
existence *f.* existence, life, way of living
ex-mari *m.* former husband
exorciser to exorcise, drive away (*evil spirits*); **un exorcisé** a person (being) exorcised, a madman
expédient *m.* expedient, plan, way out
expérience *f.* experience, experiment
explication *f.* explanation
expliquer to explain, set forth; **s'—,** explain (to) oneself, account for
exploit *m.* exploit, deed, feat
explosion *f.* explosion, report
exposer to expose, set forth; **s'— à** expose oneself to, run the risk of, lay oneself open to
exprès *adv.* on purpose, purposely
exprimer to express
exquis, -e exquisite, dainty, delicious
extase *f.* ecstasy, rapture(s), joy
exténuer to extenuate, wear out, exhaust
exterminer to exterminate, annihilate
extraordinaire extraordinary, unusual
extravagance *f.* extravagance, excess
extravagant, -e extravagant, fantastic, wild
extrême extreme, excessive
extrêmement extremely, excessively, very much
extrémité *f.* extremity, end
Eyguières *a small town in southern France, near Daudet's mill*

F

fabrique *f.* manufacture, factory; mark, make
fabriquer to manufacture, make
façade *f.* façade, front (*of a building*)
face *f.* face, aspect, countenance; **en —,** opposite, facing, in front; openly, squarely; **en — de** opposite, facing, in the presence of, in front of; **bien en —,** straight *or* right in one's face, squarely in the eye
fâché, -e angry, sorry
fâcher to anger, vex, make angry; **se —,** be *or* become angry, be *or* become vexed, be *or* become annoyed
facile easy
facilement easily, readily
façon *f.* fashion, manner, way; **à** *or* **de la — de** in the style *or* manner of; **de — à** so as to; **de cette —,** in that way *or* manner; **d'une — calme** quietly
faction *f.* sentry, guard, duty; **être en** *or* **de —,** to be on sentry duty *or* on guard
factionnaire *m.* sentinel, sentry
fagot *m.* faggot (*bundle of firewood*)
faible weak, feeble, meager, scanty; *noun m.* a weak *or* feeble man
faiblesse *f.* weakness, weakening, sign of weakening
faïence *f.* earthenware, crockery
***faillir** to fail, be on the verge of, come near
faim *f.* hunger; **avoir —,** to be hungry
fainéantise *f.* laziness, idleness
***faire** to do, make, make up, form, perform, execute, prepare, produce, compose, constitute, give, play, tell, get, obtain; (*in causative constructions*) cause to, make, have, let; (*in third person only*) say, exclaim; **se —,** to be done, be made, make oneself *or* itself, have oneself *or* itself, cause oneself *or* itself, make for oneself, cause, become, set in, ensue, be; **— appeler** summon, send for; **— attention à** pay attention to, notice; **en — autant** do likewise; **— bon** be comfortable, be safe; **— bon ménage** live together happily; **— campagne** make a campaign, see active service; **— cas de** attach importance to; **— chanter une messe** have a mass sung; **— chaud** be hot *or* warm (*of weather*); **— claquer** crack, click, clap; **— condition** make a condition, stipulate, **— connaissance avec** become acquainted with; **pour le — court** in short; **— croire** make one think *or* believe; **— de la copie** do copying, copy (manuscripts); **— de la peine à quelqu'un** hurt somebody's feelings, make somebody worry; **— des billets** sign notes; **— des confidences** con-

fide secrets, be communicative; **— des emplettes** make purchases, go shopping; **— des signes de croix** cross oneself, make signs of the cross; **— du feu** strike a light, kindle a flame; **— du mal** hurt, do harm, harm; **— deuil** grieve, hurt; **— dévier** make crooked, warp; **— entendre** make hear, utter; **— envie à quelqu'un** fill somebody with longing, tempt somebody; **— feu** shoot, fire; **— frais** be cool (*of weather*); **— grâce à** pardon, spare, have mercy on; **— halte** halt, stop; **— honneur à** honor, pay (*a note*), make good (*one's signature*); **— jouer le ressort** make the spring work; **— jour** be day, be daylight; **— l'achat de** purchase; **— l'aumône** give alms, be charitable; **— la haie** form a line, line up; **— la paix** make peace; **— la roue** spread out the tail, strut; **— la soupe** cook *or* prepare food; **— le commerce de** deal *or* trade in; **— le coup de feu** join in the firing, take up arms, fire; **— le guet** keep watch, act as lookout; **— le jaloux** be *or* become jealous; **— le joli cœur** play the lady's man; **— le malin** try to be smart, act like a sly fellow; **— le méchant** be mean *or* ill-tempered; **— les doux yeux à quelqu'un** look fondly at somebody; **— les yeux en coulisse** glance sidewise, look out of the corner of the eyes; **— l'emploi de** put to use; **en — l'essai** try it, test it; **— l'exercice** drill; **— l'honneur à quelqu'un** honor somebody, do somebody the honor; **— monter** cause to rise, make come up; **— nuit** be night *or* dark; **— parade de** make a show *or* display of; **— peur à** frighten; **— piteuse mine** take on a pitiful appearance, cut a sorry figure; **— plaisir à** please; **— reflexion** reflect, consider; **— route ensemble** travel *or* go along together; **— sa coulpe** acknowledge one's guilt, make one's confession; **— sa provision (de)** lay in one's stock (of); **— semblant de** pretend to; **— signe à** make a sign to, beckon to; **— subir à** subject; **— tête (à)** face, stand one's ground (against); **— une affaire** do *or* carry on business; **— une farce** play a joke; **— une partie de** play a game of; **— une question** ask *or* raise a question; **— une tournée** go all about, make the rounds; **— une trahison** commit an act of treachery; **— une visite à** pay a visit on, call on; **— un mariage** perform a marriage ceremony; **— un pas** take a step; **— un temps admirable** be admirable weather; **— un tour** take a trip around, take a walk *or* stroll; play a trick; **— venir** cause to come, send for, fetch; **se — descendre** have oneself landed *or* taken ashore; **se — écraser** get *or* be crushed; **se — entendre** be heard, make oneself understood; **se — prier** require urging; **se — sauter la cervelle** blow one's brains out; **se — soldat** become a soldier; **se — son affaire** make away with oneself; **se — tirer la bonne aventure** have one's fortune told; **se — une fête de** be delighted at the prospect of, look forward with pleasure to

faisan *m.* pheasant

fait *m.* fact, deed, feat, event; **sûr de mon —,** sure of my suspicions, sure of my ground, certain of what I had suspected; **tout à —,** quite, completely, wholly, exactly, altogether

falbala *m.* furbelow, frill

***falloir** to be necessary, have to, must, need, be needed; **ou peu s'en faut** or very near it, or almost so; **peu s'en fallut que je . . .** I almost . . .

famé, -e famed; **bien —,** of a good reputation, well thought of

fameu-x, -se famous, renowned, notable, wonderful

famili-er, -ère familiar

familièrement familiarly

famille *f.* family

famine *f.* famine, starvation

faner to fade

fanfaron, -ne boasting, bragging; *noun m.* braggart, blusterer

fanion *m.* pennant, pennon

fantôme *m.* phantom, ghost

farce *f.* farce, prank, joke, trick; **faire une —,** play a joke
farceur *m.* joker, trickster, humbug
fardeau *m.* burden, load
farouche wild, grim, stern, forbidding; shy, ill at ease
fasciner to fascinate
fatal, -e fatal, inevitable, unavoidable
fatalité *f.* fatality, casualty
fatigue *f.* fatigue, weariness; *pl.* hardships
fatiguer to tire, weary; **fatigué, -e** tired, fatigued, weary
faubourg *m.* suburb, outskirts, outlying district
fauchage *m.* mowing, reaping
faucher to mow, mow down, cut off
faute *f.* fault, mistake, error, transgression; **— de** for lack of
fauteuil *m.* armchair
fau-x, -sse false, wrong, untrue, imitation, artificial, paste (*of jewels*)
favorable favorable, auspicious, propitious
favoriser to favor, help, aid
fébrile feverish, frantic
fée *f.* fairy
féerie *f.* fairyland, fairy scene, enchantment
***feindre** to feign, pretend; (*conjugated like* **craindre**)
femelle *f.* female; *adj.* female
femme *f.* woman, wife; **prendre —,** to marry
fendre to split, crack, cleave; **se —,** split; **fendu, -e** split, wide-open; **des yeux bien fendus** large and well-shaped eyes
fenêtre *f.* window
fente *f.* slit, cleft, crack, crevice, chink
fer *m.* iron; *pl.* irons, shackles; **— de cheval** horse-shoe; **en** *or* **de —,** iron, of iron
ferme *f.* farm, farm-house; **valet de —,** farm laborer
fermer to close, shut, fasten; **se —,** close, shut
fermeture *f.* fastening, clasp, lock
fermier *m.* farmer
ferré, -e shod *or* tipped with iron
ferrure *f.* iron work; *pl.* bits of iron
fertilité *f.* fertility, richness
fervent, -e fervent, devout, earnest
ferveur *f.* fervor, earnestness; **avec —,** fervently
fête *f.* feast, festivity, festival, holiday, entertainment, reception; **se faire une — de** to be delighted at the prospect of, look forward with pleasure to
Fête-Dieu: la —, Corpus Christi, Feast of the Holy Sacrament (*which takes place on the Thursday following Trinity Sunday*)
fêter to celebrate, entertain, receive with open arms, make much of
fétiche *m.* fetish, magician
feu *m.* fire, firing, flame, gleam, spirit, animation; **— de Dieu** lightning; **— de peloton** platoon firing, volley, **arme à —,** firearm, gun; **coup de —,** shot, gunshot; **faire —,** to shoot, fire; **faire du —,** strike a light, kindle a flame; **mettre le — à** set fire to; **pierre à —,** flint
feuillage *m.* foliage, verdure, leaves
feuille *f.* leaf, sheet
février *m.* February
fiacre *m.* cab
fiancé, -e *m., f.* fiancé, fiancée, betrothed
fiancer to betroth; **fiancé avec** engaged to
ficeler to tie with string, bind, tie up
ficelle *f.* string, twine
fidèle faithful
fi-er, -ère proud, haughty
fier to trust; **se — à** to trust to, depend on, have confidence in
fièrement proudly
fierté *f.* pride, dignity; **avec —,** proudly
fièvre *f.* fever
figure *f.* face, figure; **en pleine —,** full in the face
figurer to figure, represent, picture; **se —,** imagine, fancy, picture to oneself
fil *m.* thread, string; wire; **— de la Vierge** gossamer thread
file *f.* file, row; **chef de —,** file leader
filer to spin; file by, move along
filet *m.* net, network, netrack, rack; thread, ribbon, narrow band
fille *f.* girl, daughter; **jeune —, young** girl, young lady

fillette *f.* little *or* young girl, lassie, little *or* young daughter
filleul, -e *m., f.* godson, goddaughter, godchild
filou *m.* pickpocket, rogue, crook
fils *m.* son; **mon —,** my son, my dear, sonny
fin *f.* end, close, finish; **à la —,** at last; **mettre — à** to put an end to; **sans —,** endless, endlessly, again and again, without end; **toute la — de son existence** all the rest of his life
fin, -e fine, delicate, refined, exquisite, pretty, dainty; shrewd, clever
finance *f.* finance; *pl.* finances, funds
financi-er, -ère financial, monetary
finauderie *f.* cunning, sharpness, craftiness; **— de Normand** Norman cunning
finesse *f.* fineness, refinement, delicacy, cleverness, shrewdness, artifice, trick, stratagem, cunning
fini *m.* finish, last touch, fineness
finibus terræ (*Latin*): **à —,** to the ends of the earth
finir to finish, end; (*pop.*) die; **— par** + *inf.* end by, finally . . .; **fini, -e** finished, (all) over, settled, ended; **c'est fini** it is all over, it is settled
fiole *f.* phial, little bottle
fixe steady, fixed, staring
fixement steadily, fixedly
fixer to fix, set, look at fixedly, fasten; **— les yeux sur** look steadily at
fixité *f.* fixity, fixedness, insistence
flacon *m.* flask, small bottle
flamand, -e (**F—**) Flemish; (*pop*). **un — de Rome** a Gipsy
flamber to blaze (up), flame (up)
flamboyer to flame, flash, gleam, glitter
flamenco de Roma (*Gipsy*) Gipsy
flamme *f.* flame, blaze, flash
flanc *m.* flank, side
flâner to loiter, stroll, saunter
flanquer to flank; (*pop.*) give
flaque *f.* puddle
flasque slack, loose, limp, flapping, soft, weak
flatter to flatter; **se —,** flatter oneself, pride oneself (upon)
flegme *m.* phlegm; impassiveness, coolness; **avec son —, in his phlegmatic way**
fleur *f.* flower
fleurette *f.* floweret, little flower; gallant speech; **conter (des) —s** to make love, flirt
fleuri, -e flowery, flowered, blossoming, in bloom; **(colonnettes) —es** profusely ornamented (*with carvings of flowers*)
fleuve *m.* river (*which flows into the sea*)
flocon *m.* flake; puff (*of smoke*)
flot *m.* wave, flood, surge; **mettre à —,** to launch
flotter to float, drift about, hover, waver
flûte *f.* flute
foi *f.* faith, belief, confidence; **de bonne —,** of good faith, sincere, in earnest; **digne de —,** worthy of trust, trustworthy; **ma —,** upon my word, to tell the truth
foie *m.* liver; **pâté de —s gras** potted goose liver(s)
foin *m.* hay
fois *f.* time; **une —,** once; **une — encore** once again; **encore une —,** once more; **deux —,** twice; **par deux —,** twice in succession; at least twice; not once, but twice; **trois — sur quatre** three times out of four; **à la —,** at the same time
folgar *m.* (*probably the corrupted form of a Portuguese word*); *tr.* **faire un —,** have a good time
folie *f.* madness, insanity, folly, prank, foolish act *or* thing
folle *fem. of* **fou;** *noun f.* crazy woman
foncé, -e dark
fonction *f.* function, duty, office, service; **hautes —s** exalted services *or* duties
fond *m.* bottom, depths, back, rear, far end; stretch; **à —,** thoroughly, to the depths, utterly; **au — (de)** at the bottom, deep in, buried in, in the depths, at the rear, at heart
fondre to melt, cast; fall, burst; **— en larmes** burst into tears; **— sur** swoop down on, settle on
fonds *m.* funds; **être en —,** to be in good financial condition

fontaine *f.* fountain, spring
force *adv.* a great deal of, a great many, much
force (*or* **forces**) *f.* strength, force, skill, ability, might, violence; **à — de** by, through, by dint of; **à bout de —(s)** exhausted, one's strength gone, with no strength left; **avec —,** violently; **— lui fut de** he had to . . ., he was forced to . . .
forcer to force, force one's way through *or* past, compel, oblige; **à marches forcées** by forced marches
forêt *f.* forest
formaliser to offend; **se —,** take offense, feel slighted
forme *f.* form, shape
former to form, shape, frame, make
formidable formidable, awe inspiring, terrific
fort, -e strong, big, heavy, full, loud, large, vigorous, great, considerable, intense, harsh, oppressive; *noun* strong person
fort *adv.* very, greatly, exceedingly, strongly, much, hard, loud, loudly
fort *m.* fort, stronghold; strength, strong point
fortement strongly, firmly, securely, forcibly, loud(ly), clearly
forteresse *f.* fortress
fortifier to fortify, strengthen
fortune *f.* fortune, chance, luck
fosse *f.* grave, pit
fossé *m.* ditch, moat
fou (**fol** *before a vowel or mute* **h**), **folle** crazy, mad, foolish, wild, insane; *noun* crazy person; **verdures folles** wild vegetation, untrimmed foliage
foudre *f.* thunder, thunderbolt, thunder and lightning; **coup de —,** thunderbolt
foudroyant, -e thundering, thunderous, blasting, terrible
fouet *m.* whip; **— de poste** horsewhip; **donner le — à** to whip
fouetter to whip, lash, beat, cut
fouiller to search, hunt, dig; **— dans sa poche** rummage *or* fumble in one's pocket
foule *f.* crowd, throng
fouler to trample (upon), tread (upon)
fourbe *f.* trick, wile
fourbir to polish, furbish, brighten
fourche *f.* (pitch) fork; **coup de —,** jab of a pitchfork
fourneau *m.* furnace, stove, range
fournir to furnish, supply, provide
fourrer to stick, thrust, poke, stuff; **se —,** hide oneself
fourrure *f.* fur; skin, feathers
foyer *m.* hearth, home
fracasser to break, shatter, smash
fragment *m.* fragment, piece, bit, chunk
fraîcheur *f.* freshness, coolness
fra-is, -îche cool, fresh, with a fresh complexion; **de —,** freshly, newly; **faire —,** to be cool (*of weather*)
frais *m. pl.* expenditure, expenses, cost
franc, franche free, frank, thorough, honest, out and out; **laisser — jeu** to give free play, let alone, not to interfere
franc *m.* franc (*a French silver coin whose normal value used to be about 20 cents*)
français, -e (**F—**) French, Frenchman, Frenchwoman
France *f.* France
francesa (**à la**) (*Spanish*) = **à la française** in the French style *or* manner
franchir to clear, cross, pass over, jump across, leap over
Francisco (*Spanish*) Francis
François Francis
frange *f.* fringe
frapper to strike, knock, pound, beat, slap; **se —,** strike *or* hit oneself; **— du pied** stamp; **frappé au cœur** stricken to the heart
fraudeur *m.* cheat, smuggler
frayeur *f.* fright, terror
frégate *f.* frigate
freluquet *m.* dandy, fop
frémir to shudder, quiver, quaver, tremble, shake
frémissement *m.* shiver, shudder, quiver
fréquenter to frequent, associate with, be with
frère *m.* brother, friar
friand, -e appetizing, dainty, luscious
fricasser to fricassee (*fry or stew meat in pieces and serve with gravy*)

fripier *m.* old clothes dealer, dealer in second hand clothes
fripon *m.* rogue, rascal, cheat
* **frire** to fry; **frit, -e** fried; (*principal parts:* **frire, —, frit, fris, —;** *fut.* **frirai;** *condl.* **frirais;** *pt. indef.* **j'ai frit;** *pres. ind.* **fris, fris, frit, —, —, —;** *impve.* **fris, —, —.** *All other parts are missing.*)
frisé, -e curly, curled, hair curled
frisson *m.* shiver, shudder, quiver, chill
frissonner to shudder, shiver, tremble; ripple (*of water*)
friture *f.* frying, fried food; **marchand de —,** dealer in fried foods
froid, -e cold, chilly, cool; *noun m.* cold, coolness, coldness, freshness; **avoir —,** to be cold (*of persons*); **faire —,** be cold (*of weather*)
froidement coldly, coolly
froissement *m.* rumpling, ruffling, rustling; *pl.* clashing
froisser to rumple, muss; hurt, offend; **d'un air froissé** with an offended look
frôlement *m.* rustling
frôler to graze, just touch, brush past, touch lightly; **se —,** just touch one another
fromage *m.* cheese
froment *m.* wheat
froncer to wrinkle, contract, knit; **— le sourcil** frown, scowl
front *m.* forehead, brow
frontière *f.* frontier
frotter to rub (down), polish
fruit *m.* fruit
fruitier *m.* fruiterer, green grocer
fueros (*Spanish*) *m. pl.* laws, charters, special privileges (*of a Spanish municipality*)
***fuir** to flee, take refuge
fuite *f.* flight
fumant, -e smoking, steaming, reeking
fumée *f.* smoke, fume, cloud of smoke *or* of vapor
fumer to smoke
fumet *m.* scent, odor, flavor
fumier *m.* manure, dressing, dung heap
fureur *f.* fury, rage, anger; **sur un ton de —,** in an angry tone, in angry tones
furie *f.* fury, ardor
furieusement furiously
furieu-x, -se furious, mad, frantic; *noun m.* maniac, madman
fusil *m.* gun, rifle; **— à deux coups** double barreled (shot) gun; **— de chasse** hunting gun; **— de rechange** spare *or* reserve gun; **à (une) portée de —,** within gunshot; **coup de —,** gunshot
fusillade *f.* fusillade, firing, shooting
fusiller to shoot
futaie *f.* forest (*of tall trees*)
futé, -e cunning, sly
futur, -e future
fuyant, -e fleeing, fleeting, receding

G

gagner to gain, earn, win, reach
Gagny *an imaginary place in «L'attaque du moulin»*
gai, -e gay, festive, merry, lively, cheerful, jolly
gaiement gayly, cheerfully, brightly
gaieté *f.* gayety, cheerfulness, merriment, delight, liveliness; **en —,** feeling lively, gleeful
gaillard, -e sturdy, lusty, jovial, jolly, gay, sprightly; *noun m.* sturdy fellow, strapping fellow, sprightly fellow, fellow; **— d'arrière** quarter deck (*for officers*); **— d'avant** forecastle (*for the crew*); **— de cœur** courageous fellow, fellow of spirit, proud fellow
gaillardement efficiently, cleverly, manfully
galamment gallantly, with extreme politeness
galant, -e gallant, courtly, jaunty; *noun m.* suitor, sweetheart, lover; **— homme** gentleman
galanterie *f.* compliment, gallantry
gale *f.* itch
galère *f.* galley; **aux —s** in prison (*prisoners were formerly made to row in galleys*)
galerie *f.* gallery, corridor, landing
galon *m.* stripe, ribbon, braid
galop *m.* gallop
galoper to gallop
gambade *f.* gambol(ing), hop(ping), skip(ping)

ganté, -e gloved, fitted with gloves
garcette *f.* little girl *or* woman
garçon *m.* boy, lad, young man, bachelor, fellow; waiter
garçonnet *m.* little boy, lad, young fellow, young man, youth; hired man, attendant, waiter
garde *f.* guard, watch, care; *m.* guardian, guard, keeper, warden, nurse; **chien de —**, watchdog; **corps de —**, guardhouse; **de —**, on guard, on duty; **descendre la —**, to go off guard; **prendre —**, take care, be careful, look out; **prendre — de** take care not to; **se tenir sur ses —s** be on one's guard, be careful
garde-côte *m.* coast-guard
garde-manger *m.* cupboard, pantry, larder
garder to keep, guard, maintain, keep up, preserve, retain, take care of, watch (over); **— à vue** to keep in sight, keep under watch; **— le silence** keep *or* be silent; **— rancune** bear a grudge; **se — de** avoid, be careful of, be careful not to, take care not to
gardien *m.* guardian, keeper
gare *f.* station, depot, railway station; **entrer en —**, to enter the station
gare *interj.* look out! **— à vous!** look out for yourself!
garer to secure, protect, put out of reach; **se —**, keep out of the way
garnement *m.* blackguard, scamp, good-for-nothing fellow
garnir to furnish, provide, fit out, cover, adorn
garrote (*Spanish*) *m.* garrote, strangulation
garrotter to bind (hand and foot), put in irons, handcuff, pinion, garrote (*execute by strangling with a rope*)
gars *m.* lad, youth, young man, young fellow
gaspacho (*Spanish* **gazpacho**) *m.* vegetable and bread salad (*consisting of olive oil, vinegar, onions, garlic, tomatoes, cucumbers, red peppers, and slices of bread*)
gâter to spoil
gauche *adj.* left; awkward, clumsy; *noun f.* left hand, left side, left; **à —**, to *or* on the left; **de —**, to *or* on the left
Gaucin *a mountain town about 30 miles north of Gibraltar*
gazon *m.* grass, turf
géant, -e giant; *noun* giant
Gédéon Gideon (*champion of the Israelites, by whom the Midionites were defeated*)
gelinotte *f.* hazel grouse, a delicious game bird
gémissement *m.* groan, moan
gênant, -e bothersome, troublesome, embarrassing
gendarmerie *f.* constabulary, (state) police
gendre *m.* son-in-law
généalogie *f.* genealogy
gêner to trouble, annoy, disturb, inconvenience, embarrass, make uncomfortable, be in one's way
général, -e general, all-round; *noun m.* general; **capitaine —**, general; **quartier —**, headquarters
généreu-x, -se generous, open-handed, high-spirited
générosité *f.* generosity, liberality, nobility
genou *m.* knee; **à —x** on his (her, their, *or* one's) knees; **être à —x** to be kneeling
gens *m. and f. pl.* people, persons, men, folks, fellows; **— d'Égypte** (*pop.*) Gipsies; **jeunes —**, young men, young folks; **les — des champs** countrymen, rustics
gentil, -le nice, kind, charming, amiable
gentillesse *f.* attractiveness, prettiness
géographe *m.* geographer
géographique geographical
geôlier *m.* jailer
Georges George
***gésir** to lie, lie buried; (*principal parts:* **gésir, gisant, —, —, —**; *imp.* **gisais**; *pres. ind.* **—, —, gît, gisons, gisez, gisent.** *All other parts are missing.*)
geste *m.* gesture, movement, motion
gesticuler to gesticulate
giberne *f.* cartridge pouch *or* box
gibier *m.* game, hunted animal *or* bird

Gibraltar *British fortified seaport at the southern extremity of Spain*
gigantesque gigantic, huge
gigot *m.* leg of mutton
girouette *f.* weather vane, weathercock
gitanilla (*Spanish*) *f.* little Gipsy girl
gitano, gitana (*Spanish*) *m., f.* Gipsy
gite *m.* shelter, abode, lodging
glace *f.* ice; plate glass, mirror; *pl.* ice cream; **armoire à —,** wardrobe with plate glass door; **prendre des —s** to take *or* eat ice cream
glacer to chill, freeze; paralyze; **glacé, -e** icy, cold, chilling
glacière *f.* ice box, ice house, refrigerator
glapissant, -e yelping, squeaky, screaming
glisser to glide along, slide, slip
gloire *f.* glory, pride; **avec —,** gloriously
glorieu-x, -se glorious, triumphant, elated, radiant
gobelet *m.* goblet, (metal) cup; **— de vermeil** silver gilt goblet
Goderville *a small town about 20 miles northeast of Le Havre*
goguenard, -e jeering, mocking, bantering
gommier *m.* gum tree
gonfler to swell, inflate, puff up, blow up, bulge
gorge *f.* throat, neck; gorge
gorgée *f.* swallow, draught
gorger to gorge; **se —,** gorge oneself
gourde *f.* gourd; drinking flask
gourmandise *f.* greediness, greed, envy
goût *m.* taste, flavor, savor, relish; style
goûter to taste, relish, enjoy, like, appreciate
goûter *m.* lunch
goutte *f.* drop; **— à** *or* **en —,** drop by drop, a drop at a time
gouvernail *m.* helm, rudder
gouverne *f.* guidance
gouvernement *m.* government
gouverneur *m.* governor; warden
grâce *f.* grace, graciousness, loveliness, beauty, favor, pardon, mercy; *interj.* (have) mercy! **— à** thanks to, owing to; **de** (*or* **avec**) **bonne —,** graciously; **faire — à** to pardon, spare, have mercy on
grâcieu-x, -se gracious, graceful, pleasing
grade *m.* rank
graisser to grease; **— la patte à quelqu'un** bribe *or* tip somebody
grand, -e great, large, big, tall, main, loud, grand, broad, grown-up; **—e route** main highway; **— trot** fast trot; **au — soleil** in the bright sunshine *or* sunlight; **de — matin** early in the morning; **en —e tenue** in (full) dress uniform; **le —-livre** account book, ledger; **une —e heure** a full hour; **—'chose** much; **la Grande** (*abbreviation of* **la Grande Chartreuse**) the Great Carthusian Monastery
grandir to grow (up), become large, make taller *or* longer, lengthen; **grandi, -e** grown tall; **grandissant, -e** growing larger, increasing
grand'peine *f.* great difficulty; **à —,** with great difficulty
grand-père *m.* grandfather
grand'route *f.* (main) highway
grands-parents *m. pl.* grand-parents
grange *f.* barn
gras, -se fat, plump, thick; greasy; **voix —se** heavy voice
gratification *f.* bonus, reward, gratuity, tip
grave grave, serious, solemn, dull, hollow
gravement gravely, seriously
Graveson *a small village near Arles*
gravité *f.* gravity, seriousness; **avec —,** gravely
gré *m.* pleasure, will; **bon —, mal —,** willingly or unwillingly, willy nilly
gredin *m.* scamp, rascal, scoundrel; **— de braconnier** scoundrel of a poacher, rascally poacher
gréer to rig, fit out
grêle *f.* hail, hailstorm
grelotter to shiver
Grenade Granada (*an old Spanish city in Andalusia noted for its historical monuments*)
grenadier *m.* pomegranate tree; grenadier
grenier *m.* attic, loft, garret
grenouille *f.* frog

grès *m.* sandstone
grève *f.* strike; **en —**, on (a) strike
grièvement grievously, seriously, severely
griffe *f.* claw; (*pop.*) hand, paw; **y porter la —**, to reach out one's hand for it
grille *f.* grating, iron-barred gate
grimace *f.* grimace, wry face
grimper to climb, creep
gringalet *m.* weakling, sickly little fellow
grippe *f.* whim, fancy; **prendre en —**, to take a dislike to
gris, -e gray
griser to intoxicate, make drunk, make tipsy
grisette *f.* grisette, flirtatious working girl, shopgirl, girl of the working class
grisonner to turn gray
grog *m.* whiskey and soda
grogner to grumble, growl, grunt
gros, -se big, large, stout, fat; coarse, rough, gruff, heavy, swollen; great, serious, important; **— rire** loud laughter; **— temps** rough weather; **avoir le cœur —**, to grieve, be heavy hearted, one's heart to be swollen
gros *m.* main body, bulk, mass
grossi-er, -ère gross, crude, coarse, uncouth, rough, uncivilized
grotesque grotesque, ludicrous, uncouth
grotte *f.* grotto
groupe *m.* group
Guadalquivir *m.* *a Spanish river which empties into the Atlantic; Cordova and Seville are situated on its banks*
gué *m.* ford; **passer à —**, to ford
guenille *f.* tatter, rag
guère: ne . . . —, scarcely, hardly . . . at all, not much, but little
guérir to cure, heal, recover, get well
guerre *f.* war; **de —**, *adj.* martial, warlike; **bâtiment de —**, warship
guerri-er, -ère war, warlike; **chant —**, war song; *noun m.* warrior
guet *m.* watch; **faire le —**, to keep watch, act as lookout
guêtre *f.* gaiter
guetter to watch (for), lie in wait (for), spy about, keep watch
gueule *f.* mouth, muzzle, maw
gueu-x, -se *m., f.* beggar, rascal, hussy
guide *m.* guide, guide-book
guider to guide, direct, lead, act as guide for, steer
guillotiner to guillotine
Guinée *f.* Guinea (*the western part of Africa extending from Senegambia to the Congo*)
guinée *f.* guinea (*an English coin of the value of approximately 21 shillings*)
Guipuzcoa *f.* Guipuzcoa (*a province of northern Spain whose capital and principal city is San Sebastián*)
guiriot (*African dialect*) *m.* magician, sorcerer
guirlande *f.* wreath
guitare *f.* guitar
guttural, -e guttural, throaty

H

habile clever, skillful
habileté *f.* skill, ability
habiller to dress, clothe; **s'—**, dress (oneself)
habit *m.* coat, dress-coat, garment, uniform; *pl.* clothes
habitacle *m.* binnacle, compass box
habitant *m.* inhabitant, native
habiter to inhabit, live in, dwell in, people
habitude *f.* habit, custom, practice
habitué, -e used, accustomed; *noun* frequenter, regular customer
hache *f.* axe; **coup de —**, stroke *or* blow of an axe
hagard, -e haggard, wild
haie *f.* hedge; **faire la —**, to form a line, line up; **— vive** quickset hedge, hedge of living plants, live hedge
haillon *m.* rag, tatter, shred
***haïr** to hate; **se —**, hate oneself; (*principal parts:* **haïr, haïssant, haï, hais, haïs**; *no diæresis in the pres. ind. and impve. singular, and no circumflex accent. Otherwise like* **finir.**)
haleine *f.* breath
haleter to pant; **haletant, -e** panting, breathless
hallier *m.* thicket
halte *f.* halt, stop, stopping place; **faire —**, to halt, stop
hanche *f.* hip
hangar *m.* shed, outbuilding

harangue *f.* speech, harangue, talk
haras *m.* stud (*for breeding*)
harasser to harass, vex, annoy
hardi, -e bold, daring, hardy
hardiment boldly
haricot *m.* bean
Haroûn-al-Raschid *a celebrated caliph of Bagdad (765–809)*
hasard *m.* hazard, chance; **au —,** at random, into space; **par —,** perchance, by chance
hasarder to risk, venture, expose; **se —,** venture, expose oneself
hasardeu-x, -se hazardous, perilous, dangerous
hâte *f.* haste, hurry; **à la —,** hastily, in a hurry
hâter to hasten, hurry; **se —,** hasten, hurry, make haste
haussement *m.* shrug; **avoir un — d'épaules** to shrug one's shoulders
hausser to lift (up), raise; **— les épaules** shrug one's shoulders; **se —,** stand on tiptoe
haut, -e high, tall, lofty, elevated; loud, loudly; **— de trente pieds** thirty feet high; **—es fonctions** exalted services *or* duties
haut *m.* top, height; **de —,** in height, high; **de — en bas** from top to bottom; *adv.* loud, loudly, high; **là-—,** up there; **tout —,** quite loud(ly)
hautement aloud, boldly, with vigor
hauteur *f.* height; **à la — de** on a level with
Havane (la) Havana
hé *interj.* hello! oh ho!
hébété, -e stupefied, dazed
hein *interj.* hey! what! eh what! **—?** what?
hélas *interj.* alas!
hennir to neigh, whinny
hennissement *m.* neighing, whinnying
herbe *f.* grass, herb; *pl.* weeds, herbs, vegetation
hériter to inherit, receive an inheritance
héritier *m.* heir
héroïque heroic
héroïquement heroically
héroïsme *m.* heroism
héros *m.* hero
hésitation *f.* hesitation, faltering, wavering
hésiter to hesitate, falter, waver
heure *f.* hour, time, o'clock; **à la bonne —!** well and good! fine! **de bonne —,** early; **quelle — est-il?** what time is it? **tout à l'—,** shortly, presently, in a moment, just now, a little while ago; **une grande —,** a full hour
heureusement fortunately, luckily
heureu-x, -se happy, fortunate, lucky, successful, pleasing
heurter to strike, strike against, knock, dash against
hidalgo (*Spanish*) *m.* hidalgo, noble, gentleman of rank
hier yesterday
hiérarchie *f.* hierarchy, rank
hisser to hoist, lift, raise; **se —,** raise oneself up
histoire *f.* history, story, tale, affair
historiette *f.* (little) tale, yarn
hochement *m.* nod, shake; **— de tête** nod *or* toss of the head
hocher to shake, nod, wag
holà *interj.* hello!
hommage *m.* homage, respect; *pl.* acts of homage *or* respect
homme *m.* man; **— de cœur** courageous man, proud man, man of spirit
honnête honest, upright, respectable, honorable
honnêtement honestly, honorably, respectably, courteously
honneur *m.* honor, sense of honor, credit; **faire — à** to honor, pay (*a note*), make good (*one's signature*); **faire l'— à quelqu'un** to honor someone, do someone the honor; **parole d'—,** my word of honor, upon my word
honte *f.* shame
honteu-x, -se ashamed, shameful
hôpital *m.* hospital
hoquet *m.* hiccough
horizon *m.* horizon; **à l'—,** on the horizon
horloge *f.* clock
horreur *f.* horror, loathing
horrible horrible, terrible, frightful
horriblement horribly

hors (de) out (of), outside (of); **— d'état** unfit, not in condition; **— d'ici!** (get) out of here!
hospitalité *f.* hospitality
hôte *m.* host, guest
hôtel *m.* hotel, mansion, residence; **— (du Ministère)** palace
huile *f.* oil, olive oil
huit eight; **— jours** a week
huître *f.* oyster
hum *interj.* h'm! hum!
humain, -e human, humane, kind-hearted; **par respect —,** out of consideration for others, out of kind-heartedness; *noun m.* human being
humaniser to humanize, civilize; **s'—** become friendly *or* tame
humanité *f.* kindly feeling, sympathy, fellow feeling
humble humble, meek
humer to sniff, breathe in, draw in
humeur *f.* humor, temper, disposition, frame of mind, spirits; ill humor; **de mauvaise —,** in bad humor, out of sorts; **d'un air de bonne —,** good naturedly; **en belle —,** in fine frame of mind
humide humid, moist, wet
humiliant, -e humiliating, mortifying
hurler to howl, yell

I

ici here; **par —,** this way, in this place
idée *f.* idea, notion, thought
idiome *m.* language, dialect
ignorer to be ignorant of, not to know, be unaware of
île *f.* island
illettré, -e illiterate, ignorant
image *f.* image, picture, likeness
imaginer to imagine, think up; **s'—,** imagine, fancy, think, believe; **s'— de** + *inf.* conceive the idea of
imbécile idiotic, foolish, in a state of imbecility; *noun* idiot, imbecile, fool
imiter to imitate
immédiat, -e immediate
immédiatement immediately, at once
immense immense, huge, mighty, vast, enormous, boundless
immobile motionless, still, inactive
immobilité *f.* immobility, motionlessness
immodéré, -e immoderate, excessive
impassible impassive, unmoved, calm
impatience *f.* impatience; **avec —,** impatiently
impatienter to make impatient, provoke, irritate, put out of patience; **s'—,** become impatient
imperceptible imperceptible, invisible, very faint
impétuosité *f.* impetuosity; **avec —,** impetuously
impitoyablement pitilessly, ruthlessly
implorer to implore, entreat for, beg
important, -e important; *noun m.* important thing *or* question
importer to matter, be important, import; **n'importe** no matter, it doesn't matter, all the same; **peu importe** it matters little, it makes little difference; **qu'importe?** what does it matter? what difference does it make?
importun, -e importunate, vexatious, disagreeable, tiresome
impossible impossible; *noun m.* impossible
imposteur *m.* impostor, charlatan
imprévu, -e unforeseen, unlooked-for
imprimer to print, impress, impart
impromptu, -e impromptu, extemporary, unprepared
improviste: à l'—, unexpectedly
imprudent, -e imprudent, reckless, daring
impuissant, -e powerless, impotent
impunité *f.* impunity, freedom from punishment
inabordable inaccessible
inavoué, -e unconfessed, unavowed, unacknowledged
incapable incapable, unable
incertain, -e uncertain, vague, flickering, indistinct
incertitude *f.* uncertainty
inclination *f.* inclination; **— de tête** bow
incliner to incline, bend over, tilt; **s'—,** lean over, bend over, lean, list
incognito *m.* incognito, desire to remain unrecognized

incommode uncomfortable, inconvenient
inconnu, -e unknown, strange; *noun* unknown person, stranger
incontinent forthwith, right away
inconvenance *f.* impropriety, unbecoming act
incorruptible incorruptible, inflexible, unbribable
incrédule incredulous; *noun* incredulous person, unbeliever
incrédulité *f.* incredulity, disbelief, doubt
incroyable incredible, past belief
indication *f.* indication, information, trace, clue
indicible unspeakable, inexpressible, unutterable
indifférent, -e indifferent, careless, unconcerned; *noun* person who is indifferent *or* unconcerned
indigne unworthy, disgraceful
indigner to exasperate, anger, make indignant; **s'—,** be angry; **indigné -e** indignant
indiquer to indicate, point to *or* out, designate; tell of
indiscr-et, -ète indiscreet
indiscrétion *f.* indiscretion, rashness
individu *m.* individual
indulgence *f.* indulgence, favor, pardon
inégal, -e unequal, irregular
inestimable inestimable, invaluable, priceless, of inestimable value
infernal, -e infernal, devilish, outrageous
infini, -e infinite, endless; **une peine —e** no end of trouble; *noun m.* infinite; **à l'—,** endlessly, as far as the eye can see, *ad finitum*
infiniment infinitely
infirme weak, frail, feeble, crippled; *noun m.* cripple, invalid
infirmité *f.* infirmity, weakness
inflammation *f.* inflammation; **— de poitrine** inflammation of the lungs
inflexible inflexible, unbending, unyielding
influence *f.* influence, power, sway
informer to inform; **s'—,** learn, find out
infortuné, -e unfortunate, unhappy; *noun* unfortunate person
infraction *f.* infraction, breaking (*of rules*), infringement
infuser to steep, infuse, soak
ingénieu-x, -se ingenious, clever
inglesito (*Spanish*) m. (*diminutive of* **inglés** Englishman) little Englishman
ingratitude *f.* ingratitude, unthankfulness
inhospitali-er, -ère inhospitable
inintelligible unintelligible
initier to initiate, give first instructions, introduce
injecter to inject; **s'— de sang** be *or* become bloodshot
injure *f.* insult, wrong
injurier to insult, abuse, berate; **s'—,** insult one another
injustice *f.* injustice, wrong, iniquity
innocence *f.* innocence, artlessness, purity
innommable unnamable, nondescript
innovation *f.* innovation, novelty
inonder to inundate, deluge, surge over, flood
inouï, -e unheard-of, extraordinary
inqui-et, -ète uneasy, restless, worried
inquiéter to trouble, worry, disturb; **s'— (de)** be disturbed (about), worry (about), be uneasy (about)
inquiétude *f.* uneasiness, anxiety, worry; **avec —,** uneasily
insaisissable intangible, indiscernible, imperceptible, elusive
insensé, -e crazy, foolish, senseless; *noun* fool, mad person
insensible without feeling, indifferent, unsusceptible
insigne noted, notorious
insister to insist, persist
inspecter to inspect, examine
inspecteur *m.* inspector
inspirer to inspire, arouse
installer to install, place, settle, establish, seat; **s'—,** settle oneself, establish oneself, take one's place
instance *f.* entreaty, urging, urgent pleading
instant *m.* instant, moment; **par —s** at moments, now and then
instinct *m.* instinct, impulse
instinctivement instinctively

instruction *f.* instruction, education
instrument *m.* instrument, tool
insulte *f.* insult
insulter to insult
insurgé *m.* insurgent
insurrection *f.* insurrection, revolt
intention *f.* intention, purpose; **avoir l'— de** to intend; **à votre —,** for your sake, on your behalf
interdit, -e forbidden, overwhelmed, speechless
intéressant, -e interesting
intéresser to interest; **s'— à** take an interest in, become interested in
intérêt *m.* interest
intérieur, -e inner, interior, internal, inward; *noun m.* interior, inside
interminable interminable, endless
interprète *m.* interpreter
interrogatoire *m.* examination, questioning
interroger to question, ply with questions, interrogate
interrompre to interrupt; **s'—,** to interrupt oneself, pause, stop
intervalle *m.* interval, space, intermediate space
intime intimate, private, familiar, inner, inward
intimement intimately
intimider to intimidate, alarm, terrify, overawe
intonation *f.* intonation, inflection
***introduire** to introduce, show in, bring in, admit
intrus, -e *m., f.* intruder
inutile useless, needless
inutilité *f.* uselessness, needlessness
inventaire *m.* inventory, statement of accounts
inventer to invent
inventeur *m.* inventor
invention *f.* invention, trick
invisible invisible, imperceptible
inviter to invite
invoquer to invoke, call upon, appeal to
irréguli-er, -ère irregular, desultory
irrégulièrement irregularly, stragglingly
irrésistible irresistible
irrévérencieu-x, -se irreverent
irriter to irritate, make angry
Isabelle Ire, la Catholique Isabella, *queen of Spain, wife of Ferdinand of Aragon (1451–1504)*
isoler to isolate; **isolé, -e** isolated, detached, separate, cut off, single
ivoire *m.* ivory
ivre drunk, intoxicated
ivresse *f.* intoxication, drunkenness; enthusiasm, rapture; **avec —,** rapturously

J

jaillir to gush (out), spurt (out), burst forth
jais *m.* jet, mineral coal
jalousie *f.* jealousy; Venetian blind
jalou-x, -se jealous; **faire le —,** to be *or* become jealous
jamais never, ever; **ne . . . —,** never
jambe *f.* leg; **bout de —,** stump
jambon *m.* ham
janvier *m.* January
jaque (*Spanish*) *m.* blusterer, bully
jardin *m.* garden; **le Jardin des Plantes** *a famous botanical garden and zoo in Paris*
jardinet *m.* little garden
jardinier *m.* gardener
jargon *m.* jargon, dialect, lingo
jarre *f.* large earthenware jar
jasmin *m.* jasmine
jatte *f.* bowl
jaune *adj.* yellow; **rire —,** to laugh sheepishly *or* guiltily; *noun m.* **— d'œuf** yolk of an egg
Jeanne Jane, Joan
Jerez *a city in Andalusia to the south of Seville; it is noted for its sherry wines*
Jersey *m.* *a British island in the English Channel some 15 miles from the French coast*
Jésus Jesus
jeter to throw (away), cast, hurl, fling; utter; **— son dévolu sur** have designs upon, be after; **se —,** throw oneself, hurl oneself, spring, rush, run; **se — au cou de quelqu'un** throw one's arms around somebody's neck, fall on somebody's neck
jeu *m.* game, play; gambling; performance; proceeding; **laisser franc —,** to give free play, let alone, not to interfere

jeun: être à —, to be fasting, not to have eaten
jeune young, youthful; **— fille** young girl, young lady
jeûne *m.* fast, fasting
jeûner to fast
joaillier *m.* jeweler
Joale Joal (*a town in Senegal*)
joie *f.* joy, mirth
***joindre** to join, clasp (together), add; reach; catch up with; **se —,** join, clasp, unite, meet, reach one another
joli, -e pretty, handsome, good looking, fine; **faire le — cœur** to play the lady's man
joliment prettily, nicely; uncommonly, mighty
jonc *m.* rush, reed, cane
José (*Spanish*) Joseph
Joseito (*Spanish*) Joe
José Maria *a notorious Spanish bandit in the early nineteenth century*
joue *f.* cheek; **coucher** *or* **mettre en —,** to take aim, aim (at)
jouer to play, gamble, stake; **— de** play (*a musical instrument*); **— aux cartes** play cards; **— du couteau** use the knife; **faire — le ressort** make the spring work *or* play
jouet *m.* plaything, toy
jouir de to enjoy
jour *m.* day, daylight, light; **au — tombant** at the fall of day, as daylight fades away; **de — en —,** from day to day; **des —s bien durs** very hard times; **huit —s** a week; **le petit —,** dawn, daybreak; **par —,** a day, per day, daily; **tous les —s** everyday; **tout le —,** all day long
journal *m.* newspaper; **il se rendit . . . aux journaux** he went . . . to the newspaper offices
journée *f.* day, extent of day; **toute la —,** all day long
joyeu-x, -se joyous, joyful, jolly, merry
Juan (*Spanish*) John; **Juanito** Jack, Johnny
juge *m.* judge
juger to judge, consider, suppose, deem
jui-f, -ve Jewish; *noun* Jew, Jewess
juillet *m.* July
jupe *f.* skirt
jupon *m.* petticoat
jurement *m.* oath, curse
jurer to swear; contrast; **— avec** clash with, contrast strongly with; **c'est juré** it's a promise
jus *m.* juice, gravy
jusque *prep.* till, until, up to, as far as, to; **jusqu'à** as (so) far as, up to, until, even, including; **jusqu'à ce que** *conj.* until; **—-là** till there, till then, up to this *or* that time; **jusqu'où** (up) to what point
juste *adj.* just, exact, right, fair; **— Dieu!** merciful *or* righteous Heaven! **au —,** exactly, precisely; *adv.* just, right, exactly, precisely; *noun m.* upright *or* righteous man
justement exactly, precisely, justly, in fact, with good reason, as luck would have it, at this very time
justice *f.* justice, courts of justice, (the) law
justicier *m.* just man, lover of justice, executor of justice
justifiable justifiable, defensible
justifier to justify, clear

K

kilomètre *m.* kilometer (*approximately* $\frac{5}{8}$ *of a mile*); **à deux —s** two kilometers distant
Kingston *a seaport and the capital of Jamaica, almost entirely destroyed by an earthquake in 1907*

L

là there, yonder, to that place; then, at that time; here; *as suffix to distinguish* this *and* that; **—-bas** (down) there, over there, yonder; **—-dessus** about it, concerning that, thereupon; **—-dedans** in there, in it, inside; **—-haut** up there; **par —,** there, over there, in that neighborhood, that way; **par-ci . . . par-—,** here and . . . there, now and then; **çà et —,** here and there
laboratoire *m.* laboratory
lac *m.* lake
lâche cowardly; *noun m.* coward
lâcher to let go, drop, loosen, release; fire; **lâchez-tout** *noun m.* "drop everything", confusion

lâcheté *f.* cowardice, act of cowardice
laguna ene behotsarena (*Basque*) = **camarade de mon cœur**
lai, -e lay; **frère —,** lay brother (*one who is not a regular member of a religious organization but merely performs the duties of a servant*)
laid, -e ugly, plain, homely
laideur *f.* ugliness
laine *f.* wool
laisser to leave, let, allow, permit, let . . . have; **— dire** let people talk; **— franc jeu** give free play, not to interfere, let alone; **— place libre** give room; **— tranquille** leave alone, not bother; **on le leur laisserait à** they would let them have it for; **se —,** let *or* allow oneself
lait *m.* milk
laiti-er, -ère milch, milk-yielding
laiton *m.* brass
Lalorò (*Gipsy*) = " the red land ", *i.e.*, Portugal
lame *f.* blade; wave(s)
lamentable lamentable, mournful, pitiful
lamenter to lament; **se —,** lament, grieve
lampe *f.* lamp
lancer to throw (out), hurl, fling, cast, send forth, let go; give; utter, announce, call forth; **cheval lancé ventre à terre** horse ridden at top speed; **se —,** hurl oneself, rush, dart, make a start
lancier *m.* lancer (*cavalryman equipped with lance*)
langue *f.* language, tongue
languir to languish, pine, stagnate
lanière *f.* strap, thong, lash
lanterne *f.* lantern
lapidaire *m.* lapidary, expert in precious stones
laquais *m.* lackey, footman, liveried servant
large broad, wide, big, large, great, generous, profound; **aux —s bords** wide-brimmed; *noun m.* **au —!** stand aside! keep away! halt!
largeur *f.* breadth, width; **en —,** from side to side, in width
larme *f.* tear; **fondre en —s** to burst into tears; **une crise de —s** a fit of weeping; **pleurer à chaudes —s** weep bitterly
las, -se weary, tired
lasser to weary, tire; **se —,** grow weary, become tired
lassitude *f.* weariness
Laurent Lawrence
laver to wash, wash out, scrub; **— à grande eau** scrub *or* mop (*a floor by throwing on pailfuls of water*)
lécher to lick; **se —,** lick oneself
lecteur *m.* reader
lecture *f.* reading
légal, -e legal, lawful
lég-er, -ère light, slight, faint, tiny, airy, light-hearted, nimble, frivolous, trifling
légèrement lightly, slightly, gently, delicately
légitime legitimate, lawful, justifiable
légume *m.* vegetable
lendemain *m.* next *or* following day; **le — matin** the next morning
lent, -e slow, deliberate, slow-moving
lentement slowly
lenteur *f.* slowness, sluggishness
leste lively, nimble, brisk, quick
lettre *f.* letter
levée *f.* levy, rising, uprising, call to arms; **une — en masse** a general uprising
lever to raise, lift, hoist, hold up; **se —,** rise, get up, stand up; *noun m.* rise, rising; **le — du soleil** sunrise
lèvre *f.* lip
lézard *m.* lizard
libéral, -e liberal, tolerant, generous
liberté *f.* liberty, freedom; **rendre la — à** to set free, let go
libre free, independent; **laisser place —,** to give room
licol *m.* halter
lier to bind, tie (up), attach, connect; **être lié avec quelqu'un** be on friendly *or* intimate terms with someone
lierre *m.* ivy; *pl.* ivy vines
lieu *m.* place, spot, abode; occasion, cause; **au — de** instead of; **avoir —,** to take place; **avoir — de** have reason to
lieue *f.* league (*about* $2\frac{1}{2}$ *miles*); **à deux —s** at a distance of two leagues; **à**

trois —s à la ronde for (a distance of) three leagues around; **une demi —**, half a league
lièvre *m.* hare, rabbit
ligne *f.* line, railway line
lillipendi (*Gipsy*) = **imbéciles**
lime *f.* file
limer to file (off, through)
limite *f.* limit, boundary
limpide limpid, clear
linge *m.* linen, cloth
liqueur *f.* cordial, liqueur, spirits
***lire** to read
lisière *f.* border, edge
lit *m.* bed
litanie *f.* litany (*a prayer consisting of a series of supplications*)
litière *f.* litter, stretcher
livide livid, ashen
livre *m.* book; **le grand-—**, the account book *or* ledger
livrer to deliver, give up, hand over, surrender, betray; fight, wage, take part in; **se — (à)** give oneself up to, indulge (in), be engaged (in), wage
logement *m.* lodging, quarters, apartment; billet; **changer de —**, to move
loger to lodge, house, put (up), place; **se —**, be lodged, lodge
logis *m.* lodging, dwelling, house, building, structure; **maréchal des —**, sergeant (*of cavalry or artillery*)
loi *f.* law; (*pop.*) **prendre la — d'Égypte** to become a Gipsy
loin far (off *or* away), distant, away; **au —**, far away, in *or* into the distance; **de —**, at *or* from a distance, a long way off; **de — en —**, at long intervals, from time to time; **— de moi!** away from me!
lointain, -e distant, far away
loisir *m.* leisure, opportunity
Londres London
long, -ue long; **en savoir plus —**, to know more about it; *noun m.* length; **le — de** along, the length of; **tout de son —**, at (one's) full length
Longa (Francisco) *Spanish guerilla leader during the Napoleonic wars; died after 1831*
longer to skirt, creep close to, keep *or* go along
longtemps long, (for) a long while *or* time; **depuis —**, for a long while
longueur *f.* length; **de —**, in length, long; **en —**, lengthwise, in length
lorgner to squint at, peep at, eye, ogle
lorgnette *f.* field glass
Lormière *an imaginary village*
Lorraine *f.* Lorraine (*a province in eastern France which was ceded to Germany as a result of the Franco-Prussian War; it was restored to France after the World War by the terms of the Versailles Treaty*)
lors then, at that time; **dès —**, from that time on, after that; **— de** at the time of; **pour —**, then, thereupon, at that
lorsque when, whenever
louange *f.* praise; **—s** words of praise
louche dubious, of dubious reputation, suspicious, forbidding, not clear
louer to hire, rent, let; praise
lougre *m.* lugger (*a small vessel used by smugglers and pirates*)
Louis Louis; **château — XIII** castle in Louis XIII style (i.e., *heavy and ornate as contrasted with the elegant castles of the earlier Renaissance period*)
louis (d'or) *m.* louis (*an old gold coin worth twenty francs or about $4.00*)
loup *m.* wolf
lourd, -e heavy, thick, dull, oppressive, close (*of heat*)
lueur *f.* gleam, glimmer, light
lugubre dismal, doleful, mournful
***luire** to shine, gleam, glisten, glitter; (*conjugated like* **conduire**, *except that the pt part. is* **lui** *and that the pt. def. and imp. subj. are missing*)
luisant, -e shining, gleaming, glistening, glittering
lumière *f.* light; intelligence
lumineu-x, -se luminous, glowing
lundi *m.* Monday
lune *f.* moon
luron *m.* jolly *or* good fellow
lustrer to gloss, make lustrous: **lustré, -e** glossy, lustrous
lutte *f.* struggle, tussle, fight, combat, conflict
lutter to struggle, tussle, fight

luxe *m.* luxury; **tous les —s** every kind of luxury
lynx *m.* lynx

M

M. *abbreviation for* **monsieur** Mr., Sir; **M. le curé** the priest, Father
machinalement mechanically
madame (*abbreviation* **Mme**) Madam, Mrs.
Madeleine Madeleine, Maud
mademoiselle *f.* Miss, the young lady, Mademoiselle
Madone *f.* Madonna; **une madone** a madonna
magicien *m.* magician, wizard
magie *f.* magic
magique magic; **l'art —,** magic, sorcery
magistrat *m.* magistrate, judge
magnanimité *f.* magnanimity, great-heartedness, elevation of soul
magnifique magnificent, splendid
maigre thin, lean, meager
main *f.* hand; **à la —,** in one's hand; **battre des —s** to clap one's hands
maint, -e many, many a
maintenant now, immediately; **— que** now that
***maintenir** to maintain, keep up, stick to; **se —,** maintain itself, remain, keep
maire *m.* mayor
mairie *f.* town hall, mayor's office, residence of the mayor
mais but; *excl.* why! indeed! **— oui!** *or* **— si!** why yes! yes indeed! **— non!** no indeed! no, really!
maison *f.* house, dwelling, home; firm, establishment
maître *m.* master, employer, teacher; *also title given to lawyers, and in the rural districts to well-to-do farmers or villagers;* **— d'étude** study hall master; **en —,** as *or* like a master; **petit-—,** dandy, dude
maître-autel *m.* main altar, high altar
maîtresse *f.* mistress, sweetheart; *adj.* main, chief; **la — ancre** the sheet anchor (*largest anchor of a ship*)
maîtriser to master, control
majari (*Gipsy*) *f.* (patron) saint, virgin
majesté *f.* majesty
majestueu-x, -se majestic, sublime
major *m.* major; chief surgeon
mal *adv.* badly, poorly, ill; **pousser —,** to grow slowly, be slow in getting one's growth; *noun m.* evil, harm, trouble, pain; **faire (du) — à** to hurt, do harm to, harm; **— de tête** headache
malade ill, sick; *noun* sick person, patient
maladie *f.* malady, illness, sickness, ailment
Malaga *a Spanish seaport northeast of Gibraltar, famous for its wines*
mâle *adj.* male, manly, virile; *noun m.* male, man; *pl.* men folks
malédiction *f.* malediction, curse, execration, cursing; *interj.* curses! damnation!
malgré in spite of; **— que j'en aie** in spite of myself
malheur *m.* misfortune, bad luck, unhappiness, unfortunate act
malheureusement unfortunately
malheureu-x, -se unhappy, unfortunate, wretched, unlucky; *noun m.* unhappy fellow, poor man, wretch
malhonnête impolite, unbecoming
malice *f.* mischievousness, love of mischief; malice, craftiness, crafty trick
malignement maliciously, slyly
mali-n, -gne crafty, cunning, shrewd, clever, sly, roguish; *noun m.* sly *or* shrewd fellow, rogue, cunning person; **d'un air —,** with a sly look, roguishly; **faire le —,** to try to be smart, act like a sly fellow; **gros —,** big rogue; **vieux —,** sly old rogue
malmener to maltreat, mistreat, abuse
maltraiter to maltreat, mistreat, treat harshly
Mama-Jumbo *m.* mumbo-jumbo, bogey man (*among negro tribes*). *He is supposed to bring punishment upon women who have been unfaithful*
Mamette Mama
manant *m.* boor, rustic, ill bred fellow, clodhopper
manche *f.* sleeve; *m.* handle
manger to eat; **— la soupe** eat one's *or* the food; **en attendant de —,** while waiting for meal time; **salle à —,** dining room

mangeur *m.* eater
manier to handle, manage, manipulate
manière *f.* manner, way, style; **de — à** in such a way as to, so as to; **de — que** so that, in such a way that; **de bonnes —s** well mannered
Manneville *a small village northeast of Le Havre*
manœuvre *f.* maneuver, maneuvering
manquer to be lacking, lack, be missing, miss, come near, fail; **— de périr** come near perishing, almost perish; **— de parole** break one's word, fail to keep one's word; **— (de) tomber** come near falling, almost fall; **qui me manquait** which I missed *or* felt the lack of
mansarde *f.* garret, attic
mante *f.* cape, mantle, cloak
manteau *m.* cloak, mantle, (soldier's) overcoat
mantille *f.* mantilla (*a long black scarf with which Spanish women cover their head and shoulders*)
manufacture *f.* manufactory, factory; fabrication
manuscrit *m.* manuscript
Manzanilla *a village some 35 miles west of Seville, famous for the production of white wines*
maquignon *m.* horse trader *or* dealer
maquila (*Basque*) *m.* iron tipped club
maquis *m.* thicket *or* jungle
Marbella *a small seaport in southern Spain, east of Gibraltar*
marc *m.* grounds, dregs, lees
marchand, -e *m., f.* shopkeeper, dealer, merchant; **un — de** a dealer in
marchandage *m.* bargaining, haggling
marchander to bargain, haggle (over)
marchandise *f.* merchandise, wares, goods
marche *f.* progress, course, motion, walking, march(ing), going, speed, gait; **à —s forcées** by forced marches; **se mettre en —,** to set out, start out; **se remettre en —,** start *or* set out again
marché *m.* market, market place; bargain; dealing, bargaining; **(à) bon —,** cheap(ly); **par-dessus le —,** to boot, besides
marchepied *m.* step, footboard
marcher to walk, march, go on, step
mardi *m.* Tuesday
mare *f.* pool
marécage *m.* marsh, swamp, bog
maréchal *m.* marshal, sergeant; **— des logis** sergeant (*of cavalry or artillery*)
mari *m.* husband
mariage *m.* marriage; **faire un —,** to perform a marriage ceremony
Marie Padilla *the mistress of King Pedro the Cruel; she died in 1361*
marier to marry, marry off, give in marriage; **— avec** marry to; **se —,** marry, get married
marin *m.* seaman, sailor
marmotter to mumble
maroquin *m.* Morocco (leather)
marque *f.* mark, trace, evidence, brand, marker
marquer to mark, mark up, set down; make
marri, -e woeful, crestfallen, sorrowful
marronnier *m.* chestnut tree
Marseillaise *f. the French national anthem, named after the city of Marseilles. It was composed by Roget de Lisle and sung first at Paris by the soldiers of Marseilles in July, 1792*
Marseille Marseilles (*the second city in France and the most important seaport of the western side of the Mediterranean*)
Martin-Bâton Mr. Stick, the stick personified
Martinique *f. a French island in the West Indies; capital, Fort de France; its commercial capital, St. Pierre, was totally destroyed by the eruption of Mont-Pelée in 1902*
martyr *m.* martyr; **rue des Martyrs** *a street in the Montmartre district inhabited for the most part by people of the lower middle class*
martyre *m.* martyrdom
mas (*Provençal*) *m.* farmhouse
massacrer to massacre, slaughter, murder
masse *f.* mass, throng; **en —,** en masse, in a body; **une levée en —,** a general uprising
massif *m.* thickset grove, clump (*of flowers, trees, etc.*); flower bed; range (*of mountains*)

massue *f.* club, cudgel, mace; **coup de —,** stunning blow
masure *f.* hovel, tumbledown hut
mât *m.* mast; **— de perroquet** top-gallant mast
matelas *m.* mattress
matelot *m.* sailor; **simple —,** ordinary seaman
Mathilde Matilda
matière *f.* matter; **en — de** on the matter of, in regard to
matin *m.* morning; **le —,** *adv.* in the morning, that morning; **de grand —,** early in the morning
matines *f. pl.* matins, early morning prayers
***maudire** to curse, detest; **maudit, -e** cursed, confounded; (*conjugated like* **dire** *only in inf., pt. part., fut., and condl. Otherwise like* **finir.**)
maugréer to grumble, fume
Maure *m.* Moor; **la chaîne des —s** *a small mountain chain in the department of le Var*
mauresque (M—) Moresque, Moorish, Moor
maussade sullen, surly, cross, gloomy
mauvais, -e bad, poor, unfortunate, wretched, wicked, cheap, wrong
maux *pl. of* **mal**
mécanisme *m.* mechanism, machinery, device
méchant, -e bad, mean, wicked, malicious, naughty; *noun* mean *or* wicked person; **faire le —,** to be mean
mécontenter to displease, dissatisfy
mécréant *m.* unbeliever
médaille *f.* medal, badge, locket
médecin *m.* physician, doctor
médical, -e medical
médiocre mediocre, middling, moderate, insufficient, little
médiocrement indifferently, (only) moderately, tolerably, hardly
méditation *f.* meditation
méfiance *f.* mistrust, distrust, suspiciousness
méfiant, -e mistrustful, distrustful, suspicious
méfier: se — (de) to mistrust, be wary (of), distrust, look out (for); **méfiez-vouz!** look out! take care! beware!
meilleur, -e better; **le —,** the best; **rien de —,** nothing better
mélancolique melancholy, mournful
mélange *m.* mingling, mixture, blending
mélanger to mingle, mix, blend
mêler to mingle, mix, confuse; **se — à** blend with, join to, mix with, mingle with; **se — de** meddle in *or* with, mind, attend to
même same, even, very, self (selves); **en — temps** at the same time; **moi-—,** myself; **le soir —,** that very evening; **tout de —,** all the same, after all, for all that; **quand —,** all the same, notwithstanding, nevertheless; **il en est de —,** the situation is the same, it is the same thing
mémoire *f.* memory; *m.* memoir, memorandum, account
mémorable memorable
menaçant, -e threatening(ly), menacing(ly)
menace *f.* threat, menace
menacer to menace, threaten
ménage *m.* household, housekeeping, housework; family; **faire bon —,** to live together happily
ménager to save, spare, husband; contrive, construct, build in
ménagère *f.* housekeeper, housewife, thrifty woman
mendiant, -e *m., f.* beggar
mener to lead, drive, take, conduct, direct, manage, steer; **— à la promenade** take driving, take for a drive; **— quelqu'un à la baguette** lead somebody arbitrarily
meneur *m.* leader, ringleader
menottes *f. pl.* handcuffs, manacles
mensonge *m.* lie, falsehood
mentalement mentally, to oneself, inwardly
menterie *f.* lie, falsehood, lying, fib
***mentir** to lie, tell a lie
menton *m.* chin
menu, -e little, small, minor, petty, trifling, mincing
mépris *m.* scorn, contempt
mépriser to despise, scorn
mer *f.* sea
mercerie *f.* notions, haberdashery, drygoods

merci *f.* mercy; *m.* thank you, thanks
mère *f.* mother
mérite *m.* merit, worth, value
mériter to merit, deserve
merle *m.* blackbird
merluche *f.* dried codfish
merveille *f.* wonder, marvel; **à —,** marvelously, wonderfully well
merveilleusement marvelously, wonderfully
merveilleu-x, -se marvelous, wonderful
messe *f.* mass (*church service*); **faire chanter une —,** to have a mass sung
messieurs (*pl. of* **monsieur**) gentlemen, Messrs.
mesure *f.* measure, time (*music*); **à — que** as, while, in proportion as; **des —s terribles** terrible punishment; **outre —,** excessively; **par — de** as a
mesurer to measure, estimate, pace off
métaphore *f.* metaphor (*figure of speech*)
métier *m.* trade, calling, business, profession
mètre *m.* meter (*39.37 inches*); **tomber de quelques —s** to fall from a height of a few meters
*__mettre__ to put, place; put on, wear; set; take; make; **— à flot** launch, float; **— à l'ombre** do away with, kill; **— à la porte** put out, expel; **— au net** make a fair copy, set in order; **— bas** put down; (*pop.*) **— dedans** take in, cheat; **— en doute** doubt, suspect; **— en joue** take aim, aim; **— en morceaux** cut to pieces; **— en pièces** break to pieces; **— la conversation sur** direct the conversation on; **— la main sur quelqu'un** lay hands on someone; **— la table** set the table; **— le feu à** set fire to; **— pied à terre** dismount; **se —,** place *or* put oneself, take position; **se — à** begin (to), set about (to); **se — à l'affût** lie in wait, lie in ambush; **se — à la besogne** set to work; **se — à table** sit down at table; **se — en campagne** take the field, set to work; **se — en devoir de** + *inf.* set about . . . ing; **se — en marche** set out, start out; **se — en route** *or* **chemin** start out, set out; **se — en tournée** start out on a round of calls; **se — sur son séant** sit up
meuble *m.* piece of furniture; *pl.* furniture
meubler to furnish (*a room*)
meuglement *m.* bellowing, mooing, lowing
meunier *m.* miller
meurtre *m.* murder
meurtrier *m.* murderer
meurtrière *f.* loophole, opening
meurtrir to bruise, batter
mi- half-, mid-; **à —-côte** halfway up the hill
microscopique microscopic, very small, tiny
midi *m.* noon, midday; south; **après-—,** afternoon
miette *f.* crumb, splinter
mieux better, more; **le —,** (the) best; **aimer —,** to prefer; **de mon —,** to the best of my ability, as best I can (could); **tant —,** so much the better; **valoir —,** be better, be worth more
mignon, -ne dainty, cunning, cute, pretty; *noun* darling, pet
milieu *m.* middle, midst; **au — de** in the middle of, in the midst of; **au beau — de** in the very midst of, right in the middle of; **au — d'eux** in their midst
militaire military; *noun m.* soldier, officer
mille (a) thousand
milord *m.* lord
Milton, John (*1608–1674*) *a celebrated English poet; his most notable work is the epic poem "Paradise Lost"*
Mina (Francisco) (*1784–1836*) *a Spanish guerilla leader against Napoleon; was exiled from Spain and died in Mexico*
mince thin, slender, slight, meager
minchorrô (*Gipsy*) = **amant, caprice**
mine *f.* countenance, look(s), appearance, mien; **faire piteuse —,** to take on a pitiful appearance, cut a sorry figure
ministère *m.* (government) ministry, (government) department, (government) office
ministre *m.* minister, cabinet member

minois *m.* pretty face
miñons (*Spanish*) *m. pl.* military police
minuit *m.* midnight
minutieu-x, -se minute, precise, particular
miraculeu-x, -se miraculous, miracle-working
miroir *m.* mirror, looking glass
misérable miserable, wretched, pitiful, unfortunate, poor, sorry; *noun m.* wretch, unfortunate fellow, scoundrel
misère *f.* misery, poverty, wretchedness, misfortune, trouble(s), distress, shabbiness, bareness
miséricorde *f.* mercy; **—!** mercy on us! mercy on me!
mistral *m.* northwest wind
mitraille *f.* (hail of) bullets, grapeshot
mitrailleuse *f.* machine gun, cannon
mitre *f.* mitre (*headdress worn by abbots*)
Mlle *abbreviation for* **mademoiselle**
Mme *abbreviation for* **madame**
mode *f.* fashion, manner, style, way
moderne modern
modeste modest, unpretentious, plain
modestie *f.* modesty
modifier to modify, change, alter
moignon *m.* stump (*of a tree*)
moindre less; **le —**, (the) least, (the) slightest
moine *m.* monk
moineau *m.* sparrow
moinette *f.* little nun
moinillon *m.* young monk; choir boy
moins less, less of; **— de** less, fewer; **au —**, at least; **du —**, at least, at all events; **de —**, less; **en — de** in less than; **le —**, the least; **le — du monde** the least in the world
mois *m.* month
moitié *f.* half; **à —**, half, partly
molle *see* **mou**
mollement softly, gently
moment *m.* moment, instant; **à** *or* **en ce —**, at this (that) moment; **à tout —**, every few moments; **au — où** at the moment when; **dans le —**, at that instant; **dans un —**, at a moment; **d'un — à l'autre** at any moment; **du — que (où)** since, so long as; **par —s** at intervals, at times
momie *f.* mummy
monastère *m.* monastery
Monda *a small village some 30 miles to the southwest of Malaga; it is not the site of ancient Munda*
monde *m.* world; people, society; **au** *or* **du —**, in the world; **tout le —**, everybody; **le moins du —**, the least in the world
monnaie *f.* change, coin(s), money; **pièce de —**, coin
monseigneur my lord, your grace; **— l'abbé** my lord abbot
monsieur (*pl.* **messieurs**) *m.* Mr., Sir, gentleman
monstre *m.* monster, freak
mont *m.* mount, mountain; **par —s et par vaux** up hill and down dale
montagnard, -e of the mountains, highland; *noun m.* mountaineer
montagne *f.* mountain
montant, -e ascending, mounting, rising; highnecked (*of dresses*)
monter to mount, go up, climb, ascend, come up, rise, get in, lead; take up, carry up; **— à cheval** mount; **— la garde** mount guard; **faire —**, cause to rise, make come up
Montilla *a small town about 20 miles southeast of Cordova, noted for the excellence of its white wines*
Montivilliers *a small Norman town 5 or 6 miles northeast of Le Havre*
montre *f.* watch
Montredon *an imaginary village*
montrer to show, point out, indicate disclose, display; **se —**, show oneself, appear, point out to one another
monture *f.* mount, mounting; horse (*for riding*)
moquer to mock; **se — de** laugh at, make fun of, defy
moquerie *f.* scoff, scoffing, derision, mockery; *pl.* jeers
moral, -e moral, mental, spiritual
moralité *f.* morality, morals, character
morceau *m.* morsel, bit, piece, fragment; **mettre en —x** to cut to pieces; **par —x** into shreds *or* pieces
mordre to bite
Morelle *f. an imaginary river situated in the Lorraine of «L'attaque du moulin»*

morfondre to chill; **se —,** cool one's heels, be chilled through and through; dance attendance, be kept waiting
morne gloomy, dismal
mort *f.* death; **à la vie à la —,** for life or death
mort, -e dead, lifeless; *noun* dead person; **il est —,** he died, he is dead
mortel, -le mortal, deadly, death-dealing
mortifier to mortify, humiliate
morue *f.* codfish
mot *m.* word, saying; jest
motif *m.* motive, reason, ground(s)
mou (*before vowel* **mol**), **molle** soft, flabby
mouche *f.* fly
mouchoir *m.* handkerchief
***moudre** to grind; (*principal parts:* **moudre, moulant, moulu, mouds, moulus;** *the derived tenses are regularly formed except the pres. ind. and impve. plural:* **moulons, moulez, moulent.**)
mouflon *m.* mouflon, mountain sheep
mouiller to wet, soak; anchor, drop anchor; **mouillé, -e** damp, wet, dewy; anchored
moulin *m.* mill
mourant, -e dying; *noun* dying person
***mourir** to die
mousse *f.* moss; foam, froth; *m.* cabin boy
moustachu, -e with a long moustache, whiskered
mouton *m.* sheep, mutton
mouvement *m.* movement, motion, impulse
moyen *m.* means, way; **au — de** by means of; **il y a — de . . .** there is a way to . . .
moyen, -ne average, mean, middle
moyennant by means of, for
moyenne *f.* average
mucre (*Norman dialect*) damp, moist, wet
muet, -te mute, silent, dumb, noiseless, speechless
mule *f.* mule (*female*)
mulet *m.* mule (*male*)
muletier *m.* muleteer, mule driver
multiple multiple, manifold, numerous, many
Munda *an ancient Roman city, some 30 miles southeast of Cordova, in what is now Andalusia; here Cæsar won a victory over the sons of Pompey in 45 B.C.*
munir to provide, furnish, equip, supply
munition *f.* ammunition; *pl.* ammunition, munitions, supplies
mur *m.* wall
mûr, -e ripe, mature, full grown; careful, deliberate
muraille *f.* wall
murmurant, -e murmuring
murmure *m.* murmur, murmuring, faint sound
murmurer to murmur, mutter, whisper
musicien *m.* musician
musique *f.* music, melody; band
musulman, -e Mussulman, Mohammedan
mutiler to mutilate, maim, cripple
mutuellement mutually
mystère *m.* mystery
mystérieu-x, -se mysterious

N

nacre *f.* mother-of-pearl
nager to swim
naï-f, -ve ingenuous, simple, naïve, guileless, unsophisticated, frank
nain *m.* dwarf
naissance *f.* birth
***naître** to be born
naïvement naïvely, artlessly, ingenuously
Nanterre *a suburban district northwest of Paris*
Nantes *a very flourishing commercial port, capital of the department of Loire-Inférieure; about 140,000 inhabitants*
Napoléon (**Bonaparte**) *was born in 1769 at Ajaccio, Corsica and died in 1821 in St. Helena; he was emperor of the French from 1804 to 1815*
nappe *f.* tablecloth; sheet (*of water*)
narguer to taunt, tantalize, defy
narine *f.* nostril
narrer to narrate, tell
nati-f, -ve native, inborn

nation *f.* nation, race, people
natte *f.* braid, plait, mat; shallow basket, straw tray
nature *f.* nature, kind, character; **coin de —,** bit of landscape
naturel, -le natural, unaffected, fresh
naturellement naturally
naufragé, -e shipwrecked, wrecked; *noun* shipwrecked person
navarrais, -e (N—) of Navarre, inhabitant of Navarre
Navarre *f. a province in northern Spain whose capital and principal city is Pampeluna*
navigation *f.* navigation, sailing
navire *m.* ship, vessel
navrer to sadden, afflict; **navré, -e** heartbroken, brokenhearted
ne not, no; *frequently redundant;* **— . . . guère (que)** scarcely, anything but; **— . . . jamais** never; **— . . . pas** not; **— . . . point** not (at all); **— . . . plus** no longer, no more; **— . . . que** only, nothing but; **— . . . rien** nothing, not anything; **— . . . ni (. . . ni)** neither . . . nor
né (*pt. part. of* **naître**) born; **née** born, whose maiden name is *or* was
nécessaire necessary
nécessité *f.* necessity, need
nécessiteu-x, -se needy
nécromant *m.* necromancer, wizard
nef *f.* nave (*that part of a church extending from the main entrance to the choir*)
négligence *f.* negligence, carelessness; **avec —,** carelessly
négliger to neglect, overlook, slight
négociant *m.* (wholesale) merchant, trader
nègre *m.* **négresse** *f.* negro, negress; **la traite des —s** negro slave trade
négrier *m.* (negro) slave-dealer; (negro) slave ship; **bâtiment —,** (negro) slave ship
négro *m.* black; negro (*Spanish political term used in referring to a "liberal" or "anti-Carlist"*)
neige *f.* snow
nerveu-x, -se nervous; sinewy
net, -te neat, clean, clear, plain, short; **mettre au —,** to make a fair copy of, set in order
nettement clearly, plainly, sharply
neuf nine
neu-f, -ve new, unused
nevería (*Spanish*) *f.* ice cream parlor
nez *m.* nose; front part (*of a wagon*)
ni nor; **ne . . . — (. . . —)** neither . . . nor
niais, -e silly, foolish, stupid; *noun* fool, simpleton
niche *f.* niche
Nicolas (saint) Saint Nicholas, Santa Claus
nier to deny
Nîmes *an interesting and picturesque Provençal city famous for its ancient Roman temple and other historical monuments*
nippé, -e dressed up, rigged out
noble noble; *noun m.* noble, nobleman
noblement nobly, like a nobleman, in the manner of a noble
noblesse *f.* nobility, nobleness
noce *f.* wedding; wedding party; **le matin des —s** our wedding morning
noctambule noctambulant, which roves about at night
nœud *m.* knot, bow
noir, -e black, dark; *noun m.* black; **un —,** a black man, a negro
noisette *f.* hazelnut
nom *m.* name
nomade *m.* nomad, wanderer
nombre *m.* number; **bon — de** a goodly number of
nombreu-x, -se numerous
nommer to name, appoint, call; **se —,** be named *or* called, give one's name
non no, not; **— pas** not, not at all; **— point** not at all, by no means; **— plus** either, neither; **mais —,** no indeed; no, really
nonchalamment nonchalantly, carelessly
nonobstant notwithstanding
nord *m.* north; **—-ouest** northwest
normand, -e (N—) Norman
notable notable; *noun m.* distinguished person
notaire *m.* notary, attorney

noter to note; **être mal noté** have a bad record, be "in wrong"
notre (*pl.* **nos**) our; **Notre Dame** Our Lady
nougat *m.* nougat; almond cake
nourrir to nourish, feed, sustain, support, rear; **nourri, -e** sustained; brisk, steady, violent
nourriture *f.* food, nourishment
nous we, us, to *or* for us, ourselves, each other, one another; **— autres** we, the rest of us
nouveau (**nouvel** *before vowels*), **nouvelle** new, fresh; other; **de —,** again, anew; **le Nouveau-Monde** the New World
nouvelle *f.* news, (bit of) news, tidings; short story, tale; *pl.* news
nouvellement newly, lately, recently
Novelles *an imaginary town*
novice *m.* novice, probationer
noyau *m.* stone *or* pit (*of a fruit*)
noyer to drown; flood, inundate
nu, -e bare, naked
nuage *m.* cloud
***nuire** (à) to injure, do harm, hurt, be hurtful *or* harmful; (*conjugated like* **conduire,** *except that the pt. part. is* **nui**)
nuit *f.* night, nightfall, darkness; **cette —,** last night, to-night; **de —,** by night; **— close** completely *or* quite dark; **faire —,** to be dark *or* night; **la — venue** after nightfall
nul, -le *adj. and pron.* no, no one; **—le part** nowhere
nullement in no wise, by no means, not at all
numéro *m.* number (*of a series*)
nuque *f.* nape of the neck
nymphe *f.* nymph

O

obéir (à) to obey
obésité *f.* obesity, corpulence, fatness
objet *m.* object, article, thing (*in question*); *pl.* goods, wares
obliger to oblige, compel, force; **obligé, -e** obliged, obligatory
oblique oblique, slanting
obscur, -e dark, obscure, hidden, dim
obscurité *f.* darkness, obscurity
observation *f.* observation, comment
observer to observe, watch, look at, examine, remark; **s'—,** watch *or* observe one another
obstiné, -e obstinate, stubborn, persistent
obstruer to obstruct, clutter
***obtenir** to obtain, secure, get
obus *m.* shell
occasion *f.* occasion, opportunity, chance
occulte occult, secret, mystic
occuper to occupy, take (up), employ; **s'—** (de) busy *or* concern oneself (with), be *or* become engaged (in), attend (to), pay attention (to)
odeur *f.* smell, odor, scent
odieu-x, -se odious, hateful
odorant, -e fragrant, sweet smelling
œil (**yeux** *pl.*) *m.* eye, glance, look; **à vue d'—,** before one's eyes, manifestly; **coup d'—,** glance, look; **en un clin d'—,** in the twinkling of an eye; **faire les doux yeux à quelqu'un** to look fondly at somebody
œuf *m.* egg
offenser to offend, hurt, injure, wrong, insult, shock
office *m.* (church) service, prayers; **— du soir** evening prayers
officiant *m.* officiating priest
officiel, -le official
officier *m.* officer; **— d'avenir** officer with a future; **— de quart** officer of the watch
offre *f.* offer
***offrir** to offer, present, give; **s'—,** be offered; treat oneself to
offusquer to dazzle, blind; shock, offend
ogive *f.* ogive, pointed arch; **portail en —,** doorway with a pointed arch
ognon *m.* onion; *usually written* **oignon**
oiseau *m.* bird
oisi-f, -ve idle; *noun m.* idler
ombrage *m.* shade; suspicion, distrust
ombrager to shade
ombre *f.* shade, shadow(s), darkness; **à l'—,** in the shade; (*pop.*) **mettre à l'—,** to do away with, kill
on one, people, somebody; they, we, you; *often preceded by* **l'** *after* **et, que, lorsque, si,** *etc.*
once *f.* ounce, ounce of gold

oncle *m.* uncle
ondée *f.* shower
ongle *m.* (finger) nail
onze eleven
opération *f.* operation
opérer to operate, work, work (upon), have effect
opiniâtre stubborn
opinion *f.* opinion, public opinion
opposer to oppose, set against, resist; **s'— à** oppose, set oneself against, hinder, thwart, object to
oppresseur *m.* oppressor
opulent, -e opulent, wealthy, rich
or *m.* gold
or *conj.* now, but, however
orage *m.* storm
orageu-x, -se stormy
oraison *f.* prayer
oranger *m.* orange tree
orateur *m.* orator, speaker
oratoire *m.* oratory, private chapel
ordinaire ordinary, customary, usual, everyday; **d'—,** ordinarily, usually; *noun m.* the daily fare
ordonnance *f.* regulation, prescription; orderly
ordonner to order, command, give an order
ordre *m.* order, command; orderliness
ordure *f.* filth, dirt; *pl.* slops, sweepings
oreille *f.* ear; **à l'—,** in a low tone, in a whisper; **dire à l'—,** to whisper; **avoir l'— dure** be hard of hearing; **tendre l'—,** listen intently
oreiller *m.* pillow
Oremus Domine (*Latin*) Let us pray, O Lord
orgeat *m.* orgeat (*a refreshing drink made of almonds, sugar and orange-flower water*)
orgie *f.* orgy
orgue *m.* organ
orgueil *m.* pride, arrogance, conceit
orgueilleu-x, -se proud, arrogant
Orient *m.* Orient; **en —,** in the Orient, in the East
oriental, -e Oriental, Eastern
oriflamme *f.* oriflamme, standard
orme *m.* elm, elm tree
orner to ornament, adorn
ornière *f.* rut
orphelin, -e *m., f.* orphan
orphelinat *m.* orphanage, orphan asylum
os *m.* bone
osciller to oscillate, swing back and forth
oser to dare, venture
osseu-x, -se bony
Ossuna Osuna (*a town about 45 miles southwest of Cordova; the magnificent palace of the dukes of Osuna is situated here*)
ôtage *m.* hostage
ôter to remove, take away *or* off, take out
ou *conj.* or; **— bien** or indeed, or else, or on the other hand; **— bien . . . — bien** either . . . or
où *adv.* where, wherever; in (into, on) which; when; **d'—,** whence, from where, from which, out of which; **jusqu'—,** (up) to what point; **par —,** which way, by the route *or* way; **au moment —,** at the moment when
oublier to forget; **s'—,** forget oneself
oui yes; **—-dà** (*fam.*) yes indeed, yes you will, oh aye; **bien —,** of course, quite so; **mais —,** why yes *or* yes indeed
ourlet *m.* hem
outre *f.* leather bottle
outre beyond, besides; **— mesure** excessively
ouvert, -e (*pt. part. of* **ouvrir** *as adj.*) opened, open, frank
ouverture *f.* opening
ouvrage *m.* work
ouvragé, -e (finely) wrought, figured, worked
ouvri-er, -ère *m., f.* workman, workwoman, working girl
***ouvrir** to open, open the door; **s'—,** open, be opened, draw aside

P

pacifique peaceful, peace-loving
Pacôme Pachomius (*founder of the first monastic community* (*ab.* 276–349 *A.D.*); **la tour —,** St. Pachomius' tower
pagode *f.* pagoda; **en —,** pagoda-like
paille *f.* straw; **en —,** straw, of straw
paillette *f.* spangle; ripple

pain *m.* bread; loaf; **— sec** bread alone; **petit —,** roll, small loaf
paire *f.* pair, couple
paisible peaceful, quiet, calm
paix *f.* peace; **faire la —,** to make peace
***paître** to graze, pasture; (*conjugated like* **connaître,** *except that it lacks the pt. part., pt. def., and imp. subj.*)
palais *m.* palace, mansion
Palais-Royal *m. a palace constructed in 1629 for Cardinal Richelieu, which later became national property. Although it is now occupied mainly by government offices, there are many small shops and a theater in the building*
pâle pale
palette *f.* paddle (*of a wheel*)
pâlir to turn *or* become pale
pâmer to faint, droop; **se —,** swoon, faint away, be overcome, be transported (*with emotion*)
Pampelune Pampeluna (*the capital of Spanish Navarre*)
pan *m.* part; skirt, fold
panache *m.* plume
panier *m.* basket
panique *f.* panic, confusion
panneau *m.* panel; hatch cover
panser to dress (*a wound*)
pantalon *m.* trousers, pair of trousers; *pl.* trousers
panthère *f.* panther
pantoufle *f.* slipper
paon *m.* peacock
papelito (*Spanish*) *m.* cigarette (*made with paper wrapper*)
papier *m.* paper, document; wall paper
Pâques *f. pl.* Easter
paquet *m.* parcel, package, bundle, pack
par by, through, because of, by means of, by way of, on account of, along, over, at, in, during, with; *in expressions relating to weather or divisions of day* on *or* in; **— aventure** perchance; **— bonheur** luckily, fortunately; **— centaines** by hundreds; **—-ci . . . —-là** here and . . . there, now and then; **— conséquent** consequently; **— derrière** in back, (from) behind; **— deux fois** twice in succession, at least twice, not once but twice; **— devant** in front; **— exemple** for instance; **— hasard** perchance, by chance; **— ici** this way, in this place; **— instants** at moments, now and then; **— jour** per day, a day, daily; **— là** there, over there, in that neighborhood; **— moments** at intervals, at times; **— morceaux** into shreds *or* pieces; **— où** which way, by the route *or* way; **— petits coups** in little sips, in small amounts; **— soirée** per evening, each evening; **— terre** on the ground
parade *f.* parade, show, display; **faire — de** to make a show *or* display of
paradis *m.* paradise, heaven
***paraître** to appear, seem (to)
parallèle parallel
parapet *m.* parapet, low wall
parbleu *interj.* good gracious! good heavens! upon my word! by heavens!
parc *m.* park, enclosure, spacious lawn
parce que because
parchemin *m.* parchment
***parcourir** to run through *or* over, travel *or* wander over, traverse; look over, glance at
par-dessus over, above, on top of; **— le bord** overboard; **— le marché** to boot, besides
pardon *m.* pardon, I beg your pardon; **demander —,** to beg one's pardon, ask to be excused
pardonner to pardon, forgive
pareil, -le like, alike, equal, similar, same, such (a); **sans —,** without a peer
parent, -e *m., f.* relative, relation, kinsman; *pl.* relatives, parents, kin
parenté *f.* relationship, kinship
parer to adorn, dress up, dress luxuriously; parry; **se —,** dress up, dress (oneself) elegantly *or* ornately
paresseu-x, -se lazy, indolent, slow-moving, sluggish, idle; *noun* lazy person, idler
parfait, -e perfect, complete
parfaitement perfectly, completely
parfois at times, sometimes, every now and then
parfum *m.* perfume, flavor, fragrance

parfumer to perfume; **parfumé, -e** fragrant, perfumed, sweet-scented
parier to bet, wager
parisien, -ne (**P—**) Parisian
parler to speak, talk; **— raison** talk reasonably *or* sensibly; **se —,** talk *or* speak to one another; *noun m.* speech
parmi among, amid
paroissien, -ne *m., f.* parishioner
parole *f.* word, speech, word of honor; **adresser la — à** to speak to, address; **— d'honneur** upon my word, my word of honor; **manquer de —,** break one's word, fail to keep one's word; **rendre la — à** release from a promise; **tenir — à quelqu'un** keep one's word to someone
parquet *m.* hardwood floor (*with pieces of wood in pattern*); office of the prosecuting attorney
parsemer to strew, besprinkle, dot, scatter
part *f.* part, share; direction, side; **à —,** aside; **à — moi** to myself, within myself, secretly; **de — en —,** through and through; **de ma —,** on my behalf; **de sa —,** on his *or* her part *or* behalf; **de toutes —s** from *or* on all sides; **quelque —,** somewhere, anywhere
partage *m.* sharing, share
partager to share, divide
partenaire *m.* partner
parterre *m.* flower bed, flower garden; pit (*of a theater*)
parti *m.* party; decision, side, course (of action), resolution; **prendre son —,** to make up one's mind, resign oneself; **prendre un —,** make *or* come to a decision, decide
particuli-er, -ère particular, special, peculiar; private; *noun m.* individual, fellow; **en —,** in private
particulièrement particularly
partido (*Spanish*) *m.* district
partie *f.* part, portion, section; party; game, match; trip; **— de chasse** hunting trip; **faire une — de** to play a game of (*cards, etc.*)
***partir** to depart, leave, set out, go off, come (from), start (from), issue, drop off, come off; burst out; **à — de** (*with dates*) from, since
partout everywhere
parure *f.* ornament, jewelry; necklace
***parvenir** (**à**) to reach, attain, succeed (in)
pas *m.* step, pace, footstep, footprint; **à — comptés** with measured steps, deliberately; **à — tranquilles** at an easy gait; **au — accéléré** in quick time; **— de la porte** doorstep, threshold; **faire un —,** to take a step
pas *adv.* not, no; **ne . . . —,** not, no
passablement passably, tolerably, fairly well, somewhat, rather
passage *m.* passage, passing, crossing, path, passageway, runway; **sur son —,** as he passed along
passant *m.* passer-by
passavant *m.* gangway
passé, -e past, over, last; *noun m.* past
passeport *m.* passport
passer to pass, pass by *or* through, go (by, over, through), slip out, march by, cross; spend (*time*); slip *or* put on (*a coat*); **— à gué** to ford; **— et repasser** pass *or* move back and forth; **— pour** be considered, pass for; **se —,** happen, take place, pass, elapse
passion *f.* passion; **à la —,** passionately
passionner to impassion; **passionné, -e** passionate
pastèque *f.* watermelon
pastesas (à) (*Gipsy*) = **avec adresse**
pastoral, -e pastoral; episcopal
patata, patati tittle tattle, piff paff
patatin, patatan, tarabin, taraban tra-la-la, tra-la-lee (*non-sensical refrain of a song*)
pâte *m.* paste, dough; meat pie, patty; **— de foies gras** potted goose liver(s)
patenôtre *f.* Lord's prayer
pater *or* **— noster** *m.* Lord's prayer (*the Latin version begins with the words* **Pater noster**)
paternel, -le paternal, fatherly, in a fatherly way
patio (*Spanish*) *m.* paved inner court, courtyard
patrie *f.* (one's) native land, (native) country, home
patron *m.* employer, proprietor, boss; captain, master, skipper

patte *f.* paw; (*fam.*) foot; **graisser la — à quelqu'un** to bribe someone
pâturage *m.* pasture, grazing ground
pâture *f.* pasture, food; livelihood, living
paume *f.* palm (*of the hand*); **jouer à la —,** to play pelota *or* jai alai
paupière *f.* eyelid
pauvre poor, unfortunate, wretched, pitiable, forlorn, shabby, needy
pauvrement poorly, as if in need of money
pauvreté *f.* poverty, poorness, shabbiness, wretchedness
pavé *m.* paving stone, pavement
paver to pave
payer to pay, pay for
payllo (*Gipsy*) *m.* foreigner
pays *m.* country, land, region, district, neighborhood, native land
pays, -e *m., f.* fellow countryman, fellow countrywoman
paysan, -ne *m., f.* farmer, peasant, peasant woman *or* girl
Pays-Bas *m. pl.* Low Countries, Netherlands
peau *f.* skin; hide, leather; **amandes sans leur —,** blanched almonds
peccadille *f.* peccadillo, little *or* minor sin, trifle
pêche *f.* fishing, catch, kind of fishing
péché *m.* sin
pêcher to fish
Pedro (**Pèdre**) **le Cruel** (*1333–1369*) *was king of Castile from 1350 until he was murdered by his brother Henry in 1369. He was noted for his cruelty and despotism*
peigne *m.* comb
peigner to comb; **mal peigné** ill kempt, with poorly combed hair
***peindre** to paint, picture, depict
peine *f.* suffering, trouble, pain, anxiety, difficulty, penalty; **à —,** hardly, scarcely, with difficulty; **avec —,** with difficulty; **en —,** worried, troubled; **faire de la — à quelqu'un** to hurt someone, make someone worry; **tirer quelqu'un de —,** pull someone out of trouble, rescue someone
pêle-mêle *m.* confusion, jumble
peler to peel, strip, lay bare
pèlerine *f.* (pilgrim's) cape
peloton *m.* platoon, squad; **feu de —,** platoon firing, volley
pelouse *f.* lawn, grass plot
penaud, -e sheepish, abashed
pencher to bend, lean, bow, stoop; **se —,** bend down, stoop, lean, lean over; **penché, -e** bent, leaning, bowed, stooping
pendant *prep.* during, for; **— que** *conj.* while
pendement *m.* hanging
pendre to hang, suspend; **pendu, -e** hung, hanging; **le pendu** the man hanged
pendule *f.* clock, mantel-clock
pénétrer to penetrate, enter, go in
pénible painful, trying, distressing, difficult, hard
péniblement painfully, laboriously
pensée *f.* thought, idea
penser to think, reflect; **— à** think of, think about; **— de** think of, have an opinion on
pensi-f, -ve thoughtful, pensive, in deep thought
pente *f.* slope
percer to pierce, cut in, run through, penetrate; set in, situate
perclus, -e paralyzed, powerless to move
perdre to lose, ruin; **se —,** lose oneself, lose one's way, be lost; **perdu, -e** lost, stray, doomed; **une balle perdue** a stray bullet
père *m.* father, head of a family; **le — Merlier** old Mr. Merlier
perfide treacherous, perfidious, faithless; *noun m.* traitor
péril *m.* peril, danger
périr to perish
perle *f.* pearl; **faire la —,** to bubble, bead
***permettre** to permit, allow
permission *f.* permission, leave
perpendiculairement perpendicularly
perplexe perplexed, puzzled
perplexité *f.* perplexity
perron *m.* flight of steps (*before a house*)
perroquet *m.* parrot; **mât de —,** top-gallant mast
persister to persist, persevere
personnage *m.* personage, individual,

figure, person of importance, great person

personne *f.* person, individual; *pron. m.* any one, no one; **ne . . . —,** nobody, no one, not anyone

perspective *f.* perspective, prospect, outlook

persuader to persuade, convince

perte *f.* loss, ruin

pesant *m.* weight

pesée *f.* weighing, bearing down

pèse-liqueur *m.* hydrometer (*an instrument for determining the amount of alcohol in a liquid*)

peser to weigh, bear down, rest, hang (over)

pétale *f.* petal

pétard *m.* firecracker

pétillement *m.* crackling, sparkling, rattling

pétiller to crackle, sparkle

petit, -e small, little, petty, short, light; **— commis** underclerk; **en —e tenue** in undress uniform; **le — jour** dawn, daybreak; **une —e bise** a miniature north wind; *noun* little fellow, little boy, little girl, youngster, little one

petit-maître *m.* dandy, dude

pétrifier to petrify

peu *adv.* little, not very, but little, few, not much *or* many; **— de** little, not much, not many, few; **— de chose** little, nothing much; **— à —,** little by little, gradually; **— après** shortly afterward; **— croyable** not very likely; **— importe** it matters little, it makes little difference; **à — de distance** at a short distance; **à — près** approximately, nearly, almost; **avant —,** before long; **depuis —,** for some time, lately; **ou — s'en faut** or very near it, or almost so; **— s'en fallut que je . . .** I almost . . .

peu *m.* little, small amount, slightly; **dans — (de temps)** shortly, within a short time; **le — de matelots** the few sailors; **quelque —,** a little, somewhat; **un — de** a little

Peules *m. pl.* *one of the native tribes in Senegal; in great part they are a mixture of Arab and negro blood*

peuple *m.* people; **le —,** the common people, the plain people, the masses; **filles du —,** girls of humble origin

peupler to people, populate, fill, throng, enliven

peuplier *m.* poplar (tree)

peur *f.* fear; **avoir —,** to fear, be afraid; **de — de** for *or* through fear of; **faire — (à)** frighten

peut-être perhaps; **— que** perhaps

philtre *m.* love-potion

phrase *f.* sentence, phrase, words, speech, note

physique physical

piaffer to paw the ground, prance about

piastre *f.* piaster (*a Spanish coin of the value of about $1.00*)

pic *m.* pick, peak; **à —,** perpendicular, vertical, very steep

picador (*Spanish*) *m.* picador (*the horseman equipped with a lance in the bullfight*)

picholine *f.:* **olives à la —,** pickled olives

pièce *f.* piece, piece of money, coin; room (*of a house*); play (*in a theater*); gun, cannon; hussy; **— d'eau** pond; **— de monnaie** coin; **— de terre** farm, field; **la —,** *adv.* for each, apiece; **une — de cinq francs** a five franc piece *or* coin; **mettre en —s** to break (cut *or* blow) to pieces

piécette *f.* small piece *or* bit; peseta (*a Spanish coin of the value of about 20 cents*)

pied *m.* foot; hoof; **à —,** on foot; **— à —,** foot by foot, step by step; **frapper du —,** to stamp; **l'arme au —,** with arms grounded; **mettre — à terre** dismount; **sauter en —s** leap to one's feet; **sur la pointe du —,** on tiptoe; **se lever en —,** rise to one's feet

pierre *f.* stone, gem, precious stone; **— d'aimant** loadstone; **— à feu** flint; **en —,** of stone, stone

pierreries *f. pl.* gems, precious stones

piétinement *m.* tramping, stamping, scuffling of feet

pieu *m.* stake, pile, piling

pigeonnier *m.* pigeon house *or* loft

pile *f.* pile, heap; column, coil

piller to pillage, loot, plunder
pilon *m.* pestle, rammer, stomper; peg leg, wooden leg
pilote *m.* pilot
piment *m.* pimento, red pepper
pin *m.* pine (tree), fir (tree); **pomme de —,** pine cone
pincée *f.* pinch
pinson *m.* finch; **gai comme un —,** gay as a lark
pion *m.* assistant, tutor, monitor, study hall assistant
piquer to prick, sting, bite; **— des deux** to dig both spurs in, go fast
pire worse; **le —,** (the) worst
pis *adv.* worse; **le —,** (the) worst; **tant —,** so much the worse
pistolet *m.* pistol
piteu-x, -se pitiful; **faire —se mine** to take on a pitiful appearance, cut a sorry figure
pitié *f.* pity, compassion, sympathy; **avoir — de** to have pity on, pity
pivot *m.* pivot, pin
place *f.* place, spot, locality, seat, room, stead; market place, square (*in a city*); stronghold; trade; **laisser — libre** to give room; **prendre —,** take a seat, sit down
placer to place, set; **se —,** place *or* station oneself
plafond *m.* ceiling
plaider to plead, argue, go to law
plaie *f.* wound, sore
***plaindre** to pity, be sorry for; **se — (de)** complain (of), lament
plaine *f.* plain, lowland, field(s)
plainti-f, -ve plaintive, wailing, doleful
***plaire** to please, be pleasing; **se —,** be pleased, be delighted, be happy, enjoy; **s'il vous plaît** if you please, please; **elle me plut** I liked her
plaisant, -e funny, droll, laughable; *noun m.* wag, jokester
plaisanter to joke, jest, banter, tease
plaisanterie *f.* joke, fun, jest
plaisir *m.* pleasure; **faire — à** to please, give pleasure to; **par —,** for the sheer pleasure of it
plan *m.* plan, map (*of a city*), sketch
planche *f.* plank, heavy board
plancher *m.* floor, flooring
plante *f.* plant
planter to plant, set, place, fix; **planté, -e** planted, rooted; **bien planté** sturdy, hale and hearty
planteur *m.* planter
plaque *f.* tablet, plate, slab, badge, decoration
plat, -e flat, commonplace; **à — ventre** flat on one's belly, flat on the ground
plat *m.* plate, platter, dish (*course at a meal*); flat, flat side (*of a sword*)
platane *m.* plane tree
plat-bord *m.* gunwale
plateau *m.* tray, platter; plateau
plâtre *m.* plaster, mortar; **battre comme —,** to trounce *or* wallop soundly *or* severely
plein, -e full, filled; broad, open; **— d'épouvante** quite dismayed *or* horrified; **en —,** fully; **en — air** out of doors; **en — chapitre** before the whole chapter; **en —e Crau** right in the heart of Crau; **en —e figure** full in the face; **en — jour** in broad daylight; **en —e poitrine** full in the breast
pleni-er, -ère plenary, complete
pleurer to weep, weep for, shed tears, mourn; **— à chaudes larmes** weep bitterly
***pleuvoir** to rain, shower, pour (in); (*principal parts:* **pleuvoir, pleuvant, plu, il pleut, il plut;** *fut.* **il pleuvra;** *condl.* **il pleuvrait.** *Other derived tenses are regularly formed.*)
pli *m.* fold, wrinkle, crease; **un — de colère** a frown of anger
pliant *m.* folding chair, camp stool
plier to fold (up)
plomb *m.* lead, leading (*of windows*); plumb-line; shot, weight(s); **un soleil de —,** a beating sunlight
plonger to plunge, dip, dive
ployer to bend, fold; **— en deux** bend double, crouch
pluie *f.* rain, shower
plume *f.* feather; pen
plupart *f.* most, most part; **la — de(s)** most (of), the majority (of)
plus more, most; **le (la, les) —,** (the) most; **ne . . . —,** no longer, no more, not again; **— . . . —,** the more . . . the more; **— de** (*followed by a numeral*) more than; **— tôt**

sooner; **au —**, at (the) most; **de — en —**, more and more; **de —**, furthermore, moreover, in addition, more; **non —**, either, neither; **rien de —**, nothing more
plusieurs several
plutôt rather; **écoutez —**, but listen; **voyez —**, just see, see for yourself
poche *f.* pocket, pouch
poétique poetic
poids *m.* weight, burden, load
poignant, -e poignant, piercing, heart-rending
poignard *m.* dagger
poignarder to stab (*with a dagger*); **se —**, stab one another
poignée *f.* handful, handle, strap, grip
poignet *m.* wrist, wristband
poil *m.* hair, fur, nap; **chapeau à longs —s** long napped hat
poing *m.* fist; **coup de —**, punch, blow of the fist
point *m.* point; item, division (*of a speech*)
point *adv.* not (at all); **ne . . . —**, not (at all), by no means
pointe *f.* point, tip; **sur la — du pied** on tip toe
pointu, -e pointed
poire *f.* pear; **— à poudre** powder horn
poisson *m.* fish
poitrine *f.* breast, chest, bosom; **inflammation de —**, inflammation of the lungs; **en pleine —**, full in the breast
police *f.* police; **bonnet de —**, fatigue *or* forage cap; **préfecture de —**, police headquarters; **salle de —**, guardroom *or* guardhouse
poliment politely
politesse *f.* politeness, act of courtesy
pomme *f.* apple; **— de pin** pine cone
pommette *f.* cheekbone, cheek
pommier *m.* apple tree; **— à cidre** cider apple tree
Pompée (Cneius Pompeius Magnus) Pompey *a famous Roman general and consul; in 54 B.C., supported by the Roman Senate and nobility, he opposed the political ambitions of Cæsar; he was defeated by Cæsar in the battle of Pharsalus in 48 B.C. and assassinated by the orders of Ptolemy in Egypt where he had gone to take refuge. (107–48 B.C.).* **Sextus Pompée** *the younger son of the great Pompey, also opposed Cæsar. He was conquered by Augustus and put to death in 35 B.C.*
pompeu-x, -se pompous
pomponner to primp, deck out (*with feathers, gewgaws, etc.*)
pont *m.* bridge, deck
populaire popular
port *m.* port, harbor, wharf, waterfront
portail *m.* portal, doorway, gateway; **— en ogive** doorway with a pointed arch
porte *f.* door, gate; **à deux —s de** two doors away from; **mettre à la —**, to put out, expel; **pas de la —**, doorstep, threshold; **sur les —s** in the *or* their doorways
porte-bannière *m.* standard bearer
portée *f.* range, reach, distance; **à —** within range; **à une — de fusil** within gunshot
portefeuille *m.* pocketbook, purse, wallet; notebook
porter to carry, bear, support, bring, fall, declare, stretch out, wear; **se —**, be (*in health*)
porteur *m.* bearer, carrier
portier *m.* doorkeeper
portière *f.* door *or* window (*of a coach*)
portion *f.* portion, share
portique *m.* portico
portrait *m.* portrait, likeness, picture
poser to lay, lay down, set, place, put down; make; ask (*a question*); **— une question** ask a question; **posé en arrière** (*of a hat*) tilted backward
position *f.* position, place
positivement positively
possédé, -e (person) possessed (*by an evil spirit*)
posséder to possess, own, have; **se —**, control oneself, be master of oneself
possesseur *m.* possessor, owner
possible possible; **le plus doucement —**, as softly as possible; **le plus tôt —**, as soon as possible
poste *f.* post, post-office; mail; **fouet de —**, horsewhip

poste *m.* (military) post, position; **— de combat** battle position
poster to post, station, place
posture *f.* posture, position
pot *m.* pot, jug, jar
pot-au-feu *m.* beef stew (*beef boiled with vegetables*)
potelé, -e plump, chubby
potence *f.* gallows
poterie *f.* pottery, earthenware, pots and pans
pouce *m.* thumb; inch
poudre *f.* powder, gun powder; **poire à —,** powder horn
poudrer to powder
poulet *m.* chicken
pouliche *f.* filly, female colt
poupe *f.* stern; **de —,** *adj.* aft
poupée *f.* doll
pour *prep.* for, as for, about, on account of, in regard to, in order to, to; **— le coup** for once; **— lors** then, thereupon, at that (statement); **— quoi faire** to do what, why; **— sûr** certainly; **être bon — moi** to be kind *or* good to me; **passer —,** be considered; **— que** *conj.* in order that
pourpre purple, livid
pourquoi why; **voilà —,** that is why
pourrir to rot; **pourri, -e** rotten, spoiled
***poursuivre** to pursue, follow, continue, go on (with)
pourtant however, yet, nevertheless
***pourvoir** to provide
pourvu que *conj.* provided that
pousser to push, shove, urge (on), impel, prompt, carry out *or* through; grow (up); utter, breathe, heave; **— à bout** push *or* drive too far; **— mal** grow slowly, be slow in getting one's growth; **se — du coude** nudge one another
poussière *f.* dust
poussi-f, -ve short winded, wheezy, asthmatic
poutre *f.* beam, timber
***pouvoir** to be able, can, could, may, might, be possible; **cela se peut** that is possible
pouvoir *m.* power
prairie *f.* meadow, pasture, prairie
pratique *f.* practice, practical side, experience; **vieille —,** old rounder
pratiquer to practice, put up, make
pré *m.* meadow, pasture, field
préau *m.* yard, inner court
précaution *f.* precaution, caution
précédent, -e preceding, before
précéder to precede
précieusement preciously, carefully, tenderly, with great care
précieu-x, -se precious, valuable
précipiter to precipitate, hurry; **se —,** rush forth *or* headlong, dash (out), dart (forward); increase tumultuously; **précipité, -e** hurried, hasty; **(respiration forte et) précipitée** gasping, panting
précis, -e precise, exact, sharp
prédiction *f.* prediction
***prédire** to predict, foretell; (*conjugated like* **dire,** *except that the 2d. pl. pres. ind. and impve. is* **prédisez**)
préfecture *f.* prefecture, office of the prefect; **— de police** police headquarters
préférer to prefer
préfet *m.* prefect (*chief magistrate of a department*)
préjugé *m.* prejudice, precedent, impulse
préjuger to prejudge, presume, pass judgment in advance, judge offhand
prélasser: se —, to march *or* walk along gravely, strut
préliminaire *m.* preliminary, beginning
premi-er, -ère first, foremost; former, earlier
Prémontrés *m.* Premonstrants (*members of a Catholic religious order*)
***prendre** to take, take on *or* up, take hold of, grasp, seize, catch, capture, get, pick up, strike, attack, mistake, absorb, assume; **aller —,** go and get; **— congé** take leave, say good-by; **— des glaces** take *or* eat ice cream; **— en grippe** take a dislike to; **— femme** marry; **— garde** take care, be careful, look out; **— garde de** take care not to; (*pop.*) **— la loi d'Égypte** become a Gipsy; **— le soleil** sun oneself, bask in the sunshine; **— place** take a seat, sit down;

— son parti make up one's mind, resign oneself; **— son vol** fly away; **— un aplomb solide** get a firm footing; **— un parti** make a decision, decide; **— un repas** eat *or* have a meal; **se — à** begin, go about, manage; **s'en — à** blame; **se — de querelle avec** quarrel with; **se — (par) la main** take one another's hand
préparatifs *m. pl.* preparations
préparation *f.* preparation
préparer to prepare, get *or* make ready, arrange; **se — à** get ready to, prepare to
près near, near by, close, close by; **— de** near, near to, nearly, about to, on the verge of; **à peu —,** almost, nearly, approximately
presbytère *m.* presbytery, rectory, vicarage
présence *f.* presence
présent, -e present, now; *noun m.* present, gift, present (time); **à —,** at present, now; **en —,** as a present *or* gift
présenter to present, offer, introduce; **se —,** present *or* offer itself, be presented *or* offered
préserver to preserve, save (*from trouble*), protect, retain
presidio (*Spanish*) *m.* fortress, garrison, (military) prison
presque almost, nearly
presser to press, urge, hurry, crowd; **se —,** hurry, hasten, press, close; **pressé, -e** pressed, hurried, anxious
prêt, -e (à) ready (to), prepared (to)
prétendre to pretend, claim, lay claim; maintain, declare, allege, insist; **prétendu, -e** pretended, supposed, intended
prétention *f.* pretention, claim
prêter to lend; **— attention** pay *or* give attention
prêteur *m.* lender, money lender
prêtre *m.* priest
preuve *f.* proof
***prévenir** to anticipate, prevent, warn, inform, forestall, give notice, let know beforehand
***prévoir** to predict, foresee
prier to pray, entreat, beg, request, ask, invite; **je vous en prie** I beg of you; **se faire —,** require urging
prière *f.* prayer
prieur *m.* prior
prime *f.* beginning period; **de — abord** at the very first
princesse *f.* princess
princi-er, -ère princely
principal, -e principal, main, chief
principe *m.* principle, conviction
prise *f.* hold, capture, catch, prize (ship)
prisonni-er, -ère *m., f.* prisoner
privation *f.* privation, hardship
privilège *m.* privilege
privilégier to privilege
prix *m.* price, cost, rate, value, prize
probablement probably, very likely
problème *m.* problem
procéder to proceed, go on (with)
procès *m.* lawsuit
procès-verbal *m.* minutes, (official) report
prochain, -e near by, nearest, next, approaching, coming, early
prochainement shortly, in a short time, at an early date
procurer to procure, get, obtain; **se —,** get (for oneself), raise
prodigieusement prodigiously; **— de** prodigious quantities *or* amounts of
prodigieu-x, -se prodigious, tremendous
***produire** to produce, bring forth, cause, create
produit *m.* product, produce, proceeds
profil *m.* profile, outline
profit *m.* profit, advantage, gain
profitable profitable, advantageous, useful
profiter to profit, make progress
profond, -e profound, deep
profondément profoundly, deeply
profondeur *f.* depth(s)
projet *m.* project, plan, scheme
projeter to plan, propose, project
prolixe prolix, lengthy, tedious
prolongé, -e prolonged, long drawn-out, sustained
promenade *f.* walk, stroll, ride, drive; walking, tread; **en —,** out strolling *or* walking; **mener à la —,** to take riding, take for a drive

promener to take out for a walk *or* drive, pull *or* push about; **se —,** take a walk *or* stroll, walk along *or* about, stroll about, take a drive
***promettre** to promise; **se —,** promise oneself
promise *f.* betrothed, future bride, sweetheart
promptement promptly
prononcer to pronounce, utter, state, speak, say; **se —,** declare *or* express oneself
prononciation *f.* pronunciation
propos *m.* remark, subject, matter, talk, speech; **à ce —,** in this connection, with regard to this
proposer to propose, offer; **se — de** propose to, plan to, think of
proposition *f.* proposition, proposal, offer, suggestion
propre own; proper, clean, neat, tidy
proscrit *m.* outlaw
prosterné, -e prostrate, bowed down (*in prayer*)
protection *f.* protection, favor, influence
protéger to protect
protestation *f.* protestation, protest, objection
protester to protest
proue *f.* bow, prow
prouver to prove, show, indicate
provençal, -e Provençal, of Provence; *noun m.* Provençal
Provence *f.* Provence (*a province in southeastern France, especially noted for its vineyards and orange and olive orchards*)
proverbe *m.* proverb
providence *f.* providence, God
providentiel, -le providential, timely
province *f.* province, country; **les —s (basques)** the Basque provinces (*Alava, Biscay, Guipuzcoa, and part of Navarre*)
proviseur *m.* headmaster, principal
provision *f.* provision, store, stock, supply; **faire sa — (de)** to lay in one's stock (of)
provoquer to provoke, stir up, cause, call forth
prudemment prudently, cautiously
prudence *f.* prudence, caution; **par —,** as a matter of precaution
prudent, -e prudent, cautious, careful, safe
Prusse *f.* Prussia
prussien, -ne (P—) Prussian
psaume *m.* psalm
publi-c, -que public; **chose —que** commonweal, *res publica;* **crieur —,** town-crier
publier to publish, make public
puis *adv.* then, next, after that
puisque since, as, seeing that, because
puissant, -e powerful, mighty, potent, intense
puits *m.* well
punaise *f.* bedbug
punir to punish
punition *f.* punishment
pupitre *m.* desk
pur, -e pure, genuine, unmixed, clear
purement purely, correctly

Q

quai *m.* quay, wharf; stone embankment; street (*along a river*), platform (*of a railroad station*)
qualité *f.* quality, rank, capacity, qualification; **en — de** in the capacity of
quand when, whenever; **— même** all the same, nevertheless, notwithstanding
quant: — à as for, as to
quantité *f.* quantity, number, multitude
quarantaine *f.* about forty, forty or so
quarante forty; **—-huit** forty-eight
quart *m.* quarter; **officier de —,** officer of the watch; **un — d'heure** a quarter of an hour
quartier *m.* quarter, section, part of town; block (*of stone*); *pl.* lodgings; **—-général** headquarters
quatre four; **—-vingts** eighty
quatrième fourth; **en —,** in the fourth year class
que *conj. and adv.* that, in order that, so that, than, as, why, how, until, when, while, except; (*with subj.*) let, may; **aussi . . . —,** as . . . as; **c'est —,** it is because, the fact is

that; **ne . . . —**, only, nothing but; **ne . . . rien —**, nothing but
que *rel. pron.* whom, which, what, that; **ce —**, what, that which, which; **ce — c'est que** what . . . is; **qu'est-ce — c'est?** what is it *or* that? **à ce —**, as, according to what
que *int. pron.* what?
quel, -le what (a), of what kind, which, who
quelque some, any; *pl.* some, any, several, a few; **— chose** something; **— chose de bon** something good; **— part** somewhere, anywhere; **— peu** a little, somewhat distant; **— . . . que** however, whatever
quelquefois sometimes, now and then
quelqu'un, -e someone, somebody, some, a few
quenouille *f.* distaff
querelle *f.* quarrel; **chercher —,** to try *or* seek to pick a quarrel with; **se prendre de — avec** quarrel with
quereller to quarrel with, scold
question *f.* question; **faire une —,** to ask *or* raise a question; **poser une —,** ask a question
queue *f.* tail, end; cue (*at billiards*); **faire (la) —,** to stand in line
qui *rel. pron.* who, whom, which, that; **ce —,** what, that which, which; **de —,** whose; **— . . . —,** some . . . others, some . . . some
qui *int. pron.* who? whom?
quiconque whoever, whomsoever
quinze fifteen; **— jours** two weeks, a fortnight
quinzième fifteenth
quitte *adj.* quit, quits, out of danger, free, clear; **être —,** to be quits, be free, get off, be rid (of); **jouer — ou double** to play double or quits, stake everything
quitter to leave, take off, lay aside, quit, part with
quoi *int. and rel. pron.* what, which; **— que** whatever; **de —,** enough, sufficient, the means, the wherewithal; **à — bon?** what is the use *or* good of?; **pour — faire** to do what, why; **— qu'il en soit (de)** whatever may be, however it may be
quoique although, (even) though

R

rabais *m.* lower price, reduction; discount
raccommoder to mend, patch up, fix up, rebuild, reconcile
race *f.* race, class, breed, blood, family, pedigree; (*fig.*) kind
racine *f.* root
raclée *f.* thrashing, licking
raconter to relate, narrate, tell (about), recount
radieu-x, -se radiant, beaming, glowing
rafraîchir to refresh, freshen, cool
rage *f.* rage, anger
raide (*also spelled* **roide**) stiff, rigid, steep, unbending; **tuer —,** to kill outright
raideur *f.* stiffness, rigidity, steepness
raidir to stiffen; **se —,** stiffen, draw oneself up stiffly
railler to banter, joke, tease
raison *f.* reason, explanation, ground, good sense, judgment; **avoir —,** to be right; **parler —,** talk reasonably *or* sensibly
raisonnable reasonable, thoughtful, serious, reflective
raisonnement *m.* reasoning, arguing
rallumer to light again, relight
ramasser to pick up, gather in
rame *f.* oar
ramener to bring back, lead back, take back
ramer to row
rameur *m.* oarsman
rampe *f.* banister, railing, balustrade; incline, slope, ascent
ramper to creep, crawl
rancune *f.* grudge, spite, rancor; **garder —,** to bear a grudge; **sans —,** without hard feelings
rancuni-er, -ère spiteful, vindictive
rang *m.* row, rank, place (*in line*), line, station; **rompre les —s** to break ranks
rangée *f.* row
ranger to range, arrange, set in order, draw up; **se —,** draw up in line, form in line, take one's place
ranimer to reanimate, revive, cheer up
râper to grate
rapide rapid, swift, quick, fast, fleet

rapidement rapidly, quickly, fast
rapidité *f.* swiftness, speed, rapidity; **avec —,** swiftly, rapidly
rapiécer to patch, patch up, mend
rappeler to call back *or* again, recall, call to mind, remind **se —,** recollect, recall, remember
rapport *m.* report; relation, connection
rapporter to bring back *or* in, return; report, relate
rapprocher to bring *or* draw nearer together; **se — (de)** approach again, draw nearer (to)
rare rare, scarce, infrequent, scanty
rareté *f.* scarcity, rareness
raser to shave; **se —,** shave (oneself)
rasibus quite close; **piller —,** to strip clean
rassasier to satiate, glut
rassembler to reassemble, bring together, collect; **se —,** assemble, congregate
***rasseoir: se —,** to sit down again; (*conjugated like* **asseoir**)
rassurer to reassure, tranquillize; **se —,** reassure oneself, be reassured, feel no more anxiety
râteau *m.* rake
ratifier to ratify, seal, clinch, wind up
ratisser to scrape
rauque hoarse, harsh, rough, shrill, wild
ravin *m.* ravine
ravir to ravish, enrapture, delight; carry off; **ravi, -e** delighted, highly pleased
raviser: se —, to change one's mind
rayer to strike out, cancel; stripe
rayon *m.* ray, beam; shelf
rayonnant, -e radiant, beaming
réal *m.* real (*a Spanish coin of the value of about 5 cents*)
réaliste realistic
réalité *f.* reality, truth
rebelle rebellious
rébellion *f.* rebellion, revolt
rebord *m.* border, edge; **à —,** with raised edges
reboucher to stop up, stop again
rebut *m.* refuse, trash, scum, rejectals, riffraff
recette *f.* receipt, recipe
***recevoir** to receive, entertain; accept, take
rechange *m.* exchange, change; **fusil de —,** spare *or* reserve gun
recharger to load again, reload
réchaud *m.* chafing dish, dish-warmer, heater
réchauffer to warm up *or* again; **se —,** warm oneself up *or* again
recherche *f.* research, inquiry, investigation; **à la — de** in search of
recherché, -e sought after, courted, in demand
récit *m.* narration, account, recital, story
réciter to recite
réclamer to claim, demand, reclaim, require, protest, implore
récolte *f.* crop, harvest
récolter to harvest, get in (*a crop*)
recommander to recommend, urge
recommencer to begin *or* start again
récompense *f.* reward, recompense
reconnaissance *f.* gratitude, acknowledgment, recognition
***reconnaître** to recognize, admit, acknowledge
***reconquérir** to reconquer, win back; (*conjugated like* **conquérir**)
recoucher to lay down again; **se —,** lie down again
***recourir** to run again; have recourse, apply, appeal; (*conjugated like* **courir**)
recouvrer to recover, get back, win back
***recouvrir** to cover again, cover all over
récréation *f.* recreation, recess, playtime
reçu *m.* receipt
***recueillir** to gather, collect, pick up, take in, shelter; adopt; **se —,** collect one's thoughts, become absorbed in contemplation; **recueilli, -e** absorbed in thought *or* in meditation, meditative, placid, calm, quiet
recul *m.* recoil; **effet de —,** draw shot (*at billiards*)
reculer to draw back, fall back, give way, go back, retreat, recoil; **— d'une semelle** fall back (the distance of) a step
redemander to ask (for) again, ask back

***redevenir** to become again
redoubler to redouble, increase; **— d'efforts** exert oneself *or* itself violently; **des coups redoublés** blow after blow
redoutable formidable, dreadful, bold, valiant
redouter to dread, fear
redresser to straighten (up), set right; **se —**, straighten up, sit erect, stand erect
***réduire** to reduce, lower
***refaire** to do again, make again, retrace, go over again; (*conjugated like* **faire**)
réfectoire *m.* refectory, dining hall
refermer to close (again), shut (again), reclose; **se —**, close again, be closed again
réfléchir to reflect, ponder, think (about, over); **réfléchi, -e** reflective, thoughtful
reflet *m.* reflection, flash
réflexion *f.* reflection; **faire —**, to reflect, consider
refroidi, -e chilled, grown cold; **blessure —e** wound that is closed (healed, staunched)
réfugier: se —, to take refuge, seek shelter, flee; **réfugié** *m.* refugee
refus *m.* refusal
refuser to refuse; **se — (de)** refuse (to), deny oneself
regagner to regain, win back, reach again, get back to
régaler to treat, entertain
régalia *m. the name of a high class Havana cigar*
regard *m.* look, glance, regard; eye
regarder to look (at), take a look (at), regard, gaze (at), watch; concern; **se —**, look at one another
régime *m.* régime, rule, government; diet
régiment *m.* regiment
règle *f.* rule, regulation; ruler
régler to settle, regulate, control
régner to reign, prevail, rule, govern, dominate
regret *m.* regret, longing, reluctance; **à —**, with longing *or* reluctance
regretter to regret, yearn for
réguli-er, -ère regular
régulièrement regularly, symmetrically
rein *m.* kidney; *pl.* loins, small of the back
reine *f.* queen
rejaillissement *m.* splash, gushing, flashing, springing, rebounding
rejeter to throw *or* cast back, reject, throw again
***rejoindre** to join again, rejoin, overtake
réjouir to delight, gladden, cheer; **se — de** rejoice at
relation *f.* relation, narration
relever to raise *or* lift again, restore; (*military*) relieve; **se —**, rise *or* get up again; (*of a ship*) right itself
relief *m.* relief (*in sculpture*)
religieu-x, -se religious; **religieuse** *f.* nun
***reluire** to glisten, shine, gleam; (*conjugated like* **luire**, *except that the pt. part. is* **relui.** *It has no pt. def. or imp. subj.*)
reluisant, -e bright, shining, glistening
remarquer to remark, observe, notice, note
rembarquer to reëmbark; **se —**, reembark, enter seafaring service again
remède *m.* remedy, help
remendado (*Spanish*) = mended, patched, ragged
remercier to thank
***remettre** to put back, put on again, deliver, hand over, give (over); **se —**, put oneself back, recover, regain one's composure; **se — à** begin again; **se — debout** stand *or* get up again; **se — en marche** start *or* set out again
rémission *f.* remission, pardon, mercy
remonter to go (climb, come, run) up (again), ascend again, rise again
remords *m.* remorse, feeling of remorse, regret
rempart *m.* rampart
remplacer to replace, take the place of
remplir to fill, refill, fulfill, perform
remporter to carry off *or* away; gain, win
remuer to move, stir about, shake, wag
rencontre *f.* meeting, encounter, hap-

pening, occasion; **aller à la — de** to go to meet, go towards; **à sa —**, to meet him *or* her, go towards him *or* her
rencontrer to meet, encounter, come across, light upon, find; touch; **se —**, meet, light upon one another
rendez-vous *m.* appointment, rendezvous, meeting, appointed (meeting) place; (**se**) **donner —**, to meet by appointment, agree to meet
***rendormir** to put to sleep again; **se —**, go to sleep again
rendre to return, render, give up, give back, deliver, yield, give forth; make; be elastic; **se —**, make *or* render oneself, surrender, go, betake oneself, do oneself; **se — compte de** realize, understand, account for; **— la liberté à** set free, let go; **— la parole** release from a promise; **— traitable** pacify, win over, conciliate
renfermer to shut up, contain, inclose, hold
renom *m.* renown, repute, name
renommée *f.* fame, reputation, renown
renoncement *m.* renunciation, giving up
renoncer à to renounce, give up
renouveler to renew, refresh, replenish, replace
renseignement(s) *m.* information
rentier *m.* man of means, person of independent means
rentrer to reënter, go *or* come in, come *or* go back in, return (home); **— dans** reënter, *etc.;* (**des entre-ponts étroits et**) **rentrés** sloping
renverse: à la —, over backward, on one's back
renverser to turn upside down, overturn, upset, throw down, distort, convulse; **se —**, throw oneself back, fall back
***renvoyer** to send back *or* away, dismiss
répandre to spread, scatter; **se —**, scatter, spread, become scattered, get abroad
***reparaître** to reappear
reparer to repair, mend, make up for
reparler to speak again
***repartir** to set out again, start again, leave again; retort, answer quickly; (*conjugated like* **dormir**)
repas *m.* meal
repasser to pass again, pass over, go through again; press; **passer et —**, pass *or* move back and forth
repentant, -e repentant, penitent
***repentir: se — (de)** to repent; (*conjugated like* **dormir**)
répéter to repeat, say again
répétition *f.* repetition; rehearsal; **montre à —**, repeating watch
replier to fold (up), bend
répliquer to reply, answer back, retort
répondre to reply, answer, respond; assure; **je vous en réponds** I assure you, I answer for that, take my word for it
répons *m.* response (*church term*)
reporter to take or carry back, return
repos *m.* rest, repose, inactivity, retirement
reposé, -e calm, quiet, refreshed, reposeful, restful
reposer to rest, repose; **se —**, rest, take a rest
repousser to push back *or* away, repulse, reject, close again
***reprendre** to take back *or* again, take hold of again, take up again, catch *or* seize again, regain, resume, continue, go on (with); reply; **— son sérieux** regain one's gravity, become serious again; **se —**, be taken again *or* back
représentation *f.* performance
représenter to represent, portray, display; **se —**, imagine, fancy, picture to oneself
réprimander to reprimand, rebuke
réprimer to repress, restrain
réprobation *f.* reprobation; **être en —**, to be under suspicion, be under a cloud
reproche *m.* reproach
reprocher to reproach, upbraid, find wrong (in), bring as a reproach (against)
républicain, -e republican; *noun* republican
république *f.* republic
répugnance *f.* repugnance, distaste, aversion

réputation *f.* reputation
réserve *f.* reserve(s)
réserver to reserve, keep back, save up, have in stock
résigner to resign
résistance *f.* resistance, opposition
résister à to resist, withstand, hold out (against)
résolu, -e resolute, determined
résolution *f.* resolution, determination, resolute character
résonner to resound, rattle, clank
***résoudre** to resolve, solve, determine, settle
respect *m.* respect, deference; **par — humain** out of consideration for others, out of kindheartedness; **sauf votre —**, with all deference to you, with all respect to you, begging your pardon
respecter to respect, have great regard for
respectueu-x, -se respectful
respiration *f.* breathing, breath
respirer to breathe, inhale
ressemblance *f.* resemblance, likeness; likelihood, probability
ressembler à to resemble, look like, be like
***ressentir** to feel (*the effects of*); (*conjugated like* **dormir**)
ressort *m.* spring
***ressortir** to go out *or* come out (again), stand out (*in contrast*)
ressource *f.* resource, means
restant *m.* remainder, rest
restant, -e remaining, left; **les dix —s** the ten remaining (ones), the ten left
reste *m.* rest, remainder, remains; **au —, de —, du —**, however, besides, for the rest
rester to remain, stay, be left, continue; **— sur le cœur** rankle within, weigh on
restituer to give back, return, refund, pay (up), restore
rétablir to reëstablish, restore; **se —**, recover (*one's strength*)
retard *m.* delay; **en —**, late, behind time
retarder to delay, slow up
***retenir** to keep *or* hold back, restrain, detain, stop, retain, keep hold of
retentir to resound, ring out *or* forth
retirer to retire, draw back, take off *or* away, extract; **se —**, retire, withdraw, draw back
retomber to fall again, fall back
retour *m.* return
retourner to go back, return; turn inside out, upset, twist; **se —**, turn over *or* round, look about, get one's bearings; **s'en —**, return; go back; **— le cœur** make sick at the stomach
retraite *f.* retreat, retirement, escape, refuge, place of retreat; tattoo; **battre en —**, retreat, beat a retreat, fall back; **battre la —**, sound retreat *or* tattoo
retranchement *m.* retrenchment, intrenchment
retrouver to find again, rediscover, recover, regain, recognize, meet again, rejoin
réunir to reunite, unite, bring together, join, assemble, collect, combine; **se —**, gather, meet, come together, be brought together
réussir (à) to succeed (in), turn out well, do successfully, succeed (with)
réussite *f.* success, successful outcome
revanche *f.* revenge, retaliation; **en —**, on the other hand, in return, in retaliation
rêve *m.* dream
réveil *m.* awaking, awakening; reveille, morning call; **au —**, on awakening
réveiller to wake up, awaken; **se —**, wake up, awake
révéler to reveal, disclose; **se —**, reveal oneself, show oneself
***revenir** to come back, return, recover (*from astonishment*); **— à soi** recover one's senses, come to oneself; **s'en —**, come back, return
rêver to dream, be in a dream; **— de** plan *or* intend
révérence *f.* reverence, bow, curtsy
révérend, -e reverend; **mon Révérend** your Reverence
revers *m.* reverse, facing, wrong side, top (*of a boot*)
rêveu-r, -se dreamy
***revoir** to see again; **au —**, till we meet again, good-by for the present;

se —, meet again, see one another again
révolte *f.* revolt, mutiny
révolté *m.* rebel, mutineer
révolter to rouse to revolt, stir up to rebellion; **se —,** rebel, revolt
révolution *f.* revolution, uprising
revue *f.* review; **à la —,** in review
rez-de-chaussée *m.* ground floor
rhabiller to dress again; **se —,** dress (oneself) again, put on one's clothes again
Rhône *m.* Rhone (*one of the principal rivers of France, flowing southward from Switzerland through Avignon, Arles, etc., into the Mediterranean*)
rhum *m.* rum
rhumatisme *m.* rheumatism; *pl.* rheumatism, twinges of rheumatism
riant, -e smiling, laughing; **l'air —,** smiling
ricaner to sneer, snigger, chuckle, giggle
riche wealthy, rich, costly
ricocher to glance, rebound
ride *f.* wrinkle, ripple
rideau *m.* curtain, screen; row (*of trees*)
rider to wrinkle, shrivel
ridicule ridiculous; *noun m.* ridiculousness, absurdity
rien nothing, anything; **ne . . . —,** nothing, not anything; **(ne) . . . — que** nothing but, only, nearly; **— de meilleur** nothing better; **— de plus** nothing more; **n'être bon à —,** to be good for nothing
rigide rigid, stiff, unbending
rigueur *f.* rigor, severity; **à la —,** at a pinch, at need, as a last resort, in case of necessity
riposter to reply (sharply), fire back
***rire** to laugh; **— à se tenir les côtes** split one's sides laughing; **— d'un gros rire** laugh boisterously; **— jaune** laugh sheepishly *or* guiltily
rire *m.* laughter, laugh; *pl.* (bursts of) laughter; **éclat de —,** burst *or* peal of laughter; **gros —,** loud laughter; **rire d'un gros —,** to laugh boisterously
risque *m.* risk, danger
risquer to risk, endanger, venture
rissolé, -e browned, browned and crisp
rivage *m.* bank, shore
rive *f.* bank (*of a river*), shore (*of a lake*)
rivière *f.* river, stream; **— de diamants** diamond necklace; **en —,** in the river *or* stream
riz *m.* rice; **— à la valencienne** rice in the Valencian style
robe *f.* dress, robe, gown, frock; **— montante** high-necked dress
robuste robust, strong, sturdy
roc *m.* rock, stone
roche *f.* rock
rocher *m.* rock, ledge, cliff; **de — en —,** from rock to rock
Rocreuse *an imaginary village*
rôder to rove, roam, wander about, hover, prowl
roi *m.* king
roide (*also spelled* **raide**) stiff, rigid, unbending; **tomber — mort** to fall dead on the spot, fall dead instantly
roidissement *m.* stiffening, tightening
rôle *m.* rôle, part
rollona (*colloquial Spanish adjective*) plump, stocky; **la Rollona** (*nickname*) " Fatty ", " Roly-poly "
rom (*Gipsy*) *m.* husband
Roma (*Gipsy*) the Gipsy people, the Gipsies
romain, -e **(R—)** Roman; (*pop.*) Gipsy
romalis (*Gipsy*) *f.* a Gipsy dance
roman *m.* novel, story, romance
romi (*Gipsy*) *f.* wife
rommani (*Gipsy*) *f.* Gipsy dialect, Rommany
rompre to break, break open *or* off, cut short, interrupt
rompu, -e broken (down), dilapidated
rond, -e round, plump
Ronda *a small Spanish city about 70 miles northeast of Gibraltar*
ronde *f.* round, beat, patrol, watchman, inspection; **à la —,** round about, around
ronflement *m.* snore, snoring; roar, roaring
ronfler to snore, rumble, roar, murmur
ronger to gnaw, eat away; **se —,** torment oneself, fret oneself
rosace *f.* rose window
rosbif *m.* roast beef

rose *f.* rose; *m.* pink, rose-color; *adj.* rosy, pink, rose-colored
roseau *m.* reed, reed-grass
rosée *f.* dew
rôtir to roast; **rôti, -e** roasted; **rôti** *m.* roast
rotule *f.* knee-cap
rouages *m. pl.* gearing(s), cog-wheels, machinery
roue *f.* wheel; **faire la —,** to spread out the tail, strut
rouge red, blushing, flushed; *noun m.* red, blush; (*fig.*) blood
rougeur *f.* redness, flush, blush, glow
rougir to grow red, redden, blush
rouille *f.* rust
rouillé, -e rusty, rusted
roulement *m.* roll, rolling, rumbling, rattle, drumming, beating
rouler to roll, roll up *or* about; ramble, rove, toss *or* drive to and fro; beat, win over; **se —,** roll about *or* over and over, writhe
route *f.* route, road, highway, way; course, march, journey; **en —,** on one's way; **grande —,** main highway; **faire — ensemble** go along *or* travel together; **se mettre en —,** start out, set out
***rouvrir** to open again, reopen; **se —,** open again, reopen
rou-x, -sse ruddy, reddish, russet, brown, unbleached
ruban *m.* ribbon
rude rude, rough, hard, harsh, fierce, uncultivated
rudement rudely, roughly, hard, vigorously, energetically, extremely, terribly; **— contente** mighty glad
rue *f.* street, thoroughfare, way; furrow, lane
ruelle *f.* lane, alley, alleyway
ruine *f.* ruin
ruiner to ruin
ruineu-x, -se ruinous, disastrous
ruisseau *m.* brook, stream, gutter; **— de larmes** flood of tears
ruisseler to drip, trickle
rumeur *f.* sound, noise, rumor
ruse *f.* trick, artifice, dodge, wile, "game"
rusé, -e sly, crafty, shrewd, wily, cunning
rusticités *f. pl.* rustic *or* countrified manners
rythmé, -e rhythmic, in regular succession

S

sable *m.* sand; gravel
sabre *m.* saber, sword; **donner de son —,** to drive one's sword
sac *m.* sack, bag; knapsack
saccadé, -e jerky, jolting, irregular
sacrifier to sacrifice, devote; **se —,** sacrifice oneself
sage wise, good, well-behaved; **être —,** to be good, behave well
sain, -e healthy, sound, well; **— et sauf** safe and sound, unscathed
saint, -e holy, sacred, saintly, saint; *noun* saint
Saint-André *Saint Andrew;* **croix de —,** cross of Saint Andrew (*resembling an X*)
Saint-Germain: le faubourg —, *the Parisian quarter in which the old French aristocracy resides*
Saint Irénée *bishop of Lyons who suffered martyrdom about the year 200 A.D.*
Saint-Louis: le jour de la (**fête de**) **—,** Saint Louis' day *or* anniversary (*August 25th*)
Saint-Roc San Roque (*a small town some 5 miles north of Gibraltar*)
saisir to seize, catch, lay hold of, take hold of, grasp; understand, perceive; **se — de** seize, lay hold of
saisissant, -e seizing, striking, impressive
saisissement *m.* start, shock, pang
saison *f.* season
salade *f.* salad
sale soiled, dirty, filthy
saler to salt; **chair salée** salt meat
salir to dirty, soil
salle *f.* room, hall; **— à manger** dining room; **— de billard** billiard room; **— de police** guardroom, guardhouse
salon *m.* drawing-room, parlor, living room; **petit —,** (little) anteroom
saluer to greet, bow (to), salute, bow down before
salut *m.* salvation, salutation, bow, greeting, salute

salutaire salutary, wholesome
sang *m.* blood; **jusqu'au —**, till the blood flows *or* comes; **s'injecter de —**, to be *or* become bloodshot
sang-froid *m.* coolness, self-control
sanglant, -e bloody, blood-stained
sanglé, -e laced tightly
sanglier *m.* wild boar
sanglot *m.* sob
sangloter to sob, be sobbing
sangsue *f.* leech
sans without, except for, but for, had it not been for; **— doute** doubtless(ly), undoubtedly; **— fin** endless(ly), again and again, without end; **— que** *conj.* without
santé *f.* health; **bonne —!** good luck to you!
Satan *m.* Satan, the devil
***satisfaire** to satisfy
sauce *f.* sauce, gravy
saucisse *f.* (small) sausage
saucisson *m.* (thick) sausage
sau-f, -ve safe; **sain et —**, safe and sound, unscathed
sauf *prep.* save, except (for); **— votre respect** with all deference to you, with all respect to you, begging your pardon
saule *m.* willow (tree)
saut *m.* jump, leap, bound
sauter to leap, leap about, jump, skip; pop (*of corks*); **— au cou de** throw one's arms around the neck of, fall on . . .'s neck; **— en pieds** leap to one's feet; **se faire — la cervelle** blow out one's brains
sautiller to skip, trip, hop, jump about
sauvage wild, savage; shy; *noun m.* wild man, savage
sauver to save, rescue; **se —**, save oneself, run away, make one's escape; **un sauve-qui-peut** a stampede, a rout
savant, -e learned, wise, scientific, knowing; *noun m.* scholar
saveur *f.* savor, flavor, odor
***savoir** to know, know how, know of *or* about, find out, learn, be able; **en — plus long** know more about it; *noun m.* knowledge, learning, erudition
savoir-faire *m.* skill, ability, tact
savonner to soap, lather, wash with soap, scrub
scandale *m.* scandal
scandaliser to scandalize, shock
scander to scan (*verses*), divide
scélérat *m.* scoundrel
sceller to seal, cement
scène *f.* scene, stage
sceptique skeptical
Schwarz, Berthold, *a Benedictine monk who is considered by some to have been the discoverer of gun-powder. He was put to death by the Venetians who had engaged him to design their cannon (about 1318–1384)*
science *f.* science, knowledge, learning
scier to saw
scrupuleusement scrupulously
scruter to scrutinize, search
sculpter to sculpture, carve, engrave
se (s') *refl. pron.* (to, for) himself, (to, for) herself, (to, for) itself, (to, for) themselves, each other, one another
séance *f.* session, sitting, meeting; **— tenante** forthwith, at once, then and there
séant *m.* sitting; **se mettre sur son —**, to sit up
sébile *f.* wooden bowl *or* tray
sec, sèche dry, dried up; spare, thin, skinny; curt, unfeeling; **pain —**, bread alone; **un coup —**, a sharp click
sécher to dry, dry up, parch, evaporate; (*fig.*) turn out all right; **faire —**, dry, hang out to dry
second, -e second; *noun m.* second one, second in command, lieutenant
seconde *f.* second
secouer to shake, shake off
***secourir** to succor, help, aid, relieve; (*conjugated like* **courir**)
secours *m.* help, aid, relief; *pl.* help, aid, relief; **Au —!** Help!
secousse *f.* shock, blow, jolt, concussion, jar, shaking
secr-et, -ète secret, private; *noun m.* secret, secrecy
séculaire secular, venerable, ancient
Sedaine, Michel-Jean *a writer of drama and light opera librettos (1719–1797)*

***séduire** to fascinate, captivate, attract, seduce
séduisant, -e seductive, fascinating, attractive, alluring
seigneur *m.* lord, nobleman; **Seigneur** Lord; (*used by some of the characters in « Carmen » as the equivalent of the Spanish* **señor = monsieur**) Mr.
Seine *f.* Seine (*the famous river flowing through Paris and into the English Channel*)
séjour *m.* sojourn, stay, visit, abode
sel *m.* salt
selle *f.* saddle
selon *prep.* according to, in accordance with; **c'est —,** that depends
semaine *f.* week
semblable similar, like, such, of this kind
semblant *m.* semblance; **faire — de** to pretend to
sembler to seem, appear, look *or* seem like
semelle *f.* sole; **reculer d'une —,** to fall back (the distance of) a step
semer to sow, scatter, strew, leave behind
Sénégal *m.* Senegal (*a West African French colony whose population is mainly negroes; also the name of a river flowing through this region*)
señor (*Spanish*) = **monsieur**
sens *m.* sense, meaning; direction; **bon —,** common sense
sensation *f.* sensation, feeling
sentier *m.* path, trail
sentiment *m.* sentiment, feeling, sentimental interest; **avoir le — de** to feel
sentinelle *f.* sentinel, sentry
***sentir** to feel, smell, smell of; perceive, suggest, realize; **se —,** feel oneself, feel that one has *or* is, feel
séparer to separate, sever; **se —,** be separated, separate, separate one another, part
sept seven
sérénade *f.* serenade
sérénité *f.* serenity, tranquillity, peace
sergent *m.* sergeant
série *f.* series; run (*at billiards*)
sérieusement seriously
sérieu-x, -se serious, in earnest, grave; *noun m.* gravity; **reprendre son —,** to regain one's gravity, become serious again
serment *m.* oath
serpent *m.* serpent, snake; **rue du Serpent** *a winding and narrow street in Seville, named thus originally because of the serpents on a tavern sign*
serpentin *m.* worm (*of a still*)
serrer to squeeze, hold tightly, clasp, press, clench, grip, set; **— la main** shake one's hand; **se —,** press, crowd together, close up; **serré, -e** crowded, pressed together, serried, set, tight, close
servante *f.* maid-servant, servant, handmaid
serviable obliging, helpful
service *m.* service, favor; worship; **au —,** in service, in the army; **de —,** on duty; **le — de Dieu** divine worship
serviette *f.* napkin, towel; portfolio
***servir** to serve, be useful, be of service, be used; assist at; **— à** serve for, be used for; **— de** serve as, serve instead of, take the place of; **se — de** make use of, use
serviteur *m.* servant; **votre grand —,** your humble *or* obedient servant, at your service
seuil *m.* threshold; doorstep, doorway
seul, -e only (one), sole, alone, single, mere; **à lui —,** all by himself, all alone
seulement only, merely, even, just
seul-et, -ette all alone
sévère severe, stern
sévillan, -e (S—) Sevilian
Séville Seville (*a city in southern Spain*)
sexe *m.* sex
Sextus, *see* **Pompée**
si *conj.* if, whether; **— ce n'est** except, unless; *adv.* so (much); yes; **mais —,** why yes *or* yes indeed; **— . . . que** so . . . as; *noun m.* condition, quality
sicilien, -ne Sicilian
siège *m.* seat, chair; (*military*) siege
sierra (*Spanish*) *f.* chain (of mountains), mountain range, mountains
siffler to whistle, hiss; sing

signalement *m.* description
signe *m.* sign, mark, gesture; **— de tête** nod; **faire — à** to make a sign to, beckon to
signer to sign, approve; **se —,** cross oneself, make the sign of the cross
silence *m.* silence, period of silence, pause; **garder le —,** to keep *or* be silent
silencieusement silently, quietly
silencieu-x, -se silent
silhouette *f.* silhouette, outline, form, figure
simple simple, plain, ordinary, usual, simple minded, mere; **— matelot** ordinary seaman; **— soldat** private; *noun m.* simple, medicinal plant
simplement simply, merely, just
simplicité *f.* simplicity, credulity, artlessness
singe *m.* monkey
singularité *f.* singularity, peculiarity, curiosity, oddity
singuli-er, -ère singular, peculiar, strange, queer
singulièrement singularly, notably, grieviously, sorely
sinon *conj.* if not, except
sinuosité *f.* winding, twisting, bend (*of a river*)
sire *m.* sire (*title given to the king*)
sitôt *adv.* so soon; **— que** *conj.* as soon as
situation *f.* situation, state, plight, position
société *f.* society, social group, company, party
sœur *f.* sister
soi (*disjunctive form of* **se**) oneself, itself
soie *f.* silk; **de —,** *adj.* silk, silken, silky
soierie *f.* silk trade *or* industry; *pl.* silks, silk goods
soif *f.* thirst; **avoir —,** to be thirsty
soigné, -e careful, thorough, fine, good, sound
soigner to do carefully, take care of, care for, look after, nurse
soigneusement carefully
soi-même oneself, itself
soin *m.* care, concern, trouble; **avec —,** carefully; **avoir — (de)** to take care (of, to); **donner des —s à** attend to, care for; **prendre le — de** take the trouble to
soir *m.* evening; **office du —,** evening prayers
soirée *f.* evening, evening entertainment; **en toilette de —,** in evening dress; **par —,** each *or* per evening
soit *conj. or verb* whether; **— . . . —,** whether . . . or, either . . . or; *interj.* be it so! so be it! well and good! all right!
soixante sixty
soixante-quinzième seventy-fifth
sol *m.* soil, ground
soldat *m.* soldier; **simple —,** private
soleil *m.* sun, sunlight, sunshine; **au —,** in the sunshine *or* sunlight; **au grand —,** in the bright sunshine *or* sunlight, in full daylight; **coucher du —,** sunset; **lever du —,** sunrise; **prendre le —,** to sun oneself, bask in the sunshine; **un — de plomb** a beating sunlight
solennel, -le solemn, formal
solennellement solemnly, with great solemnity
solidarité *f.* solidarity, single-mindedness
solide solid, strong, staunch, stout, firm, substantial
solitaire solitary, lonely
solitude *f.* solitude, being alone
solliciter to solicit, petition, entreat, see about
sombre somber, dark, gloomy, dismal
somme *m.* nap, sleep; *f.* sum, amount; **en —,** in short, all in all, in a word, to conclude
sommeil *m.* sleep, drowsiness
son *m.* sound, tone, note
sonder to sound, plumb, test
songe *m.* dream; **en —,** in a dream
songer to dream, think, reflect, consider, muse, wonder; **— à** dream of, think of, wonder about; **y —,** think of it; **songez donc!** just think!
sonner to ring, ring for *or* out, strike, toll
sonnerie *f.* ringing, striking
sonneur *m.* bell-ringer
sonore sonorous, loud, resounding
sorbet *m.* sherbet

sorcière *f.* sorceress, witch
sort *m.* fate, destiny, lot, chance; **tomber au —,** to be drafted *or* selected (*for military service*)
sorte *f.* sort, kind, species, way, manner; **de — que** *conj.* so that, in such a way that; **de la —,** in that way, so, thus
sortie *f.* going out, exit, departure
sortilège *m.* sorcery, witchcraft, wizardry, spell, miraculous feat
***sortir** to go *or* come out, issue forth; *trans.* take out, put out
sot, -te silly, foolish, stupid; *noun* fool
sottise *f.* foolishness, foolish act, act of folly
sou *m.* sou, cent, penny; **— à —,** cent by cent; **pas un — vaillant** not a penny in the world, not a red cent
soucier to disturb; **se — de** care *or* worry about, be concerned about, mind
soudain, -e sudden, unexpected; *adv.* suddenly, unexpectedly
soudainement suddenly
souffle *m.* breath, puff, gust of wind, breeze
souffler to blow (out), puff, pant, breathe, breathe more freely, get one's breath
soufflet *m.* slap, box on the ear, cuff
souffrance *f.* suffering
***souffrir** to suffer, bear, endure, feel ill
souhaiter to wish; **se —,** wish one another
souiller to soil, smirch, sully, stain
soulager to relieve, comfort, soothe, help
soulever to raise (up), lift, stir up, rouse; **se —,** rise up, get up, heave, swell
soulier *m.* low shoe, shoe
soupçon *m.* suspicion; **un — d'espoir** a gleam of hope; **donner des —s à** to arouse suspicion in
soupçonner to suspect
soupe *f.* soup; (*fig.*) meal(s), food; **faire la —,** to cook *or* prepare food; **manger la —,** eat one's *or* the food
souper to take *or* have supper, sup; *noun m.* supper
soupière *f.* soup tureen
soupir *m.* sigh
soupirer to sigh
souple supple, lithe, flexible
souplesse *f.* suppleness, flexibility, litheness
source *f.* spring, source
sourcil *m.* eyebrow; **froncer le —,** to frown, scowl
sourciller to frown, make a face, wince
sourd, -e deaf, muffled, dull, hollow, low, indistinct
souriant, -e smiling, beaming, cheerful
***sourire** to smile; **en souriant** with a smile; *noun m.* smile
souris *f.* mouse; **trot de —,** mouse-like step
sous under, beneath, below; **— sa dictée** at his dictation
sous-marchand *m.* assistant merchant *or* dealer
***soutenir** to support, maintain, sustain, hold up, uphold, encourage; **se —,** support oneself, stand; (*conjugated like* **tenir**)
souterrain, -e subterranean, underground
soutien *m.* support, mainstay
***souvenir: se — (de)** to remember, recall, recollect
souvenir *m.* souvenir, recollection, remembrance, memory
souvent often
souverain, -e sovereign, regal, supreme
spectacle *m.* spectacle, sight, show, display
sphinx *m.* sphinx; **de —,** *adj.* sphinx-like
stalle *f.* stall
store *m.* blind, curtain
strictement strictly
stupéfait, -e stupefied, astounded, amazed
stupeur *f.* stupor, amazement, confusion
stupide stupid, dazed, stupefied, dull
stylet *m.* stiletto; **coup de —,** dagger thrust
subalterne subaltern, subordinate, inferior, lower
subir to undergo, submit to; **faire — à** subject to

substituer to substitute; **se —** (à) substitute itself *or* be substituted (for), take the place (of)
subtil, -e subtile, fine-spun
succéder (à) to succeed, follow, come after; **se —**, follow one another
succès *m.* success; **avoir un —**, to be a great success, make a great hit
succomber to succumb, yield, die
sucrer to sugar, sweeten; **sucré, -e** sugared, sweet
sueur *f.* perspiration, sweat; **en avoir les —s** to get into a cold sweat (from it)
***suffire** to suffice, be sufficient, be enough
suffoquer to suffocate, stifle, choke, be speechless
suie *f.* soot
suite *f.* succession, result, consequence, outcome; **tout de —**, immediately, at once, right away
suivant, -e following, next; **suivant** *prep.* according to
***suivre** to follow, pursue, trace; **— des yeux** follow with one's eyes
sujet *m.* subject, matter, cause; **au — de** as to, concerning, about
superbe superb, splendid, magnificent, haughty
superbement superbly
supérieur, -e superior, upper, higher
supériorité *f.* superiority
superposer to add, superpose; **intérêts superposés** compound interest
superstitieu-x, -se superstitious
suppliant, -e suppliant, beseeching
supplication *f.* supplication, entreaty
supplice *m.* torture, torment
supplier to supplicate, beseech, entreat, beg
supporter to support, endure, bear, stand
supposer to suppose, infer, take (it) for granted
supposition *f.* supposition, surmise, theory, belief
suprême supreme, final
sur on, upon, over, about, concerning, toward, at, in, by; **trois fois — quatre** three times out of four
sûr, -e sure, certain, safe, steady, unerring; **pour —**, certainly
sûreté *f.* security, safety; **en — de conscience** with an easy *or* clear conscience; **le savoir en —**, to know that he is safe
surgir to surge, arise, come up, spring up, appear
sur-le-champ instantly, then and there, forthwith
surlendemain *m.* (the) third day
surmonter to surmount, rise above; **surmonté, -e de** topped by
surnommer to surname, nickname
surpasser to surpass, exceed, outstrip
surplis *m.* surplice
***surprendre** to surprise, take by surprise, catch, betray
surprise *f.* surprise, astonishment
sursaut *m.* start; **en —**, with a start, startled
surtout especially, above all, chiefly
surveillant *m.* superintendant, attendant, watcher
surveiller to watch (over), keep watch (over), keep an eye on, see to
suspendre to suspend, hang, stop temporarily, hold in suspense; **suspendu, -e** hung, swung, suspended, hanging
suspens *adj.* suspended; **en —**, in suspense
svelte slender
syllabe *f.* syllable
syllogiser (*obsolescent*) to reason
système *m.* system, plan, method

T

tabac *m.* tobacco; *pl.* kinds of tobacco, tobacco(s)
tabatière *f.* snuff-box
table *f.* table; **mettre la —**, to set the table
tableau *m.* picture
tabouret *m.* stool
tache *f.* spot, stain
tacher to spot, stain
tâcher (de) to try (to), endeavor (to)
taffetas *m.* taffeta (*a kind of silk*)
tafia *m.* tafia (*a kind of rum made from molasses*)
taille *f.* cut, figure, size, stature, height, waist
tailler to cut, cut out, hew, carve, trim
taillis *m.* thicket, copse, underbrush

***taire** to suppress, keep quiet; **se —,** be *or* become quiet, hush, cease speaking
talon *m.* heel; **sur les (ses) —s** at *or* on his heels; **tourner les —s à quelqu'un** to turn one's back on somebody
tambour *m.* drum
tambourin *m.* tambourine
tandis que whereas, while
tannerie *f.* tannery
tant (de) so (*or* as) much, so (*or* as) many; so greatly, so well, to such a degree; **— mieux** so much the better; **— pis** so much the worse; **— que** *conj.* as *or* so long as, as much as
tante *f.* aunt
tantôt soon, presently, by and by, a little while ago, just now; **— . . . —,** now . . . now, sometimes . . . sometimes, now . . . then
tapage *m.* din, racket, uproar, disturbance
tape *f.* tap, pat, slap
tapis *m.* carpet, rug, table cover; cloth (*of a billiard table*)
tapisser to carpet, hang with tapestry, paper (*a wall*)
tapisserie *f.* tapestry, hanging(s), upholstery
tarabin, taraban tra-la-la, tra-la-lee
tard late; **plus —,** later, afterward
tarder (à) to delay (in), be slow (in), be long (in), wait (to)
Tarifa *a Spanish seaport west of Gibraltar*
tarir to dry up, exhaust, cease; **ne pas —,** talk incessantly
tas *m.* heap, pile, lot
tasser to heap up, pile up
tâter to feel, feel of, touch, sound, examine; grope
tâtons: à —, groping(ly), by feeling one's way about
taureau *m.* bull; **course de —x** bullfight
taux *m.* rate (*of interest*); price, amount, (interest) charge
teint *m.* complexion, tint, dye
teinte *f.* tint, shade, tinge
teinter to tinge, color; **se —,** color up, be tinged
tel, -le such (a), so great; **— jour** such and such a day; **un —,** such a, such and such a one, so and so; **— que** such *or* just as
tellement so, so much, to such a degree
témoigner to testify, show, give evidence, bear witness
témoin *m.* witness
tempête *f.* tempest, storm, whirlwind
temps *m.* time, weather, while; **à —,** in time; **avec le —,** in (the course of) time; **combien de —?** how long? **de — à autre** from time to time, every now and then; **de — en —,** from time to time, every now and then; **en même —,** at the same time; **faire un — admirable** to be admirable weather
tenable tenable, bearable, retainable, possible to hold
tenace tenacious, stubborn, persistent
tenacité *f.* tenacity, persistance
tenante: séance —, forthwith, then and there, at once
tendre to stretch, stretch out, extend, hold out; **— l'oreille** listen intently; **se —,** stretch out
tendresse *f.* tenderness, fondness, love, affection; *pl.* caresses
ténèbres *f. pl.* darkness, gloom, shadows
***tenir** to hold, hold out, keep, occupy, get; **tenez! tiens!** look! wait! see! there! ah! **tenez bon** keep *or* hold steady; **tenons-nous bien** let's be careful; **tiens-toi tranquille** don't worry *or* be uneasy; **— à** insist upon, feel bound to, depend on; **— conseil** take counsel; **— parole à quelqu'un** keep one's word to somebody; **se —,** keep (oneself), remain, stay, stand; **se — bien** be careful; **se — debout** stand up, remain standing; **se — sur ses gardes** be on one's guard, be careful; **s'en — à** stop at, remain satisfied with, keep to; **rire à se — les côtes** split one's sides laughing; **savoir à quoi s'en —,** know what to believe
tension *f.* tension, strain, intense application
tentation *f.* temptation
tentative *f.* attempt, trial
tente *f.* tent

tenter to tempt; attempt, try, venture; make
tenture *f.* drapery, tapestry, hangings
tenue *f.* bearing, carriage; dress, full dress, uniform; **en grande —**, in (full) dress uniform; **en petite —**, in undress uniform
terme *m.* term, expression, word; end, limit
terminer to terminate, end
ternir to tarnish, stain, dim; **terni, -e** tarnished, dim, stained
terrain *m.* soil, ground, piece of land
terrasser to knock *or* throw down, fell, floor
terre *f.* earth, ground, land, soil; **à —**, on the ground *or* floor; **de — brune** *adj.* (of) brown earthernware; **en —**, in the ground; **mettre pied à —**, to dismount; **par —**, on *or* to the ground *or* floor; **pièce de —**, farm, field; **vent de —**, off-shore wind
terreur *f.* terror
terrible terrible, awful, dreadful
terriblement terribly, dreadfully
terrine *f.* earthenware vessel *or* bowl
tête *f.* head; mind, intellect, wits; **à tue-—**, at the top of one's voice; **avoir la — dure** to be a poor student, be slow in learning; **calcul de —**, mental calculation; **faire — (à)** face, stand one's ground (against); **homme de —**, man of brains; **inclination de —**, bow, nod; **mal de —**, headache; **signe de —**, nod
texte *m.* text, subject
théâtre *m.* theater, scene; **coup de —**, theatrical effect, dramatic turn
théorie *f.* theory
Thrasybule Thrasybulus
tic tac *m.* tick tock, ticking, clacking
tiède tepid, lukewarm, mild, balmy
tiédir to become tepid *or* lukewarm, cool off
tiers *m.* third
tilbury *m.* tilbury (*a two-wheeled buggy*)
tillac *m.* deck, forecastle-deck
timbale *f.* drinking cup, cup, mug
timide timid, shy, bashful
timidement timidly
timonier *m.* helmsman; **aide-—**, helmsman's mate
tinter to tinkle, jingle, toll
tir *m.* shooting, firing; **au — du fusil** in shooting with a gun
tirade *f.* tirade, long speech
tirailler to fire *or* shoot (*frequently and at irregular intervals*); plague
tirer to draw (out), pull (out), tug, extricate; shoot, fire (at); **— quelqu'un de peine** pull someone out of trouble, rescue someone; **se — d'affaire** get out of a difficulty; **s'en —**, get oneself out (of it), extricate oneself (from it); **se faire — la bonne aventure** have one's fortune told
tireur *m.* marksman, shot (*person*)
toile *f.* cloth, canvas, linen; *pl.* meshes (*of a net*)
toilette *f.* toilet, dress, fine gown, evening frock; garb, appearance; **en — de soirée** in evening dress
toiser to measure, eye
toit *m.* roof
toiture *f.* roofing, roofs
tolérer to tolerate, endure, be indulgent to
tomber to fall; wane; **— au sort** be drafted *or* selected (*for military service*); **— d'accord** agree, come to an agreement; **au jour tombant** at the fall of day, as daylight fades away
ton *m.* tone, voice, shade, hue, bearing
tonnage *m.* tonnage, capacity
tonneau *m.* cask, hogshead, barrel
tonner to thunder
tonnerre *m.* thunder; **coup de —**, clap of thunder, thunderstroke; **voix de —**, thunderous voice
torche *f.* torch
torchère *f.* candelabrum, floor lamp
torchon *m.* dishcloth, dustcloth, rag
tordre to twist, wring; **se —**, writhe, squirm
torrent *m.* torrent, flood
torrentiel, -le torrential; **pluie —le** pouring rain
tors, -e twisted, crooked
torse *m.* trunk, body, torso
tort *m.* wrong, harm, injury; **avoir —**, to be wrong; **donner — à quelqu'un** lay the blame on someone, say that someone is wrong
tortiller to twist, twirl

tortueu-x, -se tortuous, winding
torture *f.* torture, torment
torturer to torture
tôt soon, early; **plus —,** sooner; **le plus —** possible, as soon as possible
touchant, -e touching, moving; **touchant** *prep.* concerning
toucher to touch, stroke, hit, strike, move; **— à** touch, meddle with
touffu, -e bushy, thick, tufted
toujours always, ever, still, constantly; **demander —,** to keep on asking
tour *f.* tower
tour *m.* turn, trip around, tour; trick; small wig; **— à —,** turn by turn, in turn; **à son —,** in his *or* her turn; **faire un —,** to take a stroll *or* walk, take a trip around; play a trick
tourbillon *m.* whirlwind, whirl
tourmenter to torment, plague, puzzle, bother
tournée *f.* walk, turn, round (*of visits*); **faire une —,** to make the rounds, go all about; **se mettre en —,** start out on a round of visits
tourner to turn, turn around, wheel, revolve, spin, whirl, turn out, walk, form; **— à** turn to *or* into; **— le dos** *or* **les talons à quelqu'un** turn one's back on someone; **se —,** turn, turn around *or* about
tournoyer to whirl about, turn round and round
tournure *f.* form, shape, figure, appearance, looks
tout, -e (tous, toutes *pl.*) all, every, any, (the) whole; **tous (les) deux** both; **— le jour** all day long; **tous les jours** every day; **— le monde** everybody; **plus jolie que —es** prettier than any *or* all the rest; **dans —e la ville** throughout the city
tout *adv.* (*becoming* **toute**(**s**) *before a feminine adjective beginning with a consonant*), wholly, quite, entirely, very, altogether; **— à coup** suddenly, all at once; **— à fait** quite, wholly, exactly, altogether; **— à l'heure** presently, just now, in a moment, shortly, a little while ago; **— de même** all the same, after all, for all that; **— de suite** immediately, at once, right away; **— droit** straight ahead; **— d'un coup** all at once, all of a sudden; **— comme** just as, (*pop.*) all the same; **— en** (+ *pres. part.*), while, all the time (+ *pres. part.*); **— entier** wholly; **— haut** quite loud(ly); **pour — de bon** for good and all, in earnest
tout *m.* all, everything; **comme —,** like everything, exceedingly
toutefois however, nevertheless, still, yet
toux *f.* cough
trace *f.* trace, track, trail, clue, footstep
tracer to trace, mark; write, print
traduction *f.* translation
***traduire** to translate; (*conjugated like* **conduire**)
Trafalgar *m.* (Cape) Trafalgar (*on the southwest coast of Spain. Here Admiral Nelson won a victory* (*Oct. 21, 1805*) *over the combined fleets of France and Spain, commanded by Villeneuve. The English admiral was mortally wounded during the action.*)
trafiquant *m.* dealer
trahir to betray, reveal, be false; **se —,** be revealed, reveal itself
trahison *f.* treason, treachery, betrayal, treacherous act; **faire une —,** to commit an act of treachery
train *m.* train; pace, rate, movement; **être en — de** to be in the act of, be on the verge of
traîner to drag, draw, trail about; **se —,** drag oneself, creep along
trait *m.* feature, act, feat; mark, line, stroke; shaft, arrow; gulp, draught; **avaler d'un —,** to swallow in one gulp, gulp down
traitable, tractable, manageable; **rendre —,** to pacify, win over, conciliate
traite *f.* journey, trip, stage; transportation; trade, slave trade, traffic; **— des nègres** negro slave trade
traité *m.* treaty, bargain, agreement, trade; treatise
traiter to treat, deal; **— de** deal with; call, style, consider
traître *m.* traitor
traîtresse *f.* traitress
trajet *m.* journey, trip, course, stretch, distance covered

tranche *f.* slice
tranquille tranquil, quiet, easy, calm, unconcerned, reassured, undisturbed; **laisser —,** to leave alone, not to bother; **sois —,** rest easy, don't fret; **tiens-toi —,** don't worry, don't be uneasy; **à pas —s** at an easy gait
tranquillement tranquilly, quietly, calmly, peacefully
tranquilliser to calm, reassure
tranquillité *f.* tranquillity, calmness, quiet, serenity
transcendant, -e transcendent, superior, extraordinary
transparent, -e transparent; *noun m.* transparency
transpirer to perspire, sweat
Trappe: la —, *shortened name of the abbey* **Notre-Dame-de-la-Trappe,** *situated some 75 miles southwest of Paris. The religious order of* **les Trappistes** *was founded there in 1140.*
traquer to drive *or* run down (*game*), entrap
travail *m.* work, labor, toil, workmanship, task; **en —,** at work; **les gros travaux** the rough *or* heavy work
travailler to work, be active, operate, be at work
travers *m.* breadth, width; **à —,** *prep.* through, across; **à — champs** through the fields; **au — de** through; **de —,** wrong, crooked, awry, the wrong way; **en —,** crosswise; **en — de** across, alongside
traverse *f.* crossing, cross-cut; crossbar, crosspiece
traversée *f.* crossing, passage, trip across
traverser to cross, walk *or* pass through *or* across, traverse, go through *or* across
treize thirteen; (*with dates*) thirteenth
tremblant, -e trembling, quaking, shaking; **un peu —e** a bit tremulous
tremblement *m.* trembling, agitation; **un —,** a fit of trembling; **agité d'un —,** trembling with agitation, quivering with excitement; **— de terre** earthquake
trembler to tremble, shake, quiver
trembloter to quiver, flicker, twinkle, tremble, shake, bob
tremper to soak, steep; dip, trail; **trempé, -e** wet through, water soaked
trentaine *f.* about thirty, thirty or so
trente thirty; **—-cinq** thirty-five; **—-quatre** thirty-four; **—-six** thirty-six
très very, greatly, very much
trésor *m.* treasure; " jewel " (*precious person*)
tressaillement *m.* start, quiver, thrill; **avoir un —,** to give a start
***tressaillir** to start, be startled, jump, tremble, shake, thrill, quiver, shudder; (*conjugated like* **cueillir**)
Triana *suburb for working people, across the river from Seville*
tribune *f.* gallery, organ loft, rostrum
tricher to cheat
tricorne *m.* three-cornered hat
trier to sort out, classify
trin, trin, trin tra-la-la, tra-la-lee
trinquer to clink *or* touch glasses
triomphant, -e triumphant, victorious
triomphe *m.* triumph, victory
triompher to triumph, be triumphant, be exultant
triste sad, gloomy, sorrowful, wretched
tristement sadly, dismally, mournfully
tristesse *f.* sadness, sorrow; **avec —,** sorrowfully
trois three; **— à —,** three by three, by threes
troisième third
trombe *f.* waterspout, tornado, whirlwind
tromper to deceive, disappoint, outwit; **se —,** be mistaken, make a mistake, be wrong
tronc *m.* trunk (*of a tree*)
tronçon *m.* stump
trop too, too much, too many, too well; **— de** too much, too many; **le — de** the overdoing of, an excess of
trot *m.* trot; **— de souris** mouselike step; **grand —,** fast trot
trotter to trot
trottiner to trip *or* skip along
trou *m.* hole, depression, dimple, nook, corner
trouble dull, muddy, dim, clouded

troubler to trouble, disturb, agitate, confuse, fluster
trouée *f.* hole, gap, breach, opening, clearing
trouer to make a hole in, bore through; **troué, -e** pierced, full of holes, riddled
troupe *f.* troop, band, crowd, gang, company, flock, squad, school (*of fish*); **aller en —,** to go in a flock; **la —,** the troop of soldiers, the soldiers
troupeau *m.* herd, flock
trousse *f.* case, bundle; **à nos —s** at our heels
trouvaille *f.* (lucky) find, thing found, discovery
trouver to find, find out, consider, think, discover, seek; **— bon** be satisfied with; **aller —,** go to see *or* visit; **se —,** be *or* happen to be, find oneself, be found
truite *f.* trout
tuer to kill; **se —,** kill oneself, get killed; **— raide** kill outright
tue-tête: à —, at the top of one's voice
tuile *f.* tile
turc, turque (**T—**) Turkish, Turk; **à la turque** in Turkish style, i.e., cross-legged
Turenne, Henri de La Tour d'Auvergne, vicomte de —, (*1611–1675*), *one of the greatest of French generals. Having been missed from home, as a child, he was discovered asleep upon a gun-carriage.*
turon *m.* nougat (*made of nuts and honey*)
tutoyer to "thee" and "thou" a person, speak to a person with affectionate familiarity
tuyau *m.* pipe, tube

U

un, une one; a, an; **— à —,** one by one; **l'— . . . l'autre** (the) one . . . the other; **l'— l'autre** each other; **l'— après l'autre** one after the other; **l'— et l'autre** both; **les —s . . . les autres** some . . . (the) others; **les —s les autres** each other
uni, -e smooth, level, even, uniform in color
-unième (*used in compound numbers*) -first
uniforme *m.* uniform
unique sole, only, single, unique
uniquement only, solely, entirely
unir to unite; **s'—,** be united
usage *m.* use, custom, practice, usage
user to use up, wear out *or* away; **— de** make use of, avail oneself of; **usant ses ongles** ruining her finger nails
ustensile *m.* utensil, implement, article; **—s de chasse** hunting equipment
ustilar à pastesas (*Spanish*) to steal adroitly
usure *f.* usury; wear, wearing out, shabbiness, worn appearance
usurier *m.* usurer
utile useful
utiliser to utilize, make (best) use of

V

va *interj.* go along! indeed! pshaw! humph!
vacarme *m.* uproar, tumult
vache *f.* cow
vague vague, uncertain, idle, indistinct; *noun m.* vagueness
vague *f.* wave; (*fig.*) waves, surge
vaguement vaguely, dimly, perplexedly
vaillant, -e valiant, brave, spirited, of worth, of value; **pas un sou —,** not a penny in the world, not a red cent
***vaincre** to overcome, conquer, vanquish; (*principal parts:* **vaincre, vainquant, vaincu, vaincs, vainquis;** *derived tenses are regularly formed, except the pl. pres. ind. and impve.:* **vainquons, vainquez, vainquent.**)
vainqueur *m.* victor, conqueror
vaisseau *m.* vessel
vaisselle *f.* dishes, plates and dishes, crockery
val *m.* dale, valley; **par monts et par vaux** up hill and down dale
valencien, -ne Valencian, of Valencia; **à la —ne** in the Valencian style
valet *m.* valet, man-servant, footman, flunkey; **— de chambre** man-servant, valet; **— de ferme** farm laborer

vallée *f.* valley
***valoir** to be worth, be comparable with, equal; **— mieux** be better, be worth more
valse *f.* waltz
valser to waltz
vanter to boast of, praise, extol, brag about; **se — de** boast of
vapeur *f.* vapor, steam, mist
Var *m.* *a department in southern France. Its seaport is Toulon.*
varier to vary
vase *m.* vase; *f.* mud, mire
vaste vast, spacious, great
vaurien *m.* good-for-nothing fellow, scamp
veau *m.* calf
Véger, Veger de la Frontera (*a small village about 30 miles southeast of Cadiz*)
véhicule *m.* vehicle, conveyance
veille *f.* eve, day before, evening before; vigil, watching, sitting up, wakefulness
veilleuse *f.* night light, night lamp
veine *f.* vein; streak; (*pop.*) good luck
velours *m.* velvet
velouté *m.* (velvety) smoothness
vendeu -r, -se *m., f.* vendor, dealer, seller
vendre to sell; **se —,** sell *or* be sold
vendredi *m.* Friday
vengeance *f.* vengeance, revenge
venger to avenge; **se —,** avenge oneself, be revenged
***venir** to come, come along, arrive; **— de** come from, have just; **— à** come to, happen; **— à bout de** finish *or* accomplish; **faire —,** cause to come, send for, fetch; **s'en —,** come away, come up, come along; **la nuit venue** after nightfall
vénitien, -ne Venetian, of Venice
vent *m.* wind; **— de terre** off-shore wind
venta (*Spanish*) *f.* wayside inn
vente *f.* sale
ventre *m.* abdomen, belly; **à plat —,** flat on one's belly, flat on the ground; **— à terre** at top speed
vêpres *f. pl.* vespers; **les Vêpres Siciliennes,** (the) "Sicilian Vespers" (*a five act tragedy by Casimir Delavigne (1793–1843); its subject is the massacre of French residents in Sicily in 1282, begun at the stroke of the vesper bell; the play was first acted with great success in October, 1819*)
ver *m.* worm; **mangé des —s** worm-eaten
verdâtre greenish
verdure *f.* verdure, green foliage, greenery, vegetation; **de —,** *adj.* verdant; **—s folles** wild vegetation, untrimmed foliage
véreu-x, -se wormy; suspected, open to criticism, shaky
vergue *f.* (*nautical*) yard, spar
véritable veritable, true, real, genuine
véritablement truly, really
vérité *f.* truth, true statement; **à la —,** in truth, in fact
vermeil, -le vermilion, crimson, bright red; *noun m.* silver gilt
vermine *f.* vermin
vernir to varnish
verre *m.* glass, tumbler; (*pop.*) **un petit —,** a glass of brandy
verrou *m.* bolt; **sous les —s** under lock and key, behind the bars
vers *m.* verse, line (*of verse*); *prep.* towards, about, to, at
verser to pour (out), shed; be poured (out), spill
vert, -e green; sharp, lively; hot; thorough; **chêne —,** live-oak; *noun m.* green, greenness; **les —s** green vegetables
vertement sharply, smartly, vigorously, lustily, harshly
vertige *m.* dizziness, giddiness, vertigo; **donner des —s à** to make dizzy
vertu *f.* virtue, worth; **en — de** by virtue of
veste *f.* jacket, waistcoat, short coat
vestibule *m.* vestibule, (entrance) hall
vêtement *m.* garment; *pl.* clothing, dress; **—s pour la sortie** wraps
***vêtir** to clothe, dress, drape, upholster
veuf *m.* widower
veuve *f.* widow
viande *f.* meat
victime *f.* victim
victoire *f.* victory
vide empty, vacant, unoccupied;

noun m. emptiness, empty space, void
vider to empty; **se —,** be emptied
vie *f.* life, existence, living; **à la — à la mort** for life or death; **changer de —,** to change one's way of living
vieillard *m.* old man; *pl.* old people
vieille (*fem. of* **vieux**) old; *noun f.* old woman, old lady
vieillir to grow old, age; **vieilli de cinq ans** having aged five years
vierge *f.* virgin; **la Vierge** the Holy Virgin; **fil de la Vierge** gossamer thread
vieux (**vieil** *before vowels*), **vieille** old, elderly; former, retired; *noun m.* old man; *pl.* old people
vi-f, -ve lively, keen, alive, quick, sharp, sparkling, bright, intense; **haie vive** quickset hedge, hedge of living plants
vigilance *f.* vigilance, watchfulness
vigne *f.* vine; vineyard
vigoureu-x, -se vigorous, sturdy, strong, forceful
vigoureusement vigorously, forcibly
vilain, -e mean, nasty, horrid, coarse, ugly, disagreeable, villainous, wicked; *noun m.* commoner, peasant; blackguard
ville *f.* city, town
vin *m.* wine; **— cuit** mulled wine
vingt twenty; **— et un** twenty-one; **quatre-—s** eighty
vingtaine *f.* score, about twenty, twenty or so
vingt-quatre *m.* magistrate (*in charge of police and other departments of a municipality in Andalusia*)
violence *f.* violence; **avec —,** violently
violon *m.* violin, fiddle
virer to turn; **— de bord** tack, change the course (*of a ship*)
visage *m.* face, visage, countenance; look
viser to aim (at), take aim (at)
visionnaire visionary, given to dreaming
visite *f.* visit, call; **faire une — à** to pay a visit on, call on
visiter to visit, inspect, examine
vite quick(ly), fast, active; **au plus —,** as quickly *or* fast as possible
Vitoria *a small city in northern Spain. It is the capital of Alava.*
vitrage *m.* (window) pane(s), windows
vitrail *m.* stained-glass window
vitre *f.* pane, window pane
vivacité *f.* vivacity, liveliness, brightness; **avec —,** vivaciously, a bit sharply, with some excitement
vivant, -e living, alive; *noun m.* lifetime, life, living man; **de son —,** in *or* during one's (his, her) lifetime
vivement quickly, briskly, eagerly, hurriedly, keenly, hotly, energetically, intensely
***vivre** (**de**) to live (on, by), subsist, be alive
vivres *m. pl.* provisions, stores, food
vli, vlan *interj.* slap!, bang!
vociférer to shout, yell
vogue *f.* vogue, popularity
voici here is, here are; look! here! behold! **et — que** and now, you see
voie *f.* way
voilà there is, there are, you see there; that is, those are; look! there! behold! all right! **— dix ans que nous la payons** for ten years we have been paying for it; **— douze ans de cela** it is now twelve years ago; **— pourquoi** that is why; **— que** all at once, suddenly, look! behold!
voile *f.* sail; **sous —s** under sail, under way
voiler to veil, hide, muffle; **voilé, -e** veiled, indistinct
voilier *m.* sailing-ship
***voir** to see, behold, look at; **se —,** see oneself, be seen; **voyons!** let us see! come now! **cela se voit** that's evident
voire indeed, and even, in truth, of a truth
voisin, -e neighboring, near by, adjoining; *noun* neighbor
voisinage *m.* neighborhood, vicinity
voiture *f.* carriage, vehicle, conveyance, coach; **petite —,** cab, small vehicle; **compagnie de petites —s** cab-company
voix *f.* voice: **à — basse** in a low tone, **d'une — calme** in a calm voice; **— de tonnerre** thunderous

voice; **éclat de —**, loud ejaculation, outburst
vol *m.* flight, flock; theft; **prendre son —**, to fly away
volaille *f.* poultry, fowl
volant, -e flying
volée *f.* flight, flying; peal (*of bells*); shower, cloud; **à la grande —**, pealing wildly, in full peal
voler to steal, rob; fly
volet *m.* shutter
voleu-r, -se *m., f.* thief, robber; **— de grand(s) chemin(s)** highwayman
volière *f.* aviary, bird preserve
volonté *f.* will, wish, determination, decision, pleasure; *pl.* desires
volontiers willingly, readily, gladly, with pleasure
voltigeur *m.* light infantryman; state *or* district policeman
volubilité *f.* volubility, eloquence
voluptueu-x, -se voluptuous, delightful
vouer to vow, devote, consecrate, dedicate, pledge; doom
***vouloir** to wish (to), will, be willing (to), want, care, like, require, expect to; **— dire** mean; **— bien** be willing, be good enough to, like, please; **en — à** have a grudge against, be angry with; **— de** have use for; **je veux bien** I am willing, all right
vous you, to *or* for you, yourself; **à — seul** all by yourself, all alone
voyage *m.* journey, voyage, trip; **bon —!** a pleasant trip! a happy journey! **de —**, *adj.* traveling; **en —**, when one is traveling
voyager to travel
voyageu-r, -se *m., f.* traveler
voyons *interj.* let us see! come now!
vrai, -e true, real, genuine, veritable; **à — dire** to tell the truth; **c'est —**, that's true, that's so; **dire —**, to speak the truth
vraiment truly, really, indeed
vraisemblable likely, probable
vraisemblance *f.* likelihood, probability
vue *f.* sight, view; **à sa —**, at sight of him *or* her; **à — d'œil** before one's eyes, visibly, manifestly; **garder à —**, to keep in sight, keep under watch

W

wagon *m.* railway carriage *or* coach

Y

y *adv.* there; to *or* at it, to *or* at them, in *or* about it, in *or* about them; **il y a** there is, there are, ago; **qu'y a-t-il?** *or* **qu'est-ce qu'il y a?** what is the matter?
yema *f.* (*Spanish*) yolk (*a confection made of the yolk of eggs and sugar*)
yeux (*pl. of* œil) **clignements d'—**, winks; **cligner les —**, to blink (one's eyes); **fixer les — sur** look steadily at
Ymauville *a Norman village about 3 miles east of Goderville*
yolof, -e: la langue —e the Wolof language (*one of the many dialects spoken by the negroes of Senegal*)

Z

Zacatin *a poor quarter in Granada*
zaguán *m.* (*Spanish*) passageway, vestibule
zorzico *m.* song *or* dance music (*popular in the Basque Provinces*)